LOS TEMAS ARIOSTESCOS
EN EL ROMANCERO
Y LA POESÍA ESPAÑOLA DEL SIGLO DE ORO

BIBLIOTECA DE ERUDICIÓN Y CRÍTICA

DIRIGIDA POR DON ANTONIO RODRÍGUEZ-MOÑINO

X

LOS TEMAS ARIOSTESCOS
EN EL ROMANCERO
Y LA POESÍA ESPAÑOLA DEL SIGLO DE ORO
Por MAXIME CHEVALIER

MAXIME CHEVALIER

Instituto de Estudios Ibéricos e Iberoamericanos
Universidad de Burdeos

LOS TEMAS ARIOSTESCOS

EN EL ROMANCERO

Y LA POESÍA ESPAÑOLA DEL SIGLO DE ORO

EDITORIAL CASTALIA

MADRID

PRINTED IN SPAIN

Depósito legal: v. 4.650 - 1968

Artes Gráficas Soler, S. A. Jávea, 30. Valencia (8). 1968

SIGLAS EMPLEADAS

O. F.   *Orlando Furioso.*

B. A. E.   *Biblioteca de Autores Españoles.*

N. B. A. E.   *Nueva Biblioteca de Autores Españoles.*

B. Hi.   *Bulletin Hispanique.*

N. R. F. H.   *Nueva Revista de Filología Hispánica.*

R. A. B. M.   *Revista de Archivos, Bibliotecas y Museos.*

R. F. E.   *Revista de Filología Española.*

R. H.   *Revue Hispanique.*

ÍNDICE GENERAL

INTRODUCCIÓN

Los textos que reunimos en el presente estudio no han merecido, salvo contadas excepciones, la atención de los estudiosos del romancero. Saben todos los hispanistas que varias composiciones inspiradas en el *Orlando Furioso* se incluyen en las *Flores,* en el *Romancero General* o en unos romancerillos reproducidos por Foulché-Delbosc. Algunos de estos textos son muy conocidos y se han estudiado por ser obras de Lope, Góngora o Quevedo. Pero no se ha propuesto nadie juntar los miembros dispersos del romancero ariostesco, ni tampoco comentarlo e interpretarlo en su totalidad. Será porque nos faltan todavía muchos trabajos útiles para un mejor conocimiento del romancero nuevo. Pero se deberá también el hecho, según pensamos, al prejuicio desfavorable que grava estas obras. Padecen, como si fueran una tara, de sus orígenes evidentemente italianos. Muchos son los que se niegan, en forma más o menos consciente, a considerarlas como un miembro vivo de la literatura española, a la cual pertenecen sin embargo y a la cual, según esperamos demostrar, se han integrado verdaderamente. Aparecen poco más o menos tales composiciones como un apéndice extraño al cuerpo del romancero, y todo pasa como si se dieran por demostradas tres cosas: Durán recogió la totalidad de los romances ariostescos que han llegado hasta nosotros, estos textos no tuvieron variantes de importancia y están fijados en forma satisfactoria en las columnas de la *Biblioteca de Autores Españoles,* en fin dichas composiciones son de una claridad absoluta, lo que se explica perfectamente, ya que no pasan de ser, dejando aparte tal o cual excepción famosa, copias descoloridas y rastreras de episodios sobradamente conocidos del *Orlando Furioso*. [1]

Varios indicios, sin embargo, hacían sospechar que la realidad no era tan sencilla. La sola lectura de la colección de Durán lleva a observar que los romances ariostescos también plantean sus problemas: buen ejemplo es el núm. 407, ya que en vano se buscaría, a pesar de la atrevida afirmación de Durán, la fuente del relato en el *Orlando Furioso*. Además, hace años ya, apuntaba Serrano y Sanz que un manuscrito de la Biblioteca Nacional de Madrid incluía una versión de *Rotas las sangrientas armas* muy distinta de la que había editado Durán (núm. 433). [2] Estos hechos por sí solos permitían barruntar que la investigación en este campo no se revelaría absolutamente vana.

Nos hemos dedicado a esta tarea dentro de una investigación más amplia sobre la influencia de Ariosto en la España del Siglo de Oro. Hemos examinado de modo sistemático las colecciones de romances, los *Cancioneros* y más generalmente las obras y antologías poéticas que aparecieron entre 1530 y 1650. También hemos recorrido el teatro de Lope y de sus discípulos, así como el de Vélez de Guevara y Calderón. Hemos procurado leer o consultar la mayor cantidad posible de obras de la época. Con todo no es cierto que hayamos recogido todas las composiciones ariostescas impresas a lo largo de tan extenso período: es mucho más verosímil, al contrario, que algunas de ellas se nos hayan escapado. Hemos compulsado también numerosos manuscritos en la Biblioteca Nacional y la Biblioteca Real de Madrid, así como en la Biblioteca Universitaria de Barcelona. Este trabajo era más aleatorio que el precedente, ya que no poseemos todavía inventarios completos de los

---

[1] Al tratar Antonio Portnoy de los romances inspirados en el *Orlando Furioso*, cita versos de algunos de ellos y remite luego el lector a la colección de Durán, añadiendo: "el examen detenido de cada romance es tarea casi superflua, pues todos, con ser fluidos y armoniosos, siguen fielmente la trama ariostesca" (*Ariosto y su influencia en la literatura española*, p. 111).

[2] Serrano y Sanz, *Un Cancionero de la Biblioteca Nacional*, en *R. A. B. M.*, IV, 1900, p. 577-590, núm. 23.

manuscritos poéticos españoles de los siglos XVI y XVII. A pesar de una investigación paciente que nos ha llevado a examinar un centenar de manuscritos, nos parece poco dudoso que unos textos que nos hubieran interesado se esconden todavía en colecciones de las que no hemos tenido noticia.

Hechas estas salvedades, podemos decir que la encuesta no ha sido infructuosa. Hemos reunido un centenar de composiciones inspiradas de modo más o menos directo en el *Orlando Furioso* y cuatro derivadas del *Orlando Enamorado*. Entre ellas figuran 88 romances. Recordemos que la colección de Durán integra 34, y habría que descontar de esta cifra una composición en quintillas (núms. 403-435 y 1892). Hay que declararlo enseguida, la cantidad de textos inéditos que ofrecemos es inferior a la diferencia entre estas dos cifras, ya que incluimos en nuestra colección unas piezas tan conocidas como el romance de Quevedo *Quitándose está Medoro*. Las obras inéditas que publicamos, sin tener en cuenta las versiones múltiples y los arreglos, no pasan de 35. Pero esta cuestión es para nosotros de interés secundario. Nos importa más observar que las colecciones impresas, y más aún los manuscritos, ofrecen versiones distintas, muy distintas a veces, de varios romances, y también parodias de tipo burlesco y adaptaciones a lo divino. Se dan 19 casos de éstos entre los romances que presentamos en el presente libro. Es manifiesto el mismo fenómeno de arreglo en una de las series de octavas que no hemos querido separar de los romances, con los cuales tienen tan claras afinidades. [3] Se puede ver, pues, que los romances ariostescos no constituyen ninguna excepción dentro del romancero y que, muy lejos de quedar arrinconados en un imposible aislamiento, han participado de su vida siempre fluctuante.

De este aspecto volveremos a tratar más detalladamente. Observemos por ahora la masa considerable que forma el romancero inspirado en el *Orlando Furioso*. La producción es evidentemente muy amplia. Demuestra elocuentemente la seducción que ejercieron los relatos ariostescos sobre la imaginación y la sensibilidad de los poetas españoles del Siglo de Oro.

---

[3] Véase sobre este punto J. M. de Cossío, *Fábulas mitológicas en España,* p. 149-150 y 156.

Habiendo recortado el romancero en la materia de todos los grandes poemas, sería instructivo comparar las cifras que producimos con las que alcanzan los romances derivados de *La Eneida* o *La Araucana*. Sin tener hecho el recuento exacto de éstos, creemos poder afirmar que el balance resultaría favorable al *Orlando Furioso*. De todas formas hemos de pensar que los textos que hemos reunido sólo representan parte de los que se escribieron, copiaron y cantaron. Otros romances derivados de las mismas fuentes se conocían sin duda a fines del siglo XVI y en los primeros años del XVII. Gabriel Lasso de la Vega, que aborrecía el romancero morisco, no protesta menos vigorosamente contra la moda de los romances ariostescos. La importancia que les concede en sus invectivas hasta nos inclinaría a pensar que el género tuvo gigantesco incremento en los últimos años del siglo XVI. Pero hay que ser prudente y tener en cuenta las posibilidades satíricas ricas y de subido color que ofrecían a un polemista las composiciones derivadas del *Orlando Furioso*. Hecha esta salvedad, el texto confirma plenamente la boga del romancero ariostesco en aquellos años:

Por Dios, señores Poetas,
que tengo por recio caso,
y aun por necedad no chica,
perdonen mi desacato,
desvelarse en escribir
de Durandarte el gallardo,
y el gastar tinta y papel
en Scipiones y Alejandros,
en Aníbales ni Pyrros,
en Antonios ni Dentatos,
en las astucias de Ulises
y de Sinón los engaños,
y en aquel Turno y Eneas
que los antiguos soñaron,

en Angélica y Medoro
cuando fueron ermitaños,
en el fiero Rodamonte
y el furioso Mandricardo,
y en los doce de la Tabla,
que basta cansar al diablo,
en las fuerzas del de Anglante
y de su primo los tajos,
sino en decir cuando España
domó el furor de sus brazos.
¿Por qué en naciones extrañas
hemos de andar mendigando,
como si en ésta faltasen
hechos de varones claros?

(Gabriel Lasso de la Vega, *Manojuelo de romances* (1601), ed. E. Mele y A. González Palencia, Madrid, "Saeta", 1942, núm. 12).

Aunque se haya perdido parte de esta producción, las composiciones que han llegado hasta nosotros forman una masa bastante imponente para exigir orden y clasificación. Sería muy útil, desde este punto de vista, poder fechar todas las piezas que reproducimos y establecer una cronología exacta del romancero ariostesco. El proyecto es, desgraciadamente, punto menos que irrealizable, tratándose de composiciones muchas veces anónimas y sobre las cuales la fecha de las colecciones impresas o manuscritas en que se incluyen no ofrece más que datos de valor muy relativo. Una composición que aparece en el *Romancero historiado* se encuentra diez años más tarde en una de las *Flores*, y no podemos afirmar que no se haya impreso en algún pliego unos años antes de que eche mano de ella Lucas Rodríguez. La dificultad es igual cuando se trata de manuscritos, los cuales, incluso cuando están fechados con precisión, pueden reproducir un romance cuya composición es más o menos anterior. Por eso es excepcional que podamos fechar exactamente las piezas que editamos: dejando aparte *En un pastoral albergue*, sólo estamos en condiciones de hacerlo por lo que interesa a las obras leídas en la Academia de los Nocturnos. En todos los otros casos tenemos que limitarnos a proponer aproximaciones. Sin embargo las fechas de las colecciones y el estilo de los romances o de las octavas permiten distinguir varios estratos sucesivos en esta producción.

Aparecen primero las series de octavas que ofrece el manuscrito 1132 de la Biblioteca Nacional de Madrid. Estas composiciones son traducidas o adaptadas del *Orlando Furioso*. Una de ellas, la más larga, se atribuye en una acotación manuscrita a don Pedro de Guzmán. Puede ser que las otras se deban a la misma pluma, pues se observa en ellas el mismo estilo, mejor dicho la misma falta de estilo. Con todo no es posible dar el hecho por absolutamente cierto. El manuscrito 1132 incluye por otra parte (fol. 93 v°. - 95 v.°) una composición más conocida, titulada *Coplas de Don Pedro de Guzmán*. Aparecen también estas coplas en el *Cancionero General de obras nuevas* de 1554. Morel-Fatio cree que son obra del primer Conde de Olivares. [4] Si lo admitimos, podremos pensar que acaso debemos al abuelo del Conde Duque una parte o la totalidad de aquellos

---

[4] *Cancionero General de obras nuevas...* (1554), en Morel-Fatio, *L'Espagne au XVIᵉ et au XVIIᵉ siècle*, Heilbronn, 1878, p. 497 y 512-513 (núm. IX).

durísimos versos que intentan traducir las octavas de Ariosto. Se trata evidentemente de una hipótesis insegura, pues las atribuciones sugeridas por las acotaciones manuscritas no tienen valor de prueba, y, sobre todo cuando se trata de un apellido como éste, siempre puede darse un caso de homonimia. Si fueran estas composiciones obras del primer Conde de Olivares, serían anteriores a 1569, año en que murió Don Pedro.[5] Su forma tan mediocre evoca las pobres octavas de Jerónimo de Urrea, traductor del *Orlando Furioso* (1549) o las de Luis Zapata (*Carlo Famoso*, 1566); el hecho de que copian casi siempre de modo servil el poema italiano lleva también a pensar que se escribieron bastante temprano: las fecharíamos de los años 1540-1560. El único interés que tienen radica en la elección de los temas: los vituperios de Rodamonte contra las mujeres, la muerte del desdichado Zerbino y de la casta Isabela, la fidelidad de Bradamante, la locura de Roldán. Con ser muy torpe y más que pedestre, reúne esta breve antología ariostesca los episodios por los que se han de apasionar los hombres de la generación de Pedro de Padilla y Lucas Rodríguez.

Corresponden a una segunda época los romances que aparecen en varios pliegos, en la *Rosa Gentil* de Timoneda, en el *Romancero historiado* recopilado por Lucas Rodríguez y en las obras poéticas de Pedro de Padilla. Se escribieron estos romances entre 1560 y 1580. Forman un conjunto bastante extenso y de innegable variedad. En efecto, mientras los romances de Padilla, salidos de la misma pluma, ofrecen unos rasgos

---

[5] Murió el primer Conde de Olivares en Madrid el 14 de julio de 1569 según Juan Alonso Martínez Calderón, *Epítome de la historia de los Guzmanes* (Ms 2258 de la Biblioteca Nacional, III, fol. 579). Debió de nacer un poco antes de 1500 (*ibíd.*, fol. 566). Las *Flores de baria poesía* (México, 1577) incluyen dos sonetos atribuidos a Pedro de Guzmán: *¿Dónde se van los ojos que traían?* y *¡O alma que en mi alma puedes tanto!* (Ms 7982 de la Biblioteca Nacional, fol. 85 y 176). Una epístola atribuida a Pedro de Guzmán (*La mayor soledad que se padeze*) se copia en varios manuscritos (Ms 1132 de la Biblioteca Nacional, fol. 1-3; Ms 617 de la Biblioteca Real, fol. 273-274; Ms 1577 de la misma biblioteca, fol. 95). Sobre otras composiciones acaso atribuidas al mismo autor en el último de estos manuscritos, véase R. Menéndez Pidal, *Cartapacios literarios salmantinos del siglo XVI*, en *Boletín de la Real Academia Española*, I, 1914, p. 162 y 166.

comunes que saltan a la vista, no siempre se puede decir lo mismo de los que reúne Lucas Rodríguez en el *Romancero historiado*. Sabido es que esta recopilación incluye composiciones de asuntos muy variados: mitológicos, históricos, carolingios, caballerescos, pastoriles, fronterizos o moriscos. En este libro lo tradicional alterna sin cesar con lo nuevo, y en un mismo romance de Roncesvalles (Durán, núm. 391) unas influencias italianas muy modernas vienen a injertarse en un relato carolingio muchas veces tratado por la literatura española. [6] La variedad del estilo corresponde exactamente a la diversidad temática. La define Menéndez Pidal como "una rara alternancia", una oscilación perpetua entre un gusto por la hinchazón retórica y un esfuerzo por imitar el estilo de los romances tradicionales. [7] No son de extrañar estas diferencias, ya que Lucas Rodríguez es ante todo un recopilador y nos sería imposible indicar las piezas de su colección que efectivamente compuso, si es que las haya.

Los ocho romances ariostescos aparecen distribuidos irregularmente en el libro. La relativa importancia que tienen en una colección tan variada incita a relacionarlos con las otras composiciones que recoge Lucas Rodríguez. No por casualidad sin duda se encuentran tan numerosos en una colección que es de las primeras en presentar romances de asunto morisco, en una colección abundante en romances carolingios. Sin compartir la opinión de W. W. Comfort, según la cual el *Orlando Furioso* sería origen y fuente del romancero morisco, [8] nos parece evidente que los romances ariostescos y moriscos presentan a veces rasgos comunes. Se pueden observar, entre ambos géneros, varios intercambios, limitados, pero innegables: el africano Rugero se parece a veces a Gazul

---

[6] Véase sobre el particular J. Horrent, *La Chanson de Roland dans la littérature française et espagnole au moyen âge*, Paris, 1951, p. 525.

[7] R. Menéndez Pidal, *Romancero hispánico*, II, p. 115-116.

[8] W. W. Comfort, *The Moors in Spanish Popular Poetry*, Haverford, 1909. Sólo conocemos este libro a través de las citas de Harry Austin Deferrari, *The sentimental Moor in Spanish Literature before 1600*. University of Pennsylvania. Publications of the series in Romanic Languages and Literature, núm. 17, Philadelphia, 1927, p. 77-84.

o a Muza (véanse más abajo los núms. 46 y 63 b), y Doralice, princesa de Granada, entrará en el romancero morisco (Durán, núm. 71). Las relaciones entre los romanceros carolingio y ariostesco nos parecen mucho más claras e importantes. Los temas carolingios seguían muy vivaces en el romancero a mediados del siglo XVI como lo demuestra el lugar que ocupan en el *Cancionero de romances* y en la *Silva de varios romances* (Barcelona, 1561). La popularidad de que gozaban favoreció sin duda la aparición y el éxito del romancero ariostesco. A los modernos, nos parece la atmósfera del *Orlando Furioso* muy alejada de la inspiración medieval de los romances viejos de asunto carolingio. Y sin duda tenemos razón, pero creer que valía la misma opinión en los años 1560-1580 es miopía de nuestra parte, o ilusión óptica. Los españoles del siglo XVI, según hemos intentado demostrar en otra parte, consideraban el *Orlando Furioso* como una obra plenamente épica. A los romancistas que escriben en los años 1560-1580, el *Orlando Furioso* aparece como prolongación y rejuvenecimiento de las viejas leyendas o, si se quiere, como la forma moderna de una antigua tradición. Pasan sin esfuerzo de Roldán a Orlando, empleando de modo indiferente ambas formas. Van a explotar, sin la menor reticencia y sin plantear problemas que son a veces construcciones arbitrarias de nuestra ciencia histórica, este nuevo monumento de la poesía carolingia.

Pero lo explotarán en unas formas bastante variadas, como lo demuestran elocuentemente las composiciones del *Romancero historiado*. Mientras unos romances adaptan pedestremente una serie de octavas del *Orlando Furioso,* otros procuran al contrario imitar el estilo tradicional. La misma disparidad que observa Menéndez Pidal en el conjunto de la colección se manifiesta en el estrecho círculo de estas ocho obras. Esta diversidad quitaría todo sentido a una clasificación de los romances ariostescos escritos entre 1560 y 1580 que se fundaría sobre una distinción entre las varias colecciones en que figuran. Por eso preferimos repartirlos y analizarlos siguiendo criterios estilísticos, sin tener en cuenta, menos en el caso de las composiciones de Padilla, los libros en que aparecieron.

Se distinguen tres corrientes en esta producción. Representan el primero los romances historiales. Ha estudiado y definido José María de

Cossío este género que hizo del romance una fuente informativa, un instrumento de vulgarización de las crónicas o de las grandes obras poéticas. [9] Lo que escribe de los romances derivados de *La Araucana* que figuran en el *Ramillete de Flores* de 1593 se aplica perfectamente a los romances ariostescos que ahora nos interesan y de los cuales son buenos ejemplos los núms. 7 y 27 de nuestra colección. No procuran los autores de estas piezas escoger una escena que convenga más precisamente a la forma del romance. Echan mano de un episodio y lo resumen bien que mal. Así lo hacen por lo menos los mejores, pues otros juntan en monstruosas composiciones unos acontecimientos sucesivos que no enlaza ningún vínculo concreto (núm. 83). Cualquiera que sea su habilidad en recortar en el poema italiano, los autores de los romances historiales sólo se interesan por el relato. La poesía del *Orlando Furioso* sale menoscabada de la transposición a la cual la someten. Eliminan despiadadamente, hasta cuando siguen de cerca el texto italiano, las brillantes imágenes del poema, y sus octosílabos son para las elegantes octavas de Ariosto un lecho de Procusto. Siente el lector que les deja indiferentes la belleza y que quieren acabar presto.

Los romances ariostescos de Pedro de Padilla merecen muchas veces las mismas críticas. Sin embargo hay que ponerlos aparte, pues forman un conjunto y dejan a veces traslucir una tentativa original. El *Tesoro de varias poesías* (1580) y más aún el *Romancero* (1583) permiten apreciar el eclecticismo de los gustos del autor. Compuso romances de género histórico, caballeresco, pastoril o morisco. Es en suma la misma variedad del *Romancero historiado,* aunque en este caso ocupan menos sitio los temas tradicionales. Esta afición a la variedad y una innegable admiración por el *Orlando Furioso* inclinaron igualmente Padilla a componer él también romances ariostescos. Va espigando en varias partes del poema para escribir estas composiciones. Sin embargo se interesa más por las aventuras sentimentales que por los encuentros caballerescos:

---

[9] J. M. de Cossío, *Fábulas mitológicas en España*, p. 122-125, y sobre todo *Romances sobre "La Araucana"*, en *Estudios dedicados a Menéndez Pidal*, V, Madrid, 1956, p. 201-229.

en el *Orlando Furioso* le seducen más los amores que las armas. Su trozo predilecto son los amores de Rugero y Bradamante, a los cuales dedica diez romances de un total de dieciséis. Es decir que Padilla, como muchos españoles del siglo XVI, ve ante todo en el *Orlando Furioso* una gesta nupcial. Le conviene el tema y lo explota a fondo: unos fragmentos importantes de los cantos XXXII, XXXV y XLVI, las dos terceras partes del canto XXXVI, casi la mitad del canto XLIV y la totalidad del canto XLV son sucesivamente resumidos, traducidos o adaptados en sus romances (núms. 47-48 y 55-61). Así edifica Padilla un verdadero ciclo de Bradamante y Rugero: procedimiento ordinario en un autor que dedica veintidós romances a los acontecimientos de Flandes y cinco a la historia de Abindarráez y Jarifa. El trabajo, como se puede apreciar, es imponente. No se puede decir que la calidad iguale la cantidad. Menéndez Pidal dedica algunas líneas poco halagüeñas al estilo de Padilla, [10] y parece difícil apelar de esta severidad. Que siga el romancista el texto italiano de cerca o que lo resuma secamente, pues emplea alternativamente uno y otro método, el resultado es igualmente mediocre. Además es evidente que el trabajo se ha hecho apresuradamente. Padilla, nacido hacia 1550, había compuesto a los treinta y tres años tres gruesos tomos de poesía: el *Tesoro*, las *Églogas Pastoriles* (1582) y el *Romancero*. Un detalle, que destacamos más adelante (núm. 48), muestra evidentemente esta precipitación. Padilla, a quien admiraban sus contemporáneos por su conocimiento de las lenguas extranjeras, [11] utilizó para escribir uno de sus romances la mediocre traducción española del *Orlando Furioso* por Jerónimo de Urrea. El hecho es significativo de la prisa con que hilvanó Padilla una obra de amplias proporciones, demasiado amplias a juicio de su amigo Cervantes (*Don Quijote*, I, VI).

---

[10] *Romancero hispánico*, II, p. 112 y 117.

[11] Padilla conocía, según afirman, el italiano, el portugués, el francés y el flamenco. Véase Fermín Vergara Penas, *Fray Pedro de Padilla, uno de los primeros alumnos de la Universidad Granadina*, en *Boletín de la Universidad de Granada*, V, 1933, p. 43-64.

¿Hemos de pensar, pues, que Padilla adaptó precipitadamente parte de la materia del *Orlando Furioso* animado por mero deseo de vulgarización y sin abrigar ningún designio de orden poético? No lo creemos. Nos parece, al contrario, que Padilla tenía intenciones concretas y deseaba crear un género relativamente nuevo. Lo demuestra el uso que hace de las octavas. Intercala una cantidad variable de ellas en ocho de los dieciséis romances que reproducimos más adelante. Primitivamente había colocado otra serie en otro de estos romances (núm. 12), como lo prueba el manuscrito 1579 de la Biblioteca Real, manuscrito que tenemos por autógrafo del autor. Renunció finalmente a conservarla, y no aparece en los textos impresos del romance. Son siempre las quejas o los discursos de los héroes de la historia los que se expresan en estas octavas, conforme con la regla según la cual los personajes nobles hablan en metros solemnes en las tablas y en ciertos romances. [12] El hecho es característico de una época, y más concretamente de dos romancistas: Gabriel Lasso de la Vega y Pedro de Padilla. No mezclan ni Lorenzo de Sepúlveda ni Juan de la Cueva octavas con sus octosílabos; sólo se halla un ejemplo del procedimiento en el *Romancero historiado* (*Amores trata Albanio*, Durán, núm. 333); muy pocos se encontrarán, algunos años más tarde, en los romances que recogen las *Flores*. El mismo Lasso de la Vega lo emplea muy pocas veces: únicamente tres romances suyos incluyen octavas. [13] Muy lejos estamos de la alternancia sistemática de los octosílabos y endecasílabos en las obras de Padilla. Observó atinadamente J. F. Montesinos la curiosa polimetría de varias composiciones del *Romancero* y del *Tesoro*, [14] en las cuales se entremezclan liras, versos de romance y octavas. Muestran estas piezas, según creemos, un esfuerzo por crear poemas breves de estilo original. Les había dado un nombre Padilla: varias veces en el *Tesoro*, los titula *ensaladillas*. La polimetría menos acusada de

---

[12] Véase sobre el particular Cossío, *Romances sobre "La Araucana"*, p. 211.

[13] Lasso de la Vega, *Primera parte del romancero y tragedias*, Alcalá, 1587, romances XLV, LV, LXI (fol. 93, 96-97, 106-107).

[14] *Algunos problemas del Romancero nuevo*, en *Romance Philology*, VI, 1953, p. 236-237.

varios romances ariostescos suyos corresponde a una tentativa menos atrevida, pero sin embargo muy comparable. Se siente en ellos, una vez más, esta afición a la variedad, tan profunda en los poetas del siglo XVI. Fracasó este intento de definición de una forma literaria original. Pronto iba a encontrarse Padilla en contradicción con el arte nuevo de la generación de 1580, aficionada a un estilo muy diferente. El ejemplo que ofrecía, hay que confesarlo, carecía de fuerza convincente. Sus adaptaciones de episodios del *Orlando Furioso,* si nos atenemos a ellas, son obras descoloridas, y bien se podría decir de ellas que son, comparadas con sus modelos, lo que eran muchas veces, si hemos de creer a Don Quijote, las traducciones a los poemas originales, "tapices flamencos mirados por el revés".

Por los mismos años toman otros romancistas derroteros muy distintos. Procuran, con proceder a veces vacilante, imitar el estilo de los romances viejos cuya belleza no les deja indiferentes. Su primer mérito es el de saber escoger y aislar en las octavas del *Orlando Furioso* una escena que convenga por su brevedad y su interés dramático al género del romance. Dicha escena, intentarán, con más o menos acierto, recrearla en vez de copiarla pasivamente. Así nacen unas composiciones estimables, muy alejadas de los romances historiales. Obsérvese que el mismo fenómeno ocurre en el teatro: mientras escribe el joven Lope unas comedias que abarcan varios relatos ariostescos, otros autores, como Virués, y después de él Guillén de Castro o Calderón, se limitarán con más razón a un episodio tomado del *Orlando Furioso* o del *Orlando Enamorado.*

La amplitud temática del poema de Ariosto ofrecía por sí enormes posibilidades de elección. Sin embargo no se contentan con ellas nuestros autores. También van a buscar asuntos, aunque menos frecuentemente, sea en el *Orlando Enamorado,* sea en el poema del Agostini (núm. 42) o en el *Orlando Determinado* de Martín de Bolea y Castro (núm. 46). Son, pues, sus fuentes bastante diversas. Lo mismo se dirá de las escenas que llaman la atención de los poetas: van de temas caballerescos más o menos renovados (núm. 9) a la escena clásica de las quejas de la enamorada afligida (núm. 24). Varias composiciones de éstas muestran gustos característicos de las postrimerías del siglo XVI: se observa en ellas igual apego al ideal caballeresco (núm. 9) y a unas ficciones de estilo alegórico (núm. 4 d).

El estilo de estos romances es a veces entorpecido por cierta retórica fácil. El hecho es patente, y no vamos a insistir sobre él. Pero, paralelamente a este aspecto negativo, conviene observar valores positivos. Varios poetas hacen esfuerzo por imitar el tono de los romances viejos. Vuelve bajo su pluma la fórmula *ya se parte,* muy corriente en los romances viejos (núm. 41). Más frecuentemente, engastan en sus composiciones unos versos tradicionales: *di, muerte ¿por qué no vienes?* (núm. 19 a) o *por una triste espessura* (núm. 71). El autor de *Quando aquel claro luzero* (núm. 9) toma siete versos del romance de París *Por una linda espessura.* De modo más sorprendente y muy revelador sobre la infinita plasticidad de los versos y temas, el autor de *Llanto hazía Doralice* (núm. 24 a) utiliza para expresar la desesperación de la princesa dos versos en los cuales se manifiesta el furor de María de Padilla en *Yo me estava allá en Coymbra.* Cierto que tales procedimientos son de uso fácil. Pero son indicio de un esfuerzo más profundo que puede llevar a verdaderos aciertos, como lo demuestra el ejemplo de *Por una triste espessura* (núm. 71). [15]

Gozaron de cierta popularidad algunos romances de éstos. Sabido es que varias composiciones del *Romancero historiado* circularon en pliegos o se incluyeron en la *Flor* de 1589. [16] Si pensamos en el hecho de que el mismo *Romancero historiado* tuvo varias ediciones, podemos sospechar que estas piezas no se presentan siempre en las diversas colecciones con una forma exactamente igual. Efectivamente varios romances de los que nos interesan tienen versiones ligeramente diferentes entre sí (núms. 27 y

---

[15] Puede ser que, ya en esta época, vengan a engastarse en ciertas composiciones ariostescas unos temas musicales. Quizá sea el caso de las series de octavas *Sobre el herido cuerpo de Medoro* (núms. 94 a, b, c): glosan un verso de un soneto de Montemayor al que se había puesto música. El romance *Formando quexas al biento* (núm. 34 a) termina con una canción que imita de cerca una canción de *La Diana.* Pero resulta difícil fechar de modo exacto dichas composiciones.

[16] Véase R. Menéndez Pidal, *Romancero hispánico,* II, p. 164-165, *Romancero tradicional,* I, p. 221, y J. F. Montesinos, *Algunos problemas del Romancero nuevo,* p. 233.

71). Algunos de ellos tuvieron arreglos que alteran profundamente su carácter (núms. 4 a b c d, 24 a b, 84 a b).

Se puede ver que los romances ariostescos han participado en fecha bastante temprana a la vida del género a que pertenecían. Y, si toman de las composiciones que los rodean, también les prestan algo. El autor de *Ya se parte Albanio el fuerte* (Durán, núm. 332) copia la aventura que narraba *Con sobervia muy crecida* (núm. 4 c). Pero sobre todo la influencia del *Orlando Furioso* y de los poemas españoles que derivan de él es manifiesta ya desde los años 1570-1580 en varias composiciones que tratan de la batalla de Roncesvalles. Inspira varios romances, uno de los cuales, *Por muchas partes herido,* ha de dejar huellas en el romancero y en la comedia (véase Apéndice II).

Cuando van a tomar la pluma los poetas de la generación de 1580, el romancero ariostesco tiene ya bastante importancia y ha producido algunas composiciones hermosas. No le deja indiferente a Lope de Vega, quien incluye en *El casamiento en la muerte* un arreglo de *Por muchas partes herido.* Ya han sido asimilados los temas del *Orlando Furioso* por el romancero que los ha adaptado y a veces transformado radicalmente. En *Llanto hazía Doralice* (núm. 24 a) se ha vuelto la inconstante princesa del *Orlando Furioso* amante fiel y desesperada: *Los cielos interrompía* (núms. 25 a f), uno de los romances ariostescos que más frecuentemente se copiaron, conservará la misma imagen de Doralice. Así podemos, sin desconocer ni disminuir las dotes excepcionales de los poetas de la nueva generación, restablecer ciertas continuidades.

Los romances ariostescos compuestos a partir de los años 1580 aparecen en las *Flores*, el *Romancero General* y otras colecciones. Su boga será relativamente efímera, y es un rasgo más que los asemeja a los romances moriscos. La *Segunda parte del Romancero General*, de Miguel de Madrigal, no incluye más que uno (núm. 35), cuando se pueden contar veinte, por cierto repetidos a veces, en las varias *Flores*. Con algunas excepciones, parece ser que, después de 1605, únicamente la extraordinaria influencia ejercida por *En un pastoral albergue* salva de un total olvido de parte de los romancistas uno de los temas del *Orlando Furioso* por lo menos.

Las composiciones que ahora nos interesan se presentan, como era de esperar, bajo una forma muy diferente de la que revestían las precedentes. Muchas veces están distribuidas en cuartetas, frecuentemente están ritmadas por un estribillo. Es decir que se pueden cantar, aunque no sabemos si efectivamente se cantaron. También ocurre que un autor tome un motivo musical de una obra anteriormente conocida: es el caso de *La felicíssima suerte* (núm. 76), composición desconcertante por la mezcla de rasgos arcaicos y modernos que la caracteriza. Pero ya se trata de una supervivencia. Lo mismo se puede decir del uso de engastar en una pieza moderna un verso o unos versos tomados de un romance viejo: las obras de que ahora tratamos no nos ofrecen más que un ejemplo (núm. 25). Tal hecho daría de pensar que el procedimiento aparece anticuado ya en esta época y sería más bien propio de los autores de romances que escriben entre 1560 y 1580. [17]

Estas nuevas composiciones, escritas con primor y a veces admirables, siguen viviendo en el mundo del romancero. Sus relaciones con otros aspectos del género se van haciendo más concretas con el tiempo, como es natural. Un autor nos presenta a Roldán en una postura que recuerda la de los pastores embebecidos en sus sueños (núm. 1), otro da del africano Rugero un retrato que evoca las figuras de los moros enamorados (núm. 63 b), otro por fin equipara las lágrimas de Doralice y el dolor de Hecuba (núm. 25). A la inversa, los temas y los versos de las obritas inspiradas en Ariosto impregnan la poesía y la comedia españolas. Dejamos aparte *En un pastoral albergue*, cuya popularidad es sobradamente conocida. Otro ejemplo llama la atención por el gran éxito que tuvo: pensamos en el romance *Subida en una alta roca* (núm. 30). Influye en varios romances, pastoriles o ariostescos, sirve de modelo a una composición que trata de Eneas y Dido, lo parodian varias piezas burlescas, se hacen de él dos arreglos a lo divino, por fin copia uno de sus versos Tirso de Molina (núm. 37).

---

[17] Sería interesante comprobar si se da el mismo hecho en las otras secciones del romancero. Tal es el caso, según creemos. Excusado es decir que consideramos como caso aparte —y muy alejado de las realidades que ahora nos interesan— las citas burlescas de romances viejos que hacen Góngora y Quevedo.

Con ser el más notable, el caso no es aislado: otras dos obras de tema ariostesco fueron arregladas a lo divino (núms. 65 y 67). Estas transposiciones son uno de los indicios más visibles de la popularidad que gozaron algunas de las breves composiciones derivadas del *Orlando Furioso*. Esta popularidad se manifiesta también en la expansión de un tema al menos, el tema predilecto de la generación de 1580, el de Angélica y Medoro. Los amores de la princesa y del moro vuelven de modo constante en las colecciones manuscritas e impresas, y, con ser repetidos tantas veces, revisten los aspectos más contradictorios (núms. 73-105). Para algunos son ocasión de escándalo y el humor caballeresco de un poeta condena Medoro a morir a manos de Roldán. Otros se interesan por una pasión que conmueve la sensibilidad frecuentemente lacrimosa de los últimos años del siglo XVI. Unos poetas verán en ella el símbolo de un amor tierno y puro, otros el triunfo del interés. Un moralista malhumorado considera el caso como ejemplo de la inconstancia femenina, un clásico ceñudo se teme que la princesa de Catay haya faltado al decoro. Recoge Góngora este tema de belleza para fijarlo en la inalterable pureza de sus versos. Quevedo burlará de él despiadadamente. Este florecimiento de sonetos y romances de intenciones tan opuestas pone de manifiesto el éxito del tema y contribuye ampliamente a difundirlo en la comedia, como lo prueba en particular la influencia duradera de *En un pastoral albergue* en el teatro español. Otras parejas de amantes compartirán, con menos esplendor, el destino privilegiado de Angélica y Medoro: Isabela y Zerbino, Olimpia y Bireno aparecerán más de una vez en los versos del romancero y de la comedia.

El romancero ariostesco ofrece un número bastante importante de composiciones. Queda muy por debajo, sin embargo, desde el punto de vista de la cantidad, de las masas que forman los romanceros morisco o pastoril, géneros predilectos de los poetas españoles entre 1580 y 1600. Si consideramos su calidad, la juzgaremos como muy desigual: lo mejor se mezcla con lo peor. Pero una colección como ésta no pretende ser un florilegio. Sólo hemos querido mostrar que los romances ariostescos gozaron de una difusión mucho mayor de lo que en general se sospechaba y que eran miembro vivo en el cuerpo del romancero español. Este ha sido nuestro propósito, y estaríamos satisfechos con haberlo conseguido.

Se podrán leer en esta colección todas las composiciones poéticas breves de tema ariostesco escritas entre 1540 y 1650, por lo menos todas las que hemos podido reunir. Por composiciones poéticas breves, entendemos primero y sobre todo los romances que predominan evidentemente. No hemos querido separar de ellos diez series de octavas, género que unas profundas afinidades enlazan con los romances. También reproducimos siete sonetos, dos composiciones en verso suelto, una en tercetos, una en quintillas, por parecernos estas obras imprescindibles para una definición exacta de algunos temas. Excluimos en cambio los textos cuyo asunto es muy lejanamente ariostesco, por ejemplo *La justa de París* de Andrés Rey de Artieda, y las composiciones que se podrían extraer de las comedias inspiradas en el *Orlando Furioso*, trabajo éste que nos hubiera llevado a ofrecer una antología bastante artificial.

Se advertirá en seguida que reproducimos unas piezas conocidísimas. Nos hemos preguntado si no sería mejor publicar únicamente las composiciones inéditas. Hemos preferido la primera solución, por varias razones. La primera es que buena cantidad de las obras impresas figuran en colecciones de acceso difícil, por lo cual las referencias que podíamos hacer a tales colecciones hubieran perdido parte de su interés. La segunda es que varios romances de éstos están mal editados. Para los que lo fueron de modo muy correcto, teníamos muchas veces variantes bastante numerosas que proponer, y a veces unos arreglos casi totales: en tales casos era difícil no reproducir el texto anteriormente conocido. En fin pensamos que estas composiciones, menos contadas excepciones, sólo adquieren verdadero interés cuando se puede oponerlas y compararlas unas con otras. Estos motivos nos han llevado a ofrecer una suma del romancero ariostesco, completa en lo posible, aceptando desde luego el incluir en ella unos textos que todos los hispanistas tienen presentes.

Permítasenos una palabra más, sobre la clasificación de estas composiciones. No las ordenamos según la cronología de su publicación. Bien se entenderán las razones de esta conducta: además de que nos parece imposible establecer una cronología estricta, es tal la variedad de los temas ariostescos y tan grande la abundancia de los romances en unos períodos relativamente breves que dicha clasificación llevaría a un caos establecido de modo arbitrario. A este método hemos preferido un orden fundado sobre los asuntos tratados. Las composiciones que editamos están distribuidas en tres secciones: las armas y los amores, Rugero y Bradamante, Angélica y Medoro. Dentro de las diversas secciones, las piezas van ordenadas según la sucesión de los acontecimientos en el *Orlando Furioso,* lo que hace más clara su presentación. A veces ha sufrido excepciones esta ley: en particular, colocamos los romances inspirados en la desdicha de Olimpia al final de la primera sección. Y es que, por los temas clásicos con los cuales se enlazan, nos pareció que habían de figurar al lado del lamento de Doralice, que también evoca unas quejas expresadas ya en la poesía antigua y renacentista.

Este procedimiento tiene la ventaja de destacar los ciclos de romances, sean obra de un poeta, como el que Padilla dedicó a Bradamante y Rugero, o se deban a varios autores, anónimos en general, en el caso de Olimpia y Bireno por ejemplo. Pone de manifiesto el interés que los romancistas tuvieron por ciertos episodios del *Orlando Furioso.* Permite en fin observar la evolución de algunos temas y los arreglos, las refecciones que sufren una serie de romances. También el procedimiento tiene su inconveniente, del que somos conscientes: se debe al hecho de que ciertos romances historiales particularmente complejos no se atienen a un tema único. Afortunadamente se da el caso pocas veces. De todas formas hemos preferido este inconveniente a los que ofrecían los otros métodos.

Cuando varios romances tratan un tema exactamente idéntico, hemos procurado disponerlos según el orden cronológico de su composición. Para conseguirlo, nos hemos fundado en parte en la fecha de las colecciones en que figuran las piezas, y, sobre todo, en el estilo de las obras, o, cuando se daba el caso, en las imitaciones que ofrecen unos de otros. También hemos tenido en cuenta la ley definida por R. Menéndez Pidal según la cual las versiones más largas son ordinariamente las más antiguas. Con todas estas precauciones, no se nos escapa que el orden que proponemos en ciertos casos particularmente difíciles sufre la discusión.

En la edición de los textos, seguimos las reglas siguientes. Los puntuamos y los acentuamos. Respetamos escrupulosamente las grafías de los textos originales, sin embargo desarrollamos las abreviaturas corrientes y separamos las palabras siguiendo el uso del español moderno, menos en unos casos en que la costumbre antigua no puede ocasionar ninguna molestia para el lector (*dellos* por ejemplo). Las letras, sílabas o palabras cuya falta suplimos van indicadas entre corchetes. A veces corregimos lo que consideramos como erratas: en este caso una nota indica siempre la lección que nos parece errónea.

FUENTES MANUSCRITAS E IMPRESAS

I. TEXTOS MANUSCRITOS

A. MANUSCRITOS DE LA BIBLIOTECA NACIONAL DE MADRID.

R 34   *Actas de la Academia de los Nocturnos,* III.

Descrito por Salvá, *Catálogo* ..., núm. 156.

Fol. 68 vº   Después de la discordia brava y fuerte.
(Fabián de Cucalón, 24 de noviembre de 1593.)
Fol. 165 rº   Borda su manto la rosada aurora.
(Francisco Tárrega, 9 de febrero de 1594.)

1132   *Poesías varias* (siglo XVII).

Descrito por Ramón Paz y José López de Toro, *Inventario general de manuscritos de la Biblioteca Nacional,* Madrid, Dirección general de Archivos y Bibliotecas, IV.

Fol. 53 rº   Con ardientes sospiros acendía.
Fol. 56 vº   Qual fui, señora, siempre ansí ser quiero.
Fol. 58 rº   De gran flaqueza ya no caminava.
Fol. 61 rº   En esta prueva quiero ser primera.
Fol. 66 vº   La mucha furia que llevó el caballo.

3

2856 *Versos varios* (fines del siglo XVI).

Descrito por Serrano y Sanz, *Un Cancionero de la Biblioteca Nacional,* en *R. A. B. M.,* IV, 1900, p. 577-598.

Fol. 48 r° Rotas las sangrientas armas.

3168 Poesías varias (fines del siglo XVI).

Descrito por Robert Jammes, *Inventaire des manuscrits de l'œuvre poétique de Góngora* [de próxima publicación].

Fol. 1 r°	La alegre nueba del alba.
	Sobre el ielmo recostado.
Fol. 1 v°	Ardiendo en ravioso celo.
Fol. 6 r°	Sobre la ierva durmiendo.
Fol. 9 v°	Entre los dulces testiguos.
Fol. 10 r°	Sobre el laguo sanguinoso.
Fol. 12 r°	Con animoso deseo.
Fol. 15 r°	Los cielos inter[r]ompía.
Fol. 17 r°	Sobre el sangriento cuerpo de Medoro.
Fol. 20 v°	Flordelís con gran pena está labrando.
	Ia la aurora clara y bella.
Fol. 21 r°	En siendo Agricán vencido.
Fol. 25 r°	Rotas las sangrientas armas.
Fol. 138 v°	Caminando yba Ysabela.

3700 Poesías varias (mediados del siglo XVII).

Descrito por Gallardo, *Ensayo* ..., I, núm. 1.050, col. 1027-1060.

Fol. 192 r° El vitorioso Medoro.

3880 Colección de romances formada en el siglo XIX.

1 fol. en blanco + 368 fol. numerados + 2 fol. en blanco. 215 × 135.

Fol. 72 r° Con aquellas blancas manos.

3913 *Libro de differentes y varias Poesías* (siglo XVII).

Descrito por R. Jammes, *Inventaire* ...

Fol. 31 r° Destroza, parte, hiende, mata, assuela.

3915 *Cartapacio de Jacinto López, músico de su Majestad* (empezado en 1620).

Descrito por R. Jammes, *Inventaire* ...

Fol. 28 vº	Sobre el erido cuerpo de Medoro.
Fol. 63 vº	Las armas rricas y dobles.
Fol. 69 vº	Subida en un alta rroca.
Fol. 74 vº	Rrompiendo los aires vanos.
Fol. 75 vº	Sobre el hielmo recostado.
Fol. 171 vº	Entre los dulces testigos.
Fol. 173 rº	Rotas las sangrientas armas.
Fol. 173 vº	Los cielos interrumpía.
Fol. 175 vº	Rompiendo los aires banos.
Fol. 193 rº	Bertiendo lágrimas bibas.

3924 *Poesías varias* (colección empezada en 1582).

Descrito por R. Jammes, *Inventaire* ...

Fol. 6 vº	Buscando Angélica la bella.
Fol. 7 rº	Sobre el herido cuerpo de Medoro.
Fol. 14 vº	Subida en una alta rroca.
Fol. 18 vº	Ya la [a]urora clara y vella.
Fol. 149 rº	Llorando el cuerpo difunto.
Fol. 150 vº	Por muchas partes herido.
Fol. 151 vº	Con magestad soberana.
Fol. 155 rº	Los çielos ynterronpía.
Fol. 155 vº	Formando quexas al biento.

4072 *Cancionero de Gabriel de Peralta* (fines del siglo XVI).

Descrito por Gallardo, *Ensayo...*, III, núms. 3391-3392, col. 1138-1151.

Fol. 16 vº	Suspenso y embelesado.

4117 *Guirnalda odorífera* (1603).

Descrito por R. Jammes, *Inventaire* ...

Fol. 82 vº	Del blanco pecho de el felize moro.
Fol. 105 vº	Ya la blanca y roja Aurora.
Fol. 116 rº	Curándole las heridas.

4127   *Libro de romances nuebos* (colección empezada en 1592).

Descrito por Serrano y Sanz, *Un libro nuevo y un cancionero viejo,* en *R. A. B. M.,* V, 1901, p. 320-334.

P. 84   Regalando el tierno pecho.

7149   Colección de romances formada en el siglo XIX.

Descrito por R. Jammes, *Inventaire* ...

P. 807   De ricas armas armado.

17.556   *Poesías barias y recreación de buenos ingenios.*

Descrito y parcialmente editado por John M. Hill, *"Poesías Barias y Recreación de Buenos Ingenios". A Description of Ms 17.556 of the Biblioteca Nacional Matritense,* with some unpublished portions thereof. Indiana University Studies, X, núm. 60. Bloomington (Indiana), 1923.

Fol. 53 r°   Aquel rutilante Fevo.
Fol. 90 v°   Rendidas armas y vida.

19.003   *Poesías de Don Luis de Góngora en todo género de versos castellanos* (1630).

Descrito por R. Jammes, *Inventaire...*

Fol. 392 v°   Madrugava entre las flores.

M 1371   *Cancionero musical* (siglo XVII).

Descrito por Higinio Anglés y José Subirá, *Catálogo musical de la Biblioteca Nacional de Madrid,* Barcelona, C. S. I. C., 1946, I, p. 260-265.

B.   MANUSCRITOS DE LA BIBLIOTECA REAL DE MADRID.

531   *Cartapacio de Francisco Morán de la Estrella* (fines del siglo XVI).

Signatura antigua: II - F - 3. Descrito por R. Menéndez Pidal, *Cartapacios literarios salmantinos del siglo XVI,* en *Boletín de la Real Academia Española,* I, 1914, p. 44-55.

Fol. 100 r°   Dando suspiros al zielo.

996   *Romances manuscritos* (fines del siglo XVI).

Signatura antigua: 2 - H - 4. Descrito por R. Jammes, *Inventaire* ...

Fol. 15 vº   No hera Medoro de aquellos.
Fol. 65 rº   Formando quejas al biento.
Fol. 134 vº   Aquel rutilante Febo.
Fol. 144 vº   Rendidas armas y vida.

1579   *Cartapacio del señor Pedro Hernández de Padilla criado de Celia.*

Signatura antigua: 2 - B - 10. Descrito por R. Menéndez Pidal, *Cartapacios salmantinos* ..., p. 300-307.

Fol. 25 rº   El sobervio Rodomonte.
Fol. 26 rº   De la espantosa batalla.
Fol. 28 vº   En seguimiento de Orlando.
Fol. 31 rº   La hermosa Bradamante / celosa y desesperada.
Fol. 33 rº   A los muros de París.
Fol. 34 rº   Con su querido Bireno.
Fol. 35 rº   En el solemne combite.
Fol. 36 rº   Llorando desconsolada.
Fol. 38 rº   La hermosa Bradamante / en Moltalván atendía.

Estas nueve composiciones se incluyen todas en el *Romancero* de Pedro de Padilla. Sabido es por otra parte que el autor del *Tesoro de varias poesías* celebró la hermosura de Celia. Estos dos hechos nos han llevado a preguntarnos si el manuscrito 1579 no sería de la mano de Padilla. Tal hipótesis vale únicamente para los 145 primeros folios del manuscrito cuya letra cursiva y cuyas frecuentes tachaduras dieron de sospechar a Ramón Menéndez Pidal que las poesías de esta colección podían ser obra del dueño del cartapacio (*art. cit.*, p. 300). En esta perspectiva hemos examinado las composiciones que se copian en estos folios para ver si también figuraban en las obras impresas de Padilla. La letra del manuscrito y el desorden de los folios no hacían la tarea muy fácil. Sin embargo hemos podido identificar las obras siguientes:

Fol. 4 rº   Si no estuvyera tan certificado.
(*Tesoro*, 1580, fol. 282 rº)

Fol. 6 r°   Las que más de Amor sospiran.
          (*Tesoro*, fol. 447 v°)

Fol. 7 v°   Quando no es el Amor muy confirmado.
          (*Tesoro*, fol. 470 r°)

Fol. 7 v°   Todo quanto en la tierra offender puede.
          (*Tesoro*, fol. 79 v°)

Fol. 14 r°   Vos podréys no me querer.
          (*Tesoro*, fol. 294 r°)

Fol. 15 r°   Vime disgustado un día.
          (*Romancero*, 1583, fol. 269 r°)

Fol. 19 v°   Quien dexara de mirar.
          (*Tesoro*, fol. 293 r°)

Fol. 23 v°   Gallarda Celia cuya hermosura.
          (*Tesoro*, fol. 82 r°)

Fol. 40 r°   El alma por quien vivo es de Silena.
          (*Tesoro*, fol. 302 r°)

Fol. 46 v°   Si os pesa de ser querida.
          (*Tesoro*, fol. 334 r°)

Fol. 59 r°   Niño sagrado y bendito.
          (*Jardín espiritual*, 1585, fol. 205 v°)

Fol. 59 v°   Los ojos tristes llorosos.
          (*Jardín espiritual*, fol. 200 v°)

Fol. 60 v°   La corte está en el aldea.
          (*Jardín espiritual*, fol. 207 r°)

Fol. 65 v°   A su alvedrío sin orden alguna.
          (*Jardín espiritual*, fol. 208 v°)

Fol. 70 v°   Salgan las palabras mías.
          (*Jardín espiritual*, fol. 193 v°)

Fol. 74 v°   Ojos que ya no veys quien os mirava.
          (*Tesoro*, fol. 289 v°)

Fol. 81 v°   De las locuras todas de la tierra.
          (*Tesoro*, fol. 326 v°)

Fol. 84 r°   Quando un triste coraçón.
          (*Romancero*, fol. 294 r°)

Fol. 86 r°   De dónde venís, Antón.
          (*Tesoro*, fol. 328 v°)

Fol. 89 r°   Ninguno se vio libre tan contento.
          (*Tesoro*, fol. 291 r°)

Fol. 93 r°   Siéntome de mi pena tan penado.
          (*Tesoro*, fol. 348 v°)

Fol. 96 v°	Las tristes lágrimas mías.
	(*Tesoro*, fol. 289 r°)
Fol. 102 v°	Del mal que Amor me a dado.
	(*Tesoro*, fol. 124 v°)
Fol. 106 v°	¿Por qué se a de creer de un niño [ciego]?
	(*Tesoro*, fol. 346 v°)
Fol. 107 v°	Seguro, libre y sano.
	(*Tesoro*, fol. 91 r°)
Fol. 114 r°	Salgan las palabras mías.
	(*Tesoro*, fol. 300 v°)
Fol. 116 r°	No sé con qué poder, amor, pagarte.
	(*Tesoro*, fol. 287 r°)
Fol. 120 r°	Amor, por término estraño.
	(*Tesoro*, fol. 275 v°)
Fol. 126 r°	Soñava yo que tenía.
	(*Tesoro*, fol. 466 v°)
Fol. 126 v°	Es del risco terrible la dureza.
	(*Tesoro*, fol. 467 v°)
Fol. 128 r°	Amor que a ninguno dexa.
	(*Tesoro*, fol. 342 r°)
Fol. 128 v°	Pues mi dama es labradora.
	(*Tesoro*, fol. 344 r°)
Fol. 133 r°	En un fresco, abundoso y verde prado.
	(*Tesoro*, fol. 283 r°)
Fol. 135 v°	Señora ¿no veys que muero?
	(*Tesoro*, fol. 279 r°)
Fol. 137 r°	El que se vee sin culpa desamado.
	(*Tesoro*, fol. 284 v°)
Fol. 142 r°	Sol, de quien es un raio el sol del cielo.
	(*Tesoro*, fol. 22 v°)
Fol. 143 v°	Philis ¿así quién te aconseja?
	(*Tesoro*, fol. 83 r°)
Fol. 144 r°	En un olmo escreví un día.
	(*Tesoro*, fol. 273 v°)
Fol. 145 v°	Si Celia duerme, Amor lo mismo haze.
	(*Tesoro*, fol. 285 v°)

Llegamos a un total de 39 composiciones que figuran por otra parte en las obras impresas de Padilla. A esta cantidad hay que añadir los 9 romances ariostescos anteriormente citados. El resultado de esta investigación, el aspecto de borrador que ofrecen los textos y el título de *Cartapacio de Pedro Hernández de Padilla* forman un conjunto de pruebas bastante convincente: parece cierto que el manuscrito 1579 de la Biblioteca Real es de la mano de Padilla. Las obras que en él se incluyen ofrecen muchas veces variantes de importancia en relación con los textos impresos que conocemos. Por otra parte contiene el manuscrito nutrida serie de composiciones inéditas: hemos contado, en total, unas 70. Su estudio será, pues, imprescindible para una edición crítica y completa de las obras de Padilla.

1580   *Poesías varias* (siglo XVI).

Signatura antigua: 2 - B - 10. Descrito por R. Menéndez Pidal, *Cartapacios salmantinos* ..., p. 307-314.

Fol. 154 vº   Sobre el cuerpo de Zervino.
Fol. 199 vº   Llanto haze Doralize.
Fol. 221 vº   Con sovervia y grande orgullo.

1587   *Poesías varias* (fines del siglo XVI).

Signatura antigua: 2 - B - 9. Tejuelo: *Poesías varias.* 1 fol. en blanco + 179 folios numerados + 1 fol. en blanco. 200 × 140. Encuadernación moderna.

Fol. 109 vº   Los çielos ynterronpía.
Fol. 114 rº   Sobida en un alta rroca.
Fol. 151 rº   Después de muerto y bençido.
Fol. 168 vº   Puesto en silençio y olvido.

2803   *Poesías varias* (fines del siglo XVI).

Signatura antigua: 2 - C - 10. Tejuelo: *Poesías varias I.* 2 fol. en blanco + 236 folios sin numerar + 2 fol. en blanco. 190 × 130. Encuadernación moderna.

La primera parte de este manuscrito incluye obras dramáticas. En el fol. 108 empieza una serie de romances y varias composiciones poéticas.

Fol. 164 rº   Subida en un alta rroca.
Fol. 167 rº   La alegre nueba del alba.
Fol. 167 vº   Los çielos interrompía.
Fol. 171 rº   Entre los dulçes testigos.

C. Manuscritos de la Biblioteca Universitaria de Barcelona.

125 *Romancero castellano* (fines del siglo XVI-principios del siglo XVII).

Descrito por Francisco Miquel Rosell, *Inventario general de manuscritos de la Biblioteca Universitaria de Barcelona* (Madrid, Junta técnica de Archivos, Bibliotecas y Museos, V, 1958), I. Edición parcial de Foulché-Delbosc, *Romancero de Barcelona,* en *R. H.,* XXIX, 1913, p. 121-194.

Fol. 54 r°   Muerte, si te das tal priessa.
Fol. 79 r°   Del estrago que dexava.
Fol. 134 v°   Ya sale de Montalván.

166 *Silva de varias flores que hue[le]n a lo divino cogidas con devoción en la primavera del alma, por mano de varia lición* (principios del siglo XVII).

Descrito por Francisco Miquel Rosell, *Inventario ...,* I.

Fol. 12 v°   Reverencia os haze el alma.
Fol. 170 r°   Subido en un alta cruz.
Fol. 173 r°   De la vara virginal.

D. Manuscritos de la Biblioteca Nacional de París.

ESP 372 Poesías varias de los siglos XVI-XVII.

Descrito por A. Morel-Fatio, *Catalogue des manuscrits espagnols et des manuscrits portugais,* núm. 601.

Fol. 25 v°   El delicado brazo sustenía.
Fol. 165 r°   ¿Adónde vays, mi bien, sin más valerme?

ESP 373 Poesías varias de los siglos XVI-XVII.

Descrito por A. Morel-Fatio, *Catalogue ...,* núm. 602.

Fol. 58 v°   Con sobervia y grande orgullo.
Fol. 187 v°   De sus dioses blasfemando/el rey de Sarça se yva.
Fol. 190 r°   Angélica la vella despreçiando.

E. MANUSCRITOS DE BIBLIOTECAS ITALIANAS.

Biblioteca Casanatense.

Canzoni spagnole a 3 voci di vari autori.

Descrito y editado por C. V. Aubrun, *Chansonniers espagnols du XVIIᵉ siècle. I. Le recueil de la "Casanatense"*, en *B. Hi.*, LI, 1949, p. 269-290.

Fol. 58 vº   Las eridas de Medoro.

Biblioteca Classense.

Libro Romanzero de Canciones, Romances y algunas nuebas para passar la siesta a los que para dormir tienen la gana (1589).

Descrito por A. Restori, *Il Cancionero Classense 263*, en *Rendiconti della Reale Accademia dei Lincei*. Serie quinta, XI, Roma, 1902, p. 99-136.

Fol. 49 vº   Con armas linpias y dobles.

Biblioteca Riccardiana.

MS 3.358.

Descrito por E. Mele y A. Bonilla, *Dos cancioneros españoles,* en *R. A. B. M.*, X, 1904, p. 162-176, 408-417.

Fol. 92 rº   El bilforato gargaro entonando.

II. TEXTOS IMPRESOS

A. COLECCIONES POÉTICAS.

Pliego s. a. (Pedro Malo), reproducido en *Pliegos poéticos góticos de la Biblioteca Nacional*, "Joyas", I, XLIV.

Por una triste espessura.

Pliego s. a. *Romance de la brava batalla que passó entre el conde don Roldán y el moro Mandricardo, sobre el espada Durindana: y cómo Roldán se tornó loco por amores de Angélica la bella.* Biblioteca Nacional de Madrid, R. 9465. Reproducido en *Pliegos poéticos góticos de la Biblioteca Nacional.* "Joyas", V, núm. CXIV.

Helo, helo por do viene / el valiente Mandricardo.

Pliego 1601. *Octavas a la prisión de Melisendra esposa de don Gayferos. Y el romanze de cavallero si a Francia ydes, con su glosa. Y otro muy sentido de la cruda y sangrienta batalla que passó entre Mandricardo y Rodamonte, sobre quitalle a Doralice. Agora nuevamente impresas.* Toledo, Juan Ruyz, 1601, Biblioteca Nacional de Madrid, R 3618.

Quando aquel claro luzero / su resplandor repartía.

Pliegos poéticos españoles en la Universidad de Praga. "Joyas Bibliográficas", 2 tomos.

Pliegos poéticos góticos de la Biblioteca Nacional. "Joyas Bibliográficas", 6 tomos.

1547-1549

Cancionero de romances, Amberes, Martín Nucio, s. a. Ed. R. Menéndez Pidal, Madrid, 1945.

1552

Alonso Núñez de Reinoso, *Historia de los amores de Clareo y Flo-risea, y de los trabajos de Ysea. Con otras obras en verso, parte al estilo Español y parte al Italiano.* Venecia, Giolito, 1552.

P. 129   Rugier, qual siempre fuí, tal ser yo quiero.

Segunda parte del Cancionero General, Zaragoza, Esteban de Nájera. Ed. Antonio Rodríguez-Moñino, "Floresta", VII, Valencia, Castalia, 1956.

1554

Las obras de George de Montemayor, repartidas en dos libros, Ambe-res. "Bibliófilos Españoles", Segunda época, IX, Madrid, 1932.

1557

Cancionero General, Amberes. Véase A. Rodríguez-Moñino, *Suple-mento al Cancionero General de Hernando del Castillo (Valencia, 1511), que contiene todas las poesías que no figuran en la primera edición y fueron añadidas desde 1514 hasta 1557.* Valencia, Castalia, 1959.

1561

Silva de varios romances, Barcelona, Jaime Cortey. Ed. Antonio Ro-dríguez-Moñino, "Floresta", I, Valencia, Castalia, 1953.

1562

Cancionero llamado Flor de Enamorados, Barcelona, Claudi Bornat. Ed. Antonio Rodríguez-Moñino y Daniel Devoto, "Floresta", II, Valen-cia, Castalia, 1954.

1 5 7 3

Rosa Gentil. Tercera parte de Romances de Joan Timoneda, que tratan hystorias Romanas y Troyanas. Ed. Antonio Rodríguez-Moñino y Daniel Devoto, "Floresta", VIII, Oxford, The Dolphin Book, 1963.

Fol. 69 rº   Con sobervia y gran orgullo.

1 5 7 8

Flor de romances, glosas, canciones y villancicos, Zaragoza, Juan Soler. Ed. Antonio Rodríguez-Moñino, "Floresta", III, Valencia, Castalia, 1954.

1 5 8 0

Thesoro de varias poesías. Compuesto por Pedro de Padilla, Madrid, Francisco Sánchez.

Fol. 405 rº   A Grecia parte Rugero.
Fol. 407 rº   Quando con mayor sosiego.
Fol. 409 vº   De sospechas ofendida.
Fol. 412 rº   Al tiempo que el sol salía.
Fol. 414 vº   Si Rugero se congoja.
Fol. 415 vº   Estava la triste dama.

Los mismos textos en *Thesoro de varias poesías,* Madrid, Querino Gerardo, 1587 (fol. 331 rº - 342 vº).

1 5 8 2

Romancero hystoriado, con mucha variedad de glossas y sonetos: y al fin una floresta pastoril, y cartas pastoriles. Hecho y recopilado por Lucas Rodríguez, escriptor de la universidad de Alcalá de Henares. Alcalá de Henares, Querino Gerardo (Biblioteca Municipal de Lyon, 802282. Biblioteca del British Museum, G. 10.905).

Fol. 65 vº   No se atreve el duque Astolfo.
Fol. 68 rº   Suspenso y embevecido.

Fol. 88 rº   Por una triste espessura.
Fol. 89 rº   Ya se parte el moro Urgel.
Fol. 111 vº   De los muros de París.
Fol. 112 vº   Con sobervia muy crecida.
Fol. 114 rº   De sus dioses blasfemando/el moro Sarça salía.
Fol. 115 vº   En el real de Agramante.
Fol. 119 rº   Llanto hazía Doralice.
Fol. 139 rº   Sobre la desierta arena.
Fol. 140 rº   La hermosa Bradamante/muy descontenta vivía.

Se imprimió el *Romancero historiado* antes de 1582: Alcalá, Hernán Ramírez, 1579 (?). Véase sobre el particular Salvá, *Catálogo...*, núm. 386.

Por no haber visto tal edición reproducimos el texto de 1582, el más antiguo de los que conocemos. Indicamos las variantes de las dos ediciones posteriores que hemos podido leer:

Romancero hystoriado con mucha variedad de glossas y sonetos y al fin una floresta pastoril y cartas pastoriles. Hecho y recopilado por Lucas Rodríguez escriptor de la universidad de Alcalá de Henares. Lisboa, Andrés Lobato, 1584 (B. N. M., R. 13.424).

Romancero historiado. Alcalá de Henares, Hernán Ramírez, 1585 (B. N. M., R. 1.871).

La edición del *Romancero historiado* en la colección de "Libros españoles raros o curiosos", X (Madrid, 1875), reproduce el texto de 1585.

1 5 8 3

Romancero de Pedro de Padilla, en el qual se contienen algunos successos que en la jornada de Flandres los Españoles hizieron, con otras historias y poezías [sic] differentes. Madrid, F. Sánchez.

Fol. 151 vº   De la espantosa batalla.
Fol. 155 vº   A los muros de París.
Fol. 157 vº   El sobervio Rodamonte.
Fol. 160 vº   Con su querido Bireno.
Fol. 163 rº   En seguimiento de Orlando.
Fol. 165 vº   La hermosa Bradamante/en Montalván atendía.
Fol. 168 vº   La hermosa Bradamante/celosa y desesperada.

Fol. 173 r°   Con el cuerpo de su rey.
Fol. 177 r°   Llorando desconsolada.
Fol. 179 v°   En el solemne combite.

1588

Primera parte de la Sylva de varios Romances, en el qual se contienen muchos y diversos Romances de hystorias nuevas. Recopilado por Iuan de Mendaño, Granada, Hugo de Mena. Ed. Antonio Rodríguez-Moñino, "Floresta", IX, Madrid, Castalia, 1966.

P. 129   Por muchas partes herido.

Segunda parte de la Sylva de varios Romances, en el qual se contienen muchos y diversos Romances de hystorias nuevas. Recopilado por Iuan de Mendaño, Granada, Hugo de Mena. Ed. Antonio Rodríguez-Moñino, "Floresta", IX, Madrid, Castalia, 1966.

Fol. 43 r°   Con sobervia y gran orgullo.

1589

Flor de varios romances nuevos y canciones recopilados por Pedro de Moncayo, Huesca. (*Las fuentes del Romancero General,* ed. Antonio Rodríguez-Moñino, Madrid, Real Academia Española, 1957, I).

Fol. 2 r°   Rotas las sangrientas armas.
Fol. 76 r°   La felicíssima suerte.
Fol. 102 v°   De los muros de París.
Fol. 107 v°   Subida en un alta roca.

1591

Flor de varios romances nuevos. Primera y segunda parte, recopiladas por Pedro de Moncayo, Barcelona. (*Las fuentes, ...,* II).

Fol. 123 r°   Subida en una alta roca.
Fol. 151 v°   Aquel rutilante Febo.
Fol. 151 v°   Los cielos interrompía.

1593

Tercera parte de Flor de varios romances recopilados por Pedro de Moncayo, Madrid. (*Las fuentes* ..., III).

Fol. 115 vº   En un cavallo ruano.

Una reedición de esta *Tercera parte* (Madrid, 1597) incluye el romance:

Embuelto en su roxa sangre.

(Véanse *Las fuentes* ..., XII, p. 8-9, 25-26.)

Flor de varios romances nuevos. Tercera parte recopilada por Felipe Mey, Valencia (*Las fuentes* ..., III).

Fol. 134 vº	Por muchas partes herido.
Fol. 136 vº	Rotas las sangrentas armas.
Fol. 143 vº	Suelta las riendas al llanto.
Fol. 193 rº	Entre los dulces testigos.
Fol. 207 rº	En un cavallo ruano.

Ramillete de Flores. Quinta parte de Flor de romances, recopilados por Pedro de Flores, Lisboa. (*Las fuentes* ..., VI).

Fol. 261 vº   En una desierta isla.

1594

Sexta parte de Flor de romances nuevos recopilados por Pedro de Flores, Toledo. (*Las fuentes* ..., VIII).

Fol. 143 rº   En una desierta isla.

1595

Séptima parte de Flor de varios romances nuevos recopilados por Francisco Enríquez, Madrid. (*Las fuentes* ..., IX).

Fol. 112 rº	Roja de sangre la espuela.
Fol. 123 rº	Regalando el tierno vello.

1596

Flores del Parnaso. Octava parte, recopilado por Luis de Medina, Toledo. (*Las fuentes ...,* X).

Fol. 139 vº   Muerte, si te das tal priessa.

1597

Flor de varios romances. Novena parte hecha imprimir por Luis de Medina, Madrid. (*Las fuentes ...,* XI).

Fol. 84 vº   Aquí gozava Medoro.
Fol. 121 rº   Las heridas que a Medoro.
Fol. 124 rº   Rendidas armas y vida.

1600

Romancero General. Madrid, Luis Sánchez.

Segunda parte	Subida en una alta roca.
Tercera parte	Embuelto en su roxa sangre.
	En un cavallo ruano.
Sexta parte	En una desierta isla.
Séptima parte	Regalando el tierno vello.
	Roja de sangre la espuela.
Octava parte	Muerte, si te das tal priessa.
Novena parte	Aquí gozava Medoro.
	Las heridas que a Medoro.
	Rendidas armas y vida.

1604

Rimas de Lope de Vega Carpio. Sevilla, Clemente Hidalgo.

Fol. 137 vº   La más leal muger de las mugeres.

Primera parte de los romances nuevos nunca salidos a luz. Compuestos por Hierónymo Francisco Castaña, natural de Çaragoça. Ed. Antonio Rodríguez-Moñino, "Floresta", X, Valencia, Castalia, 1966.

Fol. 4 rº   De su querido Vireno.

4

Romancero General. Madrid, Juan de la Cuesta.

Trezena parte   De su querido Vireno.

1605

Segunda parte del Romancero General, y Flor de diversa poesía, reco-pilados por Miguel de Madrigal. Valladolid, Luis Sánchez.

Fol. 67 v°   De su querido Vireno.

Primera parte de las Flores de poetas ilustres de España. Dividida en dos libros. Ordenada por Pedro Espinosa, Valladolid. Ed. Juan Quirós de los Ríos y Francisco Rodríguez Marín, Sevilla, Rasco, 1896.

Discursos, epístolas y epigramas de Artemidoro. Sacados a luz por Micer Andrés Rey de Artieda, Zaragoza. Ed. Antonio Vilanova, "Selecciones Bibliófilas", Barcelona, 1955.

P. 194   Entre cien mil que en Francia tiene a caso.

1609

Suárez de Figueroa, *La Constante Amarilis, prosas y versos*. Valencia.

P. 237   A reina y pobre, Angélica y Medoro.

1611

Primera parte del Jardín de amadores, en el qual se contienen los mejores y más modernos romances que hasta hoy se han sacado. Recopilados por Juan de la Puente, y añadidos en esta última impressión de muchos romances nuevos nunca impressos. Zaragoza, Juan de Larumbe.

Fol. 21 v°   Ya que el rutilante Febo.

1618

Laberinto amoroso de los mejores romances que hasta agora han salido a luz. Recopilado por Juan de Chen, Barcelona. Ed. José Manuel Blecua, Valencia, Castalia, 1953.

1621

Primavera y Flor de los mejores romances recogidos por el Licenciado Pedro Arias Pérez, Madrid. Ed. José F. Montesinos, "Floresta", V, Valencia, Castalia, 1954.

1627

Gabriel Bocángel y Unzueta, *Rimas y prosas, junto con la Fábula de Leandro y Ero.* Madrid, Juan González.

Fol. 57 rº   La ciudadana del prado.

1640

Romances varios de diversos autores. Zaragoza, Pedro Lanaja.

1648

Las obras en verso de Don Francisco de Borja, Príncipe de Esquilache. Madrid, Diego Díaz de la Carrera.

P. 465   El cuerpo herido en sus braços.

Francisco de Quevedo, *El Parnasso español.* Madrid, Diego Díaz de la Carrera.

P. 522   Quitándose está Medoro.

1651

Francisco López de Zárate, *Obras varias.* Alcalá, María Fernández.

Fol. 34 vº   A aquel pastoral albergue.

1849 - 1851

Romancero General o colección de romances castellanos anteriores al siglo XVIII recogidos ... por Agustín Durán (B.A.E., X y XVI. Véanse núms. 403-435 y 1892).

1 8 6 9

Juan de Salinas, *Poesías*. "Bibliófilos Andaluces", Segunda serie, VI. Sevilla, 2 tomos.

II, p. 239   Rotas las soberbias armas.

1 8 7 7

Francisco de Quevedo, *Obras. III. Poesías.* Ed. Janer, *B.A.E.,* LXIX.

Núm. 478   Quitándose está Medoro.
Núm. 799   Destroza, parte, hiende, mata, assuela.

1 8 9 0

Cancionero musical de los siglos XV y XVI. Transcrito y comentado por Francisco Asenjo Barbieri. Madrid, Academia de Bellas Artes de San Fernando.

1 8 9 7

Poésies inédites de Góngora. Ed Hugo A. Rennert, en *R. H.,* IV, p. 139-173.

Núm. 47   En un gallardo Andaluz.

1 8 9 9

136 sonnets anonymes. Ed. R. Foulché-Delbosc, en *R. H.,* VI, p. 328-407.

Antonio Restori, *Poesie spagnole appartenute a donna Ginevra Bentivoglio* en *Homenaje a Menéndez y Pelayo,* II, Madrid, 1899, p. 455-485.

1 9 0 8

237 sonnets. Ed. R. Foulché-Delbosc, en *R. H.,* XVIII, p. 488-618.

1913

Romancero de Barcelona. Ed. R. Foulché-Delbosc, en *R. H.,* XXIX, p. 121-194.

Núm. 63   Muerte, si te das tal priesa (1.er verso).
Núm. 90   Del estrago que dexava.
Núm. 148   Ya sale de Montalván.

1919

Les Romancerillos de la Bibliothèque Ambrosienne. Ed. R. Foulché-Delbosc, en *R. H.,* XLV, p. 510-624.

Núm. 50   En siendo Agricán vencido.
Núm. 97   Sangrientas las hebras de oro.

1923

Poesías Barias y Recreación de Buenos Ingenios. A Description of Ms 17.556 of the Biblioteca Nacional Matritense, with some unpublished portions thereof. By John M. Hill. Indiana University Studies, X, núm. 60. Bloomington (Indiana).

Núm. XIV   Ya que rutilante Fevo.

1925

Les Romancerillos de Pise. Ed. R. Foulché-Delbosc, en *R. H.,* LXV, p. 160-263.

Romancero de la Biblioteca Brancacciana. Ed. R. Foulché-Delbosc, en *R. H.,* LXV, p. 345-396.

Núm. 35   Regalando el tierno vello.
Núm. 39   Muerte, si te das tal prisa.

1933

Un Cancionero bilingüe manuscrito de la Biblioteca de El Escorial. Ed. Julián Zarco, en *Religión y Cultura,* XXIV, p. 406-449.

Núm. 41   Entre las armas del Conde.

1944

Cancionero de Uppsala. Ed Rafael Mitjana, México, El Colegio de México.

1945

Cancionero de 1628. Ed. José Manuel Blecua. Madrid, C. S. I. C.

P. 326   Gracia particular, que el alto cielo.

1946

Poesie spagnole del Seicento a cura di G. M. Bertini. Torino, Chiantore.

1949

Chansonniers espagnols du XVIIe siècle. I. Le recueil de la Casanatense. Ed. C. V. Aubrun, en *B. Hi.,* LI, 1949, p. 269-290.

Núm. 13   Las eridas de Medoro.

1950

Cancionero musical de la Casa de Medinaceli (siglo XVI). Ed. Miguel Querol Gavalda. Barcelona, 1950. ("Monumentos de la Música Española", IX).

1957

Romancero tradicional de R. Menéndez Pidal. I. Romanceros del Rey Rodrigo y de Bernardo del Carpio. Ed. R. Lapesa, D. Catalán, A. Galmés, J. Caso. Madrid, Gredos.

1963

Romancero tradicional de R. Menéndez Pidal. II. Romanceros de los Condes de Castilla y de los Infantes de Lara. Ed. D. Catalán, A. Galmés, J. Caso, M. J. Canellada. Madrid, Gredos.

B. OBRAS DRAMÁTICAS.

Lope de Vega, *Octava parte de sus comedias*: *con loas, entremeses y bayles.* Barcelona, Sebastián de Cormellas, 1617.

    Bayle   Reynando en Francia.

(Texto reproducido por E. Cotarelo y Mori, *Colección de Entremeses, Loas, Bailes, Jácaras y Mojigangas desde fines del siglo XVI a mediados del XVIII. N. B. A. E.,* XVIII, Madrid, 1911, núm. 204.)

El casamiento en la muerte, jornada II. *Acad.,* VII.

    P. 278 b   Por muchas partes herido.

La fuerza lastimosa, jornada II. *Acad.,* XIV.

    P. 18 a   Madrugaba entre las rosas.

Peribáñez, jornada I. Ed. C. V. Aubrun y J. F. Montesinos, Paris, Hachette, 1943.

    P. 33   Reinaldo fuerte en roja sangre baña.

Tirso de Molina, *La Ninfa del cielo,* jornada II. *Obras dramáticas,* ed. Blanca de los Ríos, I. Madrid, Aguilar, 1946.

    P. 818 b   Bordaba el alba las flores.

Pérez de Montalbán, *No hay vida como la honra,* jornada I. *B. A. E.,* XLV.

    P. 480 c   De su querido Vireno.

Moreto, *Primero es la honra,* jornada I. *B. A. E.,* XXXIX.

    P. 232 c   Así a Vireno culpa.

Calderón, *Auristela y Lisidante,* jornada II. *B. A. E.,* XII.

    P. 646 a   En una guardada torre.

C. POEMAS.

Nicolás Espinosa, *La segunda parte de Orlando con el verdadero sucesso de la famosa batalla de Roncesvalles, fin y muerte de los doze Pares de Francia.* Zaragoza, Pedro Bernuz, 1555.

Francisco Garrido de Villena, *El verdadero sucesso de la famosa batalla de Roncesvalles, con la muerte de los doze Pares de Francia.* Valencia, Joan de Mey Flandro, 1555.

Martín de Bolea y Castro, *Libro de Orlando determinado, que prosigue la materia de Orlando el Enamorado.* Lérida, Miguel Prats, 1578.

Agustín Alonso, *Historia de las hazañas y hechos del invencible Cavallero Bernardo del Carpio.* Toledo, Pero López de Haro, 1585.

Citamos el *Orlando Furioso* por la edición de Santorre Debenedetti y Cesare Segre, Bologna, 1960 ("Collezione di opere inedite o rare pubblicate dalla Commissione per i testi di lingua", vol. 122).

III. ESTUDIOS

Avalle-Arce (Juan Bautista), *Tirso y el romance de Angélica y Medoro,* en *N. R. F. H.,* II, 1948, p. 275-281.

Cossío (J. M. de), *Fábulas mitológicas en España.* Madrid, Espasa-Calpe, 1952.

Romances sobre "La Araucana", en *Estudios dedicados a Menéndez Pidal,* V (Madrid, C. S. I. C., 1954), p. 201-229.

Menéndez Pidal (Ramón), *Romancero hispánico (hispano-portugués, americano y sefardí). Teoría e historia.* Madrid, Espasa-Calpe, 1953, 2 vol.

Montesinos (José F.), *Algunos problemas del Romancero nuevo*, en *Romance Philology*, VI, 1953, p. 231-247.

Portnoy (Antonio), *Ariosto y su influencia en la literatura española*. Buenos Aires, Estrada, 1932 (IV + 272 p.).

Rivers (Elías L.), *Francisco de Aldana, el divino capitán*. Badajoz, Diputación provincial, 1946.

No hemos podido ver el estudio de Speziale (Arturo), *Per la fortuna dell'Orlando Furioso in Ispagna: i Romances derivati o ispirati dal poema italiano*. Reggio Calabria, 1921.

I

LAS ARMAS Y LOS AMORES

Con la excepción de dos composiciones que tratan de Flordelís y del breve ciclo de Olimpia y Bireno, las obras que reproducimos en esta sección derivan todas de los cantos XVIII - XXX del *Orlando Furioso*, la parte central del poema, en la cual se anudan y desatan sucesivamente los hilos de tantos episodios, la que proporcionó lo esencial de su materia a las comedias ariostescas que escribió Lope de Vega en su juventud. Varios espisodios de éstos son de carácter esencialmente caballeresco, como aquellos en que intervienen Roldán, Mandricardo y Rodamonte. Interesaron a los poetas españoles en fecha muy temprana: se observará que el primer romance ariostesco impreso en España es una composición que cuenta el combate de Mandricardo y Rodamonte (núm. 4 a). Pero el éxito de estas composiciones es limitado y no dura mucho. Tales romances no seducirán mucho tiempo un siglo que se viene cansando de las caballerías: no se incluye ninguno de ellos en las *Flores*.

Otras escenas del *Orlando Furioso* conmovieron a los romancistas: el dolor de Flordelís, y más aún la muerte de Zerbino. Según testimonio de Toscanella y Giuseppe Malatesta, [1] las octavas en que describía Ariosto

---

[1] Oratio Toscanella, *Bellezze del Furioso*, Venetia, Pietro dei Franceschi, 1574, p. 199: "Questo è quel famoso lamento d'Isabella che ormai vola per tutte

la agonía del joven caballero y la pena de la dulce Isabela se cantaban en todas partes en Italia a fines del siglo XVI. Hermosas octavas en efecto, y no dejaron los poetas españoles de explotarlas. Se observará sin embargo que las composiciones inspiradas en este episodio son relativamente poco numerosas y datan casi todas de los años 1560-1580. El hecho no deja de sorprender. ¿Habremos de pensar que el relato no correspondía a la sensibilidad de la generación de 1580? De ser así, confesamos que no percibimos los motivos. Pero se puede formular otra hipótesis. Pasada la época en que suscita el *Orlando Furioso* un entusiasmo sin reticencia (1550-1590 aproximadamente), lo que pudo, de modo inconsciente acaso, perjudicar al episodio en la mente de los poetas, fue que no evocaba directamente ninguna escena tratada ya por Ovidio o Virgilio. Sugerimos esta explicación porque los romancistas, en los años 1580, hacen sumo aprecio de dos cuadros derivados del *Orlando Furioso* cuyas resonancias clásicas se perciben inmediatamente. Uno de ellos fue dibujado por Ariosto: es el dolor de Olimpia abandonada; el otro fue ideado por los romances españoles: aludimos a las lágrimas de Doralice. Es curioso ver cómo, entre los temas llenos de emoción que ofrecía o sugería el *Orlando Furioso,* unos poetas penetrados de latinidad retuvieron preferentemente los que evocaban asuntos conocidos de la *Eneida,* las *Heroídas* o las *Metamorfosis.* En otro estudio hemos intentado demostrar que los hombres del siglo XVI quisieron, durante mucho tiempo, ver en Ariosto un moderno Virgilio: estas obritas, compuestas a veces por unos escritores que no consideran válidas ya las afirmaciones de Salviati, y más de una vez sin duda por unos poetas que ignoran el detalle de estas disputas de preceptiva, harto demuestran que escogieron con predilección en el *Orlando Furioso* lo que recordaba lo antiguo, las escenas imitadas de los maestros romanos.

---

le bocche del mondo". Afirma Giuseppe Malatesta, algunos años más tarde (*Della nuova poesia, overo delle difese del Furioso,* Verona, Sebastiano dalle Donne, 1589, p. 138), que cantan los artesanos, entre otras octavas del *Orlando Furioso, Per debolezza più non potea gire,* es decir la octava 76 del canto XXIV, con la cual empieza el relato de la agonía de Zerbino.

1

MANDRICARDO DESAFÍA A ROLDÁN

Ms 3915 de la Biblioteca Nacional, fol. 75 vº-76 rº.
Ms 3168 de la Biblioteca Nacional, fol. 1.

Sobre el hielmo recostado
pasando estava la siesta
el enamorado Orlando
a sombras de una floresta,
5 la una mano en la espada,
la otra en el rrostro puesta,
en Angélica pensando
que tanta sangre le cuesta,
    sufriendo desde aquel día
10 que de amores la requesta
cien mil días de trabajo
sin tener uno de fiesta.
    En aquesto contemplaría
quando vio por una cuesta
15 venir uno de a caballo
de talle y persona apuesta.
    Conosció ser moro luego,
porque del hielmo en la cresta
traía una media luna,
20 que es señal de moros ésta.
    Mas aunque le ve benir,
no se levanta ni apresta

del fuerte hielmo azerado
que por armarse le resta,
25 antes le ve como biene
y en los estribos se enhiesta
deziendo: "No es buen soldado
(haré io una buena apuesta)
    el que teniendo enemigos
30 tan descuidado se acuesta,
y enemigos como io
cuya furia es manifiesta.
    Ser tú tan buen caballero,
conde de Braba ¿qué presta?
35 Si el bolberme a Durindana
tienes por cossa molesta,
    pues no la ossas combatir
o me la da o me la empresta
por los días de mi vida
40 y ternás desculpa honesta".
    Orlando no le responde
a la demanda propuesta
porque con la lança en mano
piensa dalle la respuesta.

5,9 Versos incompletos en el Ms 3168. — 15 *Ms 3168* bajar un moro a caballo. — 17-20 Faltan en el Ms 3168. — 21 *Ms 3168* i aunque le vido venir. — 23 *Ms 3168* del ielmo fino acerado. — 25 *Ms 3168* como llegua. — 26 *Ms 3915* se enrista. — 27 *Ms 3915* no es buen sobacado. — 29 Verso incompleto en el Ms 3168. *Ms 3915* temiendo enemigos. — 31-32 Faltan en el Ms 3915. — 35 *Ms 3915* Durandana. — 37 Verso incompleto en el Ms 3168. *Ms 3168* no osas combatirla. — 38-39 Versos incompletos en el Ms 3168. *Ms 3168* me la presta. — 42 Verso incompleto en el Ms 3168.

Reproducimos el texto del manuscrito 3915, algo más extenso que el del manuscrito 3168. Sencillo es el motivo que ha determinado esta elección: la hoja del manuscrito 3168 en que aparece el romance está estropeada, de tal forma que algunos versos no se pueden leer. Sin embargo corregimos algunas erratas del manuscrito 3915 —erratas debidas al copista— cotejándolo con el texto que ofrece el manuscrito 3168.

Aunque entorpecido por ciertos versos poco felices (véase por ejemplo el verso 20), este romance logra cierta brevedad narrativa e innegable densidad de expresión. Presenta el reto de Mandricardo a Roldán (*O. F.*, XXIII, 71-81). Pero el autor no quiso seguir paso a paso el texto italiano y en su obra no se da ninguna reminiscencia concreta de las octavas ariostescas. Le brindaba el poema un tema corriente en la literatura caballeresca, el romancista retiene esta sugestión y trata el episodio de modo original. Elimina a Doralice y Zerbino, los cuales, según Ariosto, presenciaban la escena: los dos guerreros se enfrentan solos. Ni siquiera cita el nombre de Mandricardo, y el lector, a no ser que tenga presentes a la memoria las octavas del *Orlando,* ignora la identidad del moro que aparece en el texto. Se reconoce en este rasgo la indeterminación que caracteriza tantos romances viejos y que los romancistas de fines del siglo XVI muchas veces procuraron imitar. Además se interrumpe bruscamente la acción en cuanto el reto se acepta tácitamente: no se relata el encuentro ni se indica su desenlace. Esta conclusión rápida que deja pendiente la acción demuestra la misma intención de imitar el estilo de los romances viejos.

Podríamos encontrar en los primeros versos de numerosas composiciones de la misma época la postura meditabunda atribuida a Roldán al principio de este romance. No aduciremos más que un ejemplo:

> Sobre la verde yedra recostado
> al pie un alto robre al fresco viento
> un pastorcillo pobre enamorado
> llora su doloroso apartamiento.

> (*Flor de romances y glosas, canciones y villancicos.* Zaragoza, 1578, p. 250.)

2

RODAMONTE ASALTA A PARÍS

Pedro de Padilla, *Romancero*, 1583, fol. 155 v°-157v°.
Ms 1579 de la Biblioteca Real, fol. 33.

A los muros de París
con furia terrible y brava
arremete Rodamonte,
el bravo moro de España.
5 Con una vandera roja
que en el ayre campeava,
y un león pintado en ella
con la boca ensangrentada,
que una hermosa donzella
10 libremente lo enfrenava,
como el rayo acelerado
que rompe la nube y baxa,
va por las armas el moro,
que de nada se guardava.
15 De un cuero escamoso y duro
cubierto el cuerpo llevaba,
que fueron armas de aquel
que a Bavilonia fundara,
que pensó con su sobervia
20 vencer a Dios en batalla,
y para este solo effeto
la gran torre edificava,
y para lo mismo hizo
de Rodamonte la espada.
25 No es menos sobervio el moro
su nieto que la llevaba,
que si en este mundo uviera
camino que le llevara,
uviera subido al cielo
30 sin que el miedo le estorvara.
Del ancho foso no mira
el agua donde le dava,
que el lodo hasta los pechos

passa con presteza estraña,
35 y entre el fuego y las saetas
a muchos la muerte dava,
y subiendo sobre el muro
las almenas destroçava,
tan gran estrago hazía
40 y a tantos vida quitava
que el primer foso no cabe
los que muertos arrojava.
Y no contento con esto,
otro foso que allí estava,
45 que la hondura que tiene
mirando atemoriçava,
le passó de un salto luego
y con la furiosa espada
rompe, destruye, destroça
50 quanto delante hallava.
Con artificios de fuego
los de dentro les tiravan
a los del foso primero
que con Rodamonte entravan,
55 y passaron de onze mil
los que en un momento abrasan.
El moro buelve los ojos,
y viendo lo que passava,
y el fuego que a las estrellas
60 a su parecer llegava,
de sus dioses y del cielo
con gran yra blasfemava.
Por medio de la ciudad
fuera de sentido entrava,
65 y a ningún hombre perdona
de todos quantos hallava.

Los viejos davan gemidos,
las mugeres gritos davan,
y el sobervio moro ayrado,
70 como la encendida llama
que va por medio de un monte
muy espeso, caminava.
A ninguno vee la frente,
porque nadie le aguardava,
75 a los siervos y señores
de una suerte los yguala.
Rostro bello no perdona,
merced en él nadie halla,

los sobervios edificios
80 y los templos abrasava.
Mas en este mismo punto
que el moro tan bravo andava,
llegó Reynaldo al socorro
de la ciudad destroçada,
85 y entonces le fue forçosa
al moro la retirada,
aviendo hecho el estrago
y la más brava hazaña
que de un solo cavallero
90 ha sido jamás contada.

1 *Romancero 1583* a los moros. *Ms 1579* muros. — 3 *Ms 1579* Rodomonte. — 24 *Ms 1579* Rodomonte. — 30 *Ms 1579* sin que temor le estorvara. — 33-34 *Ms 1579* el lodo hasta los pechos / con mucha presteza pasa. —
49 *Ms 1579* destruye y destroza. — 54 *Ms 1579* Rodomonte. — 56 *Ms 1579* los
que en un punto abrasavan. — 85 *Romancero 1583* le fue forçoso. *Ms 1579*
le fue forzosa.

Como lo hace muchas veces, Padilla sigue paso a paso en este romance el texto ariostesco. Reproduce con fidelidad, aunque en forma
resumida, la mayor parte de las hazañas de Rodamonte cuando asalta
a París (véase *O. F.,* XIV, 108-134; XV, 3-5; XVI, 19-29). Alguna
vez se complace en descripciones detalladas: es el caso, por ejemplo,
de la bandera de Rodamonte (versos 5-10, véase *O. F.,* XIV, 114). Las
más veces relata a grandes rasgos la acción del nuevo Turno. Es de
notar que hace del héroe un moro español (v. 4).

3

NACEN LOS CELOS DE RODAMONTE

Ms 125 de la Biblioteca Universitaria de Barcelona, fol. 79 rº-80 rº.
Romancero de Barcelona, en *R. H.,* XXIX, 1913, p. 121-194, núm. 90.

Del estrago que dexava
el rey de Argel en el pueblo

corre por la gran París
sangre biva de hombres muertos.

5   Sobre el arnés del gigante
que edificó contra el cielo
el mismo cielo lluvía
mil edificios desechos.
   Viene sobre Rodamonte
10 de tantas torres el peso
que a mil otros enterrara,
y en él sirve de simientos.
   Para enseñar su valor
sirven las hachas y el fuego,
15 y el polvo de que no borre
su reziente azaña el tiempo,
quando llegó un espía
de sus amores ligero,
porque a la muerte y al daño
20 jamás le faltan correos.
   Supo como Doralise
dio a Mandricardo el pecho,
la acogida que era suya,
por más galán y más nuevo.

25 Allóle con piel de drago
de los çelos el veneno,
y arrojando de su boca
dixo al lugar y a los çelos:
   "Ruïnas de mi valor,
30 quedad en pie, pues es cierto
que ya en mí será locura
lo que hasta agora fue esfuerço.
   Infierno soy, y París
no podrá contra el infierno,
35 que con çelos no es hazaña
destruir todo un imperio.
   Seamos de hoy más los dos
de dos cuydados exemplo:
yo por nuevas assolado,
40 vosotras por valor nuevo."
   No dixo más, que a sus males
vio que agraviava, midiendo
con ruïnas de ciudades
ruïnas de pensamientos.

17 *Ms* una espía. — 20 *Ms* ya más le faltan. — 43 *Ms* con ruïnas de cuydados.

El furor celoso de Rodamonte callaba en el *Orlando Furioso* (XVIII, 28-37). El romancista trata con mucha libertad el tema ariostesco cuando pone en labios del rey de Argel unas quejas cuyo retoricismo y amaneramiento son patentes. Los poetas españoles gustan de atribuir al fiero Rodamonte sentimientos apasionados y amorosos lamentos que no tienen ningún equivalente en la obra de Ariosto ni en la de Boiardo (véase adelante núm. 70 y Lope de Vega, *Los celos de Rodamonte*, jornada III, *Acad.*, XIII, p. 400).

DORALICE PREFIERE MANDRICARDO A RODAMONTE

4 a

Rosa Gentil. Tercera parte de Romances de Joan Timoneda, que tratan hystorias Romanas y Troyanas, 1573, fol. 69 r°-71 r°.
Segunda parte de la Sylva de varios romances. Juan de Mendaño. 1588, fol. 43 r°-45 v°.

Con sobervia y gran orgullo
que todo el mundo espantava
saliérase Rodamonte,
esse bravo rey de Çarça,
5 rey de Çarça y de Argel era,
que por tal se intitulava,
en busca de Mandricardo
aquesse rey de Tartaria,
que se lleva a Doralice,
10 hija del rey de Granada,
quitóla a cient cavalleros
que la tenían en guarda.
A pie va, que no a cavallo,
bien armado y sin espada,
15 sólo va con un bastón
que de un árbol desgajara.
Tan feroz y tan sañudo,
tan sin tiento caminava
que no ay osso, ni león
20 que mirar le ose en la cara.
Por una sierra muy alta
al baxar de una montaña
vido estar a Mandricardo
en regaço de su dama
25 que le enxugava el sudor
y la cara le limpiava.
Doralice que le vido
allí habló con boz turbada:
"Triste de mí, Mandricardo,
30 amarga de mí, cuytada,
veo venir a Rodamonte,
a quien yo le di palabra

para casarme con él,
y por vos la quebrantara.
35 Defendedme, mi señor,
sólo que con él no vaya".
Mandricardo que esto oyera
el yelmo luego abaxara,
vase para Rodamonte
40 que en el campo le aguardava,
ya travan los dos guerreros
entre ellos cruda batalla.
Por allí pasara un moro
que Ferragut se llamava:
45 "¿Qué es aquesto, cavalleros?
¿Para qué es riña tan brava?"
Respondiera Doralice,
de esta suerte proposara:
"De aquesta batalla, el moro,
50 yo soy la principal causa,
porque escogí a Mandricardo
y a Rodamonte dexara".
Ferragut aquesto oyendo
concertarlos procurava.
55 Sossegados que los tuvo,
de esta suerte les hablava:
"Parésceme, cavalleros,
que entendida vuestra saña,
no queráys con tanto esfuerço
60 morir por cosa tan baxa,
y señale Doralice
de los dos quál más amava".
Rodamonte y Mandricardo
contentos porque pensava

65 cada qual ser escogido
de la que presente estava.
Rodamonte en este caso
de la dama confiava,
por los passados servicios
70 que por ella hizo en Granada,
y más que de ser su esposa
le havía dado palabra.
Mandricardo muy mejor
en ella se assegurava,
75 porque por él era dueña,
de su hermosura gozara.
Doralice sin vergüença
de esta suerte sentenciava:
"Yo desecho a Rodamonte,
80 y a Mandricardo me dava,
porque obras son amores,
de palabras no curava".

En oyrlo Rodamonte
de Mahoma blasfemava,
85 porque de quantas a amado
a él ninguna le amara,
y empeçó de discantar
lo que en Doralice hallava:
"¡O ingenio femenino!
90 ¡Fuerça sin fuerça ganada!
¡Sin fe, sin ley, variable,
más hueca que no la caña!
¡Importuna, soberviosa,
pestilencia no curada,
95 desleal, cruel, ingrata,
falsedad jamás pensada,
discípula del demonio,
amicicia solapada,
en fin, maldad de maldades,
100 vista y lengua emponçoñada!"

4 *Rosa* Rey de çorça. — 24 *Rosa* en regaxo. — 45 *Rosa* cavallero. — 89 *Silva 1588* feminino. — 96 *Silva 1588* falseda [*sic*]. — 97 *Silva 1588* disciplina del demonio.

Esta composición, titulada por Timoneda *Romance de Rodamonte,* es el primer romance ariostesco publicado en España, y sin duda uno de los primeros que se escribieron en la Península. Se inspira en dos episodios del *Orlando Furioso*: por una parte, el combate de Rodamonte y Mandricardo, interrumpido a ruegos de Doralice (XXIV, 94-113), por otra parte la elección de Doralice en favor de Mandricardo y los vituperios que inspira esta preferencia a Rodamonte (XXVII, 104-121). El poeta utilizó a veces el texto italiano de manera muy concreta, en particular en las palabras que pone en labios de Rodamonte. Compárense los versos 89-95 a los fragmentos siguientes del *Orlando Furioso*:

Oh feminile ingegno (egli dicea)
... ...
importune, superbe, dispettose,
prive d'amor, di fede e di consiglio,
temerarie, crudeli, inique, ingrate,
per pestilenzia eterna al mondo nate.

(*O. F.,* XXVII, 117, 5; 121, 5-8.)

Con todo la originalidad del autor español aparece muy claramente. Según Ariosto, el combate de Rodamonte y Mandricardo se interrumpe a petición de Doralice y de un mensajero de Agramante. En el romance quien interviene para que cese la lucha es Ferragut. Inmediatamente tiene que elegir Doralice entre sus dos pretendientes mientras que en el *Orlando Furioso* se pronuncia más tarde, en el campo de Agramante. No nos extraña la presencia de Ferragut: el hijo de Lanfusa, por ser moro de España, desempeñó importante papel en la poesía española del siglo XVI inspirada en el *Orlando Furioso*: se da el caso, por ejemplo, en las *Hazañas de Bernardo* de Agustín Alonso (véase nuestro estudio *L'Arioste en Espagne*, p. 193, 195). La intervención de un caballero y la elección inmediata de la dama puede que las haya sugerido al poeta algún episodio de los *Amadises,* en que dichas escenas son corrientes. Por otra parte esta innovación manifiesta evidentemente el deseo de condensar en un romance relativamente breve un relato ampliamente desarrollado y cuya conclusión se retrasaba intencionadamente en el *Orlando Furioso.*

Se ve que el poeta intentó imitar el tono de los romances viejos. Tomó el verso *a pie va, que no a cavallo* del famoso romance *De Mantua salió el marqués.* Sin embargo se trata de un esfuerzo bastante superficial y la composición se acerca por muchos rasgos al estilo de los romances historiales. Quiere el poeta presentar de modo exacto a sus personajes, indicar sus títulos y pormenorizar sus hazañas, lo que da cierta pesadez a los primeros versos. De modo más general, el romance carece de brevedad narrativa. Pero lo que más llama la atención del lector es que no se le presenta una escena única y bien delimitada, sino tres cuadros distintos: el combate, la elección de Doralice y los vituperios de Rodamonte. El romance es largo y complejo; el tercer cuadro se enlaza artificialmente con los relatos que anteceden.

Tal como es, el romance tuvo éxito. Además de las refecciones que poseemos de él, vemos que lo ha imitado el autor de un romance de Gazul publicado en las *Guerras de Granada*:

> No de tal braveza lleno
> Rodamonte el Africano,
> qual llamaron rey de Argel [*sic*]

y de Çarça intitulado,
salió por su Doralice
contra el fuerte Mandricardo,
como salió el buen Gazul
de Sidonia adereçado

... ...

(Ginés Pérez de Hita, *Guerras civiles de Granada. Primera parte*, cap.
XVI (1595). Ed. Paula Blanchard-Demouge, Madrid, Bailly-Baillière, 1913,
p. 303.)

Es muy verosímil que Lope de Vega conociera el romance recogido
por Timoneda, ya que el combate de Rodamonte y Mandricardo es interrumpido por Gradaso en *Los celos de Rodamonte* (acto III, *Acad.*,
XIII, p. 407 a), por Sacripante y Ferragut en *Angélica en el Catay*
(acto III, *Acad.*, XIII, p. 442 a).

4 b

Ms Esp. 373 de la Biblioteca Nacional de París, fol. 58 vº-61 vº.

Con sobervia y grande orgullo
que todo el mundo espantava
se salía Rodamonte,
esse bravo rey de Sarça,
5 rey de Sarça y de Argel era
y por tal se yntitulava,
en busca de Mandricardo,
hijo del rey de Tartaria,
que le llevó a Doralize,
10 hija del rey de Granada.
El solo con un bastón
que de un roble desgajara
la quitó a çient cavalleros
que la llevavan en guarda.
15 Por esto va tan sañudo
que no ay quien le vea la cara
y no ay onza ni tigre
que a su esfuerzo se ygualara.
A pie va, que no a cavallo,

20 por una sierra muy agra
renegando de Mahoma
y de su seta malvada
por no topar cavallero
que el cavallo le quitara.
25 Y al baxar de una gran cuesta
dando con una llanada
vido estar un cavallero
devaxo una verde aya
en brazos a Doralizes
30 que mirándoselo estava [*sic*]
Doralize que lo vido
la color se le mudara:
"¿Qué es aquesto, Mandricardo?
¿Qué es esto, triste, cuytada?
35 Veo venir a Rodamonte
a quien yo di la palabra
que sería su muger
y por ti la quebrantara".

Mandricardo que lo oyera
40 el yelmo presto enlazara,
fuese para Rodamonte
que lo aguarda en estacada.
Rodamonte que lo vido
mucho se maravillava
45 de ver tan buen cavallero
bien armado y sin espada.
Ya comienzan los guerreros,
ya comienzan su batalla,
danse muy reçios encuentros,
50 la tierra toda temblava.
Por allí pasava un moro
que Agramante se llamava:
"Tate, tate, cavalleros,
¿por qué es vatalla tan brava?"
55 Doralize que lo oyera
presto respuesta le dava:
"La contienda de esos dos
yo soy la que la causava,

porque escogí a Mandricardo
60 y a Rodamonte dexara".
Presto replicava el moro:
"No ay por qué hazer batalla.
Si la dama al uno quiere,
al otro ¿qué se le dava?
65 Pongan a ella por juez,
ella mesma sentençiara".
Ellos dizen que assí sea,
cada qual se confiava,
ambos piensan ser queridos,
70 mas el uno se engañava,
que ella [a] escogido a Mandri-
y a Rodamonte dejara.   [cardo
Rodamonte que esto viera
sin poder hab[l]ar palabra
75 se despide de entre todos
con la color demudada
y mirando a Doralize
se vuelve a la sierra alta.

54 *Ms 373* tam brava. — 58 *Ms 373* que lo causava. — 74 *Ms 373* sim poder.

Esta versión acorta felizmente el texto editado por Timoneda. Se abrevian las palabras de Doralice, no se exponen los motivos de confiar que tienen los pretendientes, se indica en dos versos la elección de la inconstante princesa. Sobre todo desaparecen las invectivas de Rodamonte. En esta forma abreviada el romance adquiere más unidad.

Paralelamente a este esfuerzo, evidentemente relativo, por conseguir cierta brevedad narrativa, se observará el deseo del poeta de imitar el estilo de los romances viejos: el verso 28 de esta composición reproduce, en forma ligeramente alterada, el verso tradicional *debaxo la verde haya* (*A cazar va don Rodrigo, Cancionero de romances*, fol. 164 v°).

Además los versos 21-22 *renegando de Mahoma / y de su seta malvada* se toman del romance de los Infantes de Salas *Ya se salen de Castilla* (v. 6. Véase *Romancero tradicional de R. Menéndez Pidal. II. Romanceros de los Condes de Castilla y de los Infantes de Lara*, p. 97).

Comparada con el relato que ofrece *Con sobervia y gran orgullo*, la narración de este romance presenta dos variantes de importancia desigual. La primera es un detalle: Agramante, el rey de África, sustituye al moro de España Ferragut. La segunda tiene mayor interés. En el romance editado por Timoneda, aparece Rodamonte sin espada y llevando un palo (v. 13-16), mientras que en *Con sobervia y grande orgullo* esta arma rústica está en manos de Mandricardo (v. 11-14, 43-46). Parece indudable que desde este punto de vista la segunda versión del romance es superior al texto recogido por Timoneda. El uso de esta arma indigna de un caballero se explica sin dificultad en el caso de Mandricardo, quien, según Ariosto, juró de nunca ceñir espada hasta el día en que quitara Durindana a Roldán (*O. F.*, XIV, 43; XXIII, 77-78). Por eso pelea sólo con lanza y, rota la lanza, con uno de los trozos. Es lo que le pasa cuando ataca la escolta de Doralice (*O. F.*, XIV, 45). Los detalles que da *Con sobervia y grande orgullo* se ajustan pues perfectamente con los relatos del poema italiano. En cambio extraña el ver a Rodamonte armado de un palo en el romance recogido por Timoneda. Esta particularidad, bastante notable, no se debe a una modificación deliberada de las narraciones del *Orlando Furioso* ni a un propósito concreto del autor, ya que no se explota de ninguna manera en la continuación del romance. Por eso podemos pensar que el texto reproducido por Timoneda está alterado y aplica erróneamente a Rodamonte unos versos que habían de describir la hazaña de Mandricardo cuando rapta a Doralice.

4 c

COMBATE DE MANDRICARDO Y RODAMONTE

Romancero historiado, Lucas Rodríguez, 1582, fol. 112 v°-113 v°.

Con sobervia muy crecida
que a todo el mundo espantava,
se partía Rodamonte,
esse bravo rey de Sarça,
5 en busca de Mandricardo,
el gran rey de la Tartaria,
que a Doralice se lleva,
hija del rey de Granada.
Quitóla a cien cavalleros
10 que la tenien en su guarda,
él solo con un bastón
que de un roble desgajara.

Y desto va tan sañudo
que el sudor le congoxava;
15 a pie va, que no a cavallo,
por una selva muy agra,
y prosiguiendo el camino,
al pie de una alta montaña
con Doralice se topa,
20 la dama que él tanto amava,
en braços de Mandricardo,
que le limpiava la cara.
Doralice, que lo vido,
la color se le mudava:
25 "Teneos, Mandricardo amigo,
triste de mí, desdichada,
veo venir a Rodamonte,
que yo le di la palabra
que me casaría con él,
30 y por vos la quebrantara".
Mandricardo que esto oyera,
el yelmo presto se enlaça,
para Rodamonte se yva
que él esperándolo estava.
35 Rodamonte que lo vido,

mucho se maravillava
de ver tan buen cavallero
sin cavallo y sin espada.
Entre los dos cavalleros
40 brava lid se començava,
el uno con un bastón
y el otro con fuertes armas.
A caso ha passado un moro
que Ferraguto se llama:
45 "¿Qué es esto, fuertes guerreros?
¿Por qué traváys la batalla?"
Luego habló Doralice:
"Yo soy la que lo causava".
Sobre esto el moro repite
50 y como sagaz les habla:
"Si la dama al uno quiere,
al otro ¿qué se le dava?"
Ambos dizen: "Sea assí"
y quieren que assí se haga,
55 poniéndolo por jüez
de lo que ella sentenciava;
mas Doralice escogiera
a Mandricardo que amava.

Esta nueva versión, titulada *Romance de Rodamonte,* es mucho más breve que las precedentes. Obsérvese que la misma colección de Lucas Rodríguez incluye por otra parte un romance dedicado únicamente a las invectivas de Rodamonte (véase adelante, núm. 6 b): no parece sino que la materia demasiado amplia del romance de la *Rosa Gentil* fue distribuida en dos composiciones distintas.

El combate de Rodamonte y Mandricardo y la elección de Doralice le gustaron a un romancista —acaso el propio Lucas Rodríguez— quien forjó, inspirándose en este modelo, uno de los romances de Albanio, Tereo y Felisarda (Durán, núm. 332). En su esquema los dos romances coinciden perfectamente: Albanio, el amante fiel y desdeñado, corresponde a Rodamonte, Tereo desempeña el papel de Mandricardo, Doralice revive en la persona de la inconstante Felisarda. Además don Brandalín interrumpe el combate de los dos pretendientes, como lo hace en este caso Ferragut. Así se explica la génesis de este romance caballeresco, puro calco de una obra anterior.

4 d

DORALICE PREFIERE MANDRICARDO A RODAMONTE

Ms 1580 de la Biblioteca Real, fol. 221 vº-223 rº.

Con sovervia y grande orgullo
ardiéndose en yra y saña
sale el bravo Rodamonte
a buscar a su enamorada,
5 la hermosa Doraliçe
que le quebró la palabra
y se fue con Mandricardo
porque es condiçión de damas
al que está más confiado
10 azerle tiro y mudança.
Y ansí su enojo le lleva
tras una çiega demanda,
porque el olvido es afrenta
que no requiere bengança,
15 que lo que el amor deshaze
mal sufre la fuerça de armas.
Pero, ¿quién podrá sufrir
vida tan desesperada
como pasa Rodamonte
20 quando piensa que su dama
está, no libre de amores,
sino de otro regalada?
No sigue ningún camino,
antes va por las montañas
25 por do los ciervos lixeros
con dificultad pasavan,
ni va con pasos yguales,
que ya corre, ya se para.
No para por descansar
30 que el camino le cansava,
porque todos los sentidos

le ocupa el dolor del alma.
Y andando fuera de sí
una cueva vio que estava,
35 parte luego para ella
no recelando la entrada
temerosa a los oídos
porque tristes vozes davan.
Reparóse un poco atento
40 por oir lo que sonava.
Oyó endechas de amargura
que llorando pronunciavan:
"Esta es la casa de olvido
ynfelice y desdichada,
45 do la muerte se desea
y la vida es desechada.
Tres pilares largos tiene
que son de su efecto causa:
novedad, yngratitud
50 y ausencia que está a la entrada.
Su jüez es crueldad
y el carcelero disgraçia,
el fiscal es la memoria,
verdugo, gloria pasada.
55 Y el que una vez entra aquí
de salir no ay esperança
porque los menos culpados
padesçen prisión doblada".
Rodamonte que suspenso
60 al triste cantar estava
dijo: "Bien sé de mi suerte
que ésta es mi casa adada,

pero no quiero obligarme
a una carga tan pesada
65 hasta ver si mi señora
me la llevan engañada".
¡A engaño çiego de amantes!
¡A çeguedad confiada!
que nunca os dejó creer
70 la descubierta çelada.
Como el que se está ahogando
y se ase a la flaca rama,
no aviendo de ser remedio
a la muerte que dilata,
75 tal porfía Rodamonte
su porfía comenzada.
Púsose en un lugar alto
por ver lo que deseava,
desde adonde vio una cosa
80 a su deseo contraria:
la hermosa Doraliçe
en los braços enlasada
del baliente Mandricardo
que a su plazer descansava.
85 Doraliçe conociólo
y dijo muy alterada:
"Ya soy perdida, mezquina.
que si el alma no me engaña,
allí viene Rodamonte
90 a quien di la fe y palabra,
que sin duda la cunpliera
si por ti no la falsara".
Mandricardo saltó en pie
y el hielmo presto se enlaça,
95 teme en ser acometido
y acometióse adelante [sic].
Rodamonte el desonrado
no por aqueso desmaya
porque no suele hazello,
100 quanto más que en las vatallas
que proceden del amor
valientes son las azañas.
A uno esfuerça el favor,
a otro coraje y ravia,
105 teme el furor en su pecho

los golpes de las armas [sic].
A una se acometían
y a una el golpe se davan,
y por dar mejor el suyo
110 ningún de otro se guarda,
y a los collados muy altos
la brava lid resonava,
sin poder reconosçerse
solo un punto de ventaja,
115 quando acaso llegó un moro
que Ferraguto se llama,
diziendo: "Guerreros fuertes,
tenplad un rato la saña,
sepa yo la causa della,
120 que si remedio se alla
por razón o cortesía,
la pendençia es acavada".
Rodamonte le responde:
"Yo defiendo aquesta dama;
125 porque fui primero en tiempo
el derecho me la allana,
y más la afición primera
que tarde se be olvidada".
Mandricardo le replica:
130 "Aquésa es opinión falsa.
Yo soy el que la defiendo
de vuestra pretençión vana,
pues estoy en posesión,
y las leyes vien declaran
135 ser dichoso el que posee
aunque sea con fe mala".
Tornó a replicar el moro:
"Señores, en tal demanda
leyes son ynpertinentes,
140 las que de razón se guardan,
porque razón en amores
es la cosa más extraña,
tal vemos oy muy querido
y aborreçido mañana.
145 A quien toca el declarallo
es solamente a esa dama".
Remitióse el caso çiego
a la que más le tocava.

Ella dize: "Consultando
150 lo que de mi pecho mana,
quiero y es mi voluntad

que solo quede en mi guarda
Mandricardo mi querido,
y Rodamonte se baya".

5, 81, 85 *Ms 1580* Doradice. — 43 *Ms 1580* la causa de olvido. — 116 *Ms 1580* Feragute.

Este romance pedestre es un arreglo de *Con sobervia y gran orgullo,* recogido por Timoneda, y más bien de la versión *Con sobervia muy crecida,* que ofrece el *Romancero historiado.* Aunque el primer verso es el mismo que el del romance de la *Rosa Gentil,* en su conjunto el texto coincide más frecuentemente con la versión *Con sobervia muy crecida:* el verso 94 del romance que ahora nos interesa figuraba ya en el texto que ofrecía Lucas Rodríguez (v. 32), los versos 112, 115-116 y 117 recuerdan respectivamente los versos 40, 43-44 y 45 de *Con sobervia muy crecida.* Por la rapidez de su conclusión, en fin, se asemeja este romance a la obra recogida por Lucas Rodríguez.

Las reflexiones morales, bastante frecuentes (v. 8-16, 67-70, 141-142 por ejemplo), entorpecen el romance. Obsérvese la importancia de las nociones jurídicas en la expresión de la pasión amorosa (v. 124-136). La poesía española acogió gustosamente a fines del siglo XVI aquella terminología rebuscada cuyo empleo autorizaba el ejemplo de Ovidio en las *Heroidas* (véase *Heroida XX,* v. 30-34 y 150-160 en particular). Es uno de los aspectos del amaneramiento literario. Sabido es el uso que de tal procedimiento hizo Góngora en su fábula burlesca de Píramo y Tisbe.

El fragmento más curioso del romance es la larga evocación de la Casa del Olvido (v. 33-58). Pertenece a un género alegórico del cual la poesía española ofrece varios ejemplos en los últimos decenios del siglo XVI, sea la Casa de la Pena (Durán, núm. 1388), sea la Casa de los Celos que presentan dos romances escritos a fines del siglo XVI. El primero, *Yace donde el sol se pone,* es muy conocido por haber sido a veces atribuido a Cervantes (*Séptima parte de Flor de varios romances.* Francisco Enríquez, Madrid, 1595, fol. 3 v°-4 v°. Durán, núm. 1522), el segundo, *Funestos y altos cipreses,* se halla en dos colecciones reproducidas por Foulché-Delbosc (*Les Romancerillos de la Bibliothèque Ambrosienne,* en *R. H.,* XLV, 1919, p. 510-624, núm. 1. *Les Romancerillos de*

Pise, en *R. H.*, LXV, 1925, p. 160-263, núm. 21) y en el *Romancero General de 1600. Cuarta parte*. Ya había descrito Boscán una Casa de los Celos en su *Octava rima*, v. 97-144 (*Obras poéticas de Juan Boscán*, ed. M. de Riquer, A. Comas, J. Molas, I, Universidad de Barcelona, 1957, p. 368-370). Vuelve a aparecer el mismo motivo en *El Satreyano* de Martín Caro del Rincón, poema en octavas que debió de componerse a fines del siglo XVI (Ms 9756 de la Biblioteca Nacional de Madrid, canto XXIII, p. 243-246). Se trata, pues, de un tema frecuente en la poesía española, y más concretamente en el romancero, tema que viene a injertarse, con acierto muy relativo, en un relato ariostesco que antes se había interpretado en forma más despojada.

5

RODAMONTE VITUPERA A LAS MUJERES

Ms 1132 de la Biblioteca Nacional, fol. 53 rº-54 vº.

> Con ardientes sospiros acendía
> el aire aquel pagano por do andava.
> Eco de gran piedad le respondía
> de las concavidades do morava.
> 5 De todas las mujeres maldezía
> y de aquesta manera comenzava:
> "¡O femenil ingenio inconportable!
> ¡O triste el que te cree y miserable!
> ¡Como te mudas presto y fácilmente!
> 10 El que querías ayer oy se aborreze.
> Nunca para maldad inconviniente
> con que no la hizieses se te ofreze.
> Siempre tratas mejor al que es presente
> y a ésse tratas mal si bien mereze.
> 15 No quieres quien te quiere ni te plaze,
> quien más huye de ti te satisfaze.
> Ni servitud de amor que te tuviese
> como te fue en mil pruevas manifiesto
> tuvieron fuerza para que no fuese
> 20 tu fe trocada al menos tan presto.

No por ninguna falta que se viese
en mí ni por mi culpa hazes esto.
Razón no hallo a lo que ansí me gasta
si no que eres mujer y aquesto basta.
25 No tengáis presunción porque nacemos
de vos, ni estéis por esso gloriosas,
que de una mala yerva un lirio vemos
nacer y de un espino nacen rosas.
Importunas, sobervias, ya sabemos
30 ser todas, sin amor y mentirosas,
temerarias, crueles y omiçidas,
por pestilencia eterna acá naçidas.
Dios te quiso poner tan en la cunbre
de toda la maldad, sexo engañoso,
35 por un tributo y grande pesadunbre
del hombre que sin ti fuera dichoso.
Como nos dio otros males en costunbre
y otro animal qualquiera ponzoñoso,
ansí nos quiso dar para castigo
40 aquestas vuestras cosas que aquí digo".
Con estas y otras muy grandes querellas
aqueste rey de Argel se lamentava,
diziendo en alta boz mil males dellas,
y cierto de razón él se apartava
45 porque ningún bien ay sino por ellas,
mas él estava tal que no mirava
que por una u por dos que malas vemos,
ay ciento con más bien que merezemos.
Si bien de quantas asta aquí e amado
50 jamás nunca hallé buena ninguna,
no es bien dezir que todas an errado
sino poner la culpa a mi fortuna,
que muchas son y muchas se an hallado
que mal nunca hizieron, y si alguna
55 se halla en ciento de maldades llena,
mi desdicha me pone en su cadena.
Mas yo quiero bolver antes que muera
o antes que el cabello me encanezca
alguna que por mí sea verdadera
60 a quien mi vida y alma yo le ofrezca.
De aquésta cantaré con voz entera,
ésta sola será quien más merezca,

prometo de hazella gloriosa
con lengua y pluma, en verso y aun en prosa.

37 *Ms 1132* como nos dios otros males.

Estas octavas, obra acaso de Pedro de Guzmán, se califican de "traducción" en el manuscrito 1132. En realidad son más bien una adaptación del texto italiano (*O. F.*, XXVII, 117-124). Las dos primeras octavas desarrollan una estrofa del *Orlando Furioso* (XXVII, 117). Las octavas que siguen proceden de las estrofas 118, 121, 119, 122-124 del poema. El autor español alteró el orden que el Ariosto había puesto en las invectivas de Rodamonte, no tuvo en cuenta la octava 120, suavizó la octava 119 al no precisar la índole exacta de los animales dañinos que, según el rey de Argel, se pueden comparar con las mujeres. Fuera de esto, bien merece el texto español el título de traducción, y de traducción ajustada, particularmente en la octava tercera que, en las rimas de los versos 2 y 4, reproduce las mismas palabras de Ariosto.

Este fragmento del *Orlando Furioso* inspiró a un enemigo del sexo femenino, el autor de una serie de octavas que se incluye en el manuscrito 3915 de la Biblioteca Nacional (*Mugeres para nuestro mal nascidas*, fol. 24 vº-25 rº). La segunda de estas cuatro octavas es traducción de una estrofa del *Orlando Furioso* (XXVII, 121):

No estéis, mugeres, vanas y faustosas
en dezir que de vosotras todos nascemos,
porque de espinas suelen nascer rrosas
y de una mala hierba el lirio beemos.
Desconocidas, yngratas, enojosas,
sin ley [y] sin berdad os conoscemos,
crueles, temerarias, fementidas,
por pestilencia al mundo sois benidas.

RODAMONTE VITUPERA A LAS MUJERES

6 a

Ms Esp. 373 de la Biblioteca Nacional de París, fol. 187 vº-189 rº.

De sus dioses blasfemando
el rey de Sarça se yva
malcontento y enojado
de aquella sentençia esquiva
5 que Doralize avía dado
en su pressençia aquel día
en que eligió a Mandricardo
mandando que él se despida.
Va como toro furioso
10 quando la vaca perdía,
que a todas partes bramando
lo lleva el mal que sentía.
Los lugares por do passa
con suspiros ençendía,
15 los ayres, la tierra y çielo,
y el eco le respondía
provocado a compassión
de la que el moro traya.
De Doralize se queja
20 y desta suerte dezía:
"Femenil yngenio flaco,
¡cómo buelves cada día
tu fee con qualquiera cosa
que delante se offresçía!
25 La causa del sentençiar
contra mí como enemiga
no fue porque Mandricardo
entiendas que más valía,
mas por sólo ser muger,
30 que esto sólo bastaría.
Por tener por hijo al hombre
ni bibáys con fantasía,
pues que la fragante rosa
vemos naçer de la espina,

35 y en tierra de mal olor
el lirio vello se cría.
Soys ymportunas, crueles,
faltas de sabiduría,
yniquas, falsas, yngratas,
40 por quien el bien se desvía.
Soys un género en el mundo
de pestilençia ascondida".
Estas palabras hablando,
el moro sigue su vía,
45 y una voz de lexos oye
que desta suerte deçía:
"Valeroso cavallero,
flor de la cavallería,
no digas mal de mugeres
50 porque no te convenía,
que por una que aya mala
tresçientas buenas avía".
Rodamonte que esto oyera
del hecho se ar[r]epentía
55 y en disculpa de lo d[ic]ho
desta suerte respondía:
"Si de quantas yo he amado
ninguna hallado avía
que para mí fuese buena,
60 no es mucho que esto les diga.
Mas antes que ponga fin
la muerte a mi triste vida,
una pretendo buscar
por quien por razón se diga
65 que el daño que otras me han
ésta lo reparará,   [hecho
que yo vien entiendo dellas
el gran valor que tenían,

y que ay muchas en el mundo
70 de alabanza y gloria dignas".
Estas palabras hablando,
a un mesón llegado avía

do le hizo el mesonero
el regalo que podía,
75 que para lo que ha pasado
muy bien menester lo havía.

75 *Ms 373* lo que ha pagado.

Esta larga composición, titulada *Romance de Rodamonte después de perdida Doralize,* se inspira en una serie de octavas del *Orlando Furioso* (XVII, 110-131), que sigue de cerca en más de una ocasión. No citaremos aquí el texto italiano, traducido en las octavas que publicamos más arriba (núm. 5). Nos limitarcmos a apuntar las correspondencias precisas que se pueden observar entre el romance y el *Orlando Furioso:*

v. 9-12	*O.F.,* XXVII, 111
v. 13-18	*O.F.,* XXVII, 117, 1-4
v. 21-24	*O.F.,* XXVII, 117, 5-8
v. 25-30	*O.F.,* XXVII, 118, 5-8
v. 31-42	*O.F.,* XXVII, 121

La voz misteriosa que reprehende al rey de Argel no tiene ningún equivalente concreto en el *Orlando Furioso.* Pero es evidente que los versos en que se expresa el súbito arrepentimiento de Rodamonte fueron sugeridos al poeta por las octavas maliciosas en que el Ariosto le lleva la contraria al rey de Argel afirmando que serán muchas las mujeres virtuosas y fieles, aunque él no ha tenido la suerte de encontrar ninguna (*O. F.,* XXVII, 122-124). La diferencia de tono que se percibe entre este romance y el fragmento del *Orlando Furioso* que le sirvió de modelo es buen ejemplo de la seriedad con que trataron los temas ariostescos los poetas españoles del siglo XVI.

6 b

Romancero historiado, Lucas Rodríguez, 1582, fol. 114 r°-115 r°; 1584, fol. 107 v°-108 v°; 1585, fol. 114 r°-115 r°.

De sus dioses blasfemando
el moro Sarça salía
mal contento y enojado
de aquella sentencia esquiva
5 que Doralice le ha dado
delante el rey aquel día.
Va como toro furioso
quando la vaca perdía,
que a todas partes bramando
10 lo lleva el mal que sentía.
Por los lugares que passa
con sospiros encendía
el ayre, la tierra y suelo.
El Eco le respondía
15 provocando a compassión
de la que el moro traya.
De Doralice se quexa
y estas palabras dezía:
"Femenil ingenio flaco,
20 ¿cómo buelves cada día
tu fe, tu palabra y ley
que adelante se offrecía?
La causa del sentenciar
contra mí como enemiga
25 no fue porque Mandricardo
entiendas que más valía,
sino sólo ser muger,

que a mudança te combida.
¿Por qué la naturaleza,
30 si ella es justa, permitía
que de ti esse hombre naciesse
para ser engrandecida?
Ni de tenerle por hijo
recibas tanta alegría,
35 pues que la fragante rosa
suele salir de la espina,
y en las yervas no olorosas
el bello lilio se cría.
Soys importunas, crueles,
40 faltas de sabiduría,
iniquas, falsas, ingratas,
por quien el bien se desvía.
Soys un género en el mundo
de pestilencia escondida".
45 Y estas palabras diziendo
el moro sigue su vía,
y una voz de lexos oye,
desta manera dezía:
"Rodamonte valeroso,
50 flor de la cavallería,
no digas mal de mugeres,
pues en ellas no cabía".
El moro como lo oyera
del dicho se arrepentía.

9 *Romancero 1584* que a todas partes mirando. *Romancero 1582, 1585* que a todas partes bramando. — 12 *Romancero 1582, 1585* con sospiros se encendía. *Romancero 1584* con sospiros encendía. — 37 *Romancero 1582, 1585* yervas no olorosas. *Romancero 1584* yervas olorosas.

Esta nueva versión, en que desaparece la verbosa respuesta de Rodamonte, abrevia felizmente el texto anterior.

7

DISCORDIA EN EL CAMPO DE AGRAMANTE. ELECCIÓN DE DORALICE

Romancero historiado, Lucas Rodríguez, 1582, fol. 115 vº-118vº; 1584, fol. 109 rº-112 rº; 1585, fol. 115 vº-118 vº.

En el real de Agramante
que sobre París tenía,
fuego ardiente de discordia
a más andar se encendía,
5 y en los más robustos pechos
que en toda la tierra avía,
furia y saña están soplando
con la sobervia a porfía.
El rencor echa la leña
10 y la vengança lo atiza,
suben tan alto las llamas
que por los ojos salían.
Reyes y príncipes moros
atajarlo no podían,
15 porque el fiero Rodamonte
mortalmente desafía
al valiente Mandricardo
sobre su quistión antigua
de la linda Doralice
20 que a los suyos quitó un día,
y Mandricardo a Rugero
campal batalla pedía
sobre que el águila blanca
no ha de traer por divisa,
25 y Rugero a Rodamonte
con grande furor pedía
que le buelva su cavallo
o que a morir se aperciba.
También demanda batalla
30 a Mandricardo Marfisa,
porque se alabó por armas
de ganarla por amiga.

Los unos piden el campo,
los otros lo concedían;
35 sobre quién será el postrero
nueva discordia se cría.
Nadie basta a concertallos,
mas un medio se escogía:
que entren todos quatro en suertes
40 a ver quién y quién serían.
Luego los nombres de todos
de dos en dos se escrevían
y de un cántaro sacados
salieron de aquesta guisa:
45 Mandricardo y Rodamonte
la primer suerte dezía,
Mandricardo con Rugero
en la segunda leyan,
Rugero con Rodamonte
50 la tercera prometía,
y la quarta y la postrera
con Mandricardo Marfisa.
Ya les hazen la estacada
y de gente se cubría.
55 Ferraguto y Sacripante
con el rey de Argel se yvan,
y Gradasso y Falsiron
con el rey de Tartaría.
Métenlos en sendas tiendas
60 adonde armarse tenían.
Para los reyes y grandes
cadahalso se hazía,
y las reynas y las damas
a verlo también salían,

65 y la linda Doralice,
   por quien la lid se hazía,
   de verde con encarnado
   hermosamente vestida.
   Ya que estavan aguardando
70 que los guerreros saldrían,
   en la tienda del rey tartaro
   se oyera una bozería,
   y es que armándole Gradasso
   la espada le conocía,
75 que es la rica Durindana
   que tanto alabar oya
   y por ganarla a Roldán
   en Francia passado avía.
   Que se la dé le demanda,
80 o que le dexe la vida.
   Mandricardo de ira lleno
   le responde que haría
   sobre ello con él batalla
   si Rodamonte quería,
85 y si no, dize el sobervio,
   a entrambos lo manternía.
   Rugero, que sabe el caso,
   que no quiere respondía,
   que si nueva lid pretende,
90 primero ha de ser la mía.
   Gradasso la quiere luego,
   Rugero la defendía:
   todos tres están rebueltos,
   crece la saña y la grita.
95 Llega Agramante a las vozes,
   y en concordia los ponía,
   y hasta la lid primera
   que la espada no se pida.
   Ya que aquesto era acabado,
100 se oyera otra bozería,
   que Sacripante las armas
   a Rodamonte ponía,
   y mirando atentamente,
   su cavallo conocía,
105 Frontino, aquel que Rugero
   a Rodamonte pedía,

   y pide que se le buelva
   la batalla fenecida,
   que él se le quiere prestar
110 por la amistad que tenían.
   Rodamonte oyendo aquesto
   contra el cielo se bolvía,
   y a Sacripante a batalla,
   y aún al mundo desafía.
115 Llega Agramante, y Gradasso,
   Mandricardo y Ruger yvan,
   y sabido el caso todo
   en confusión les ponía.
   Mas pretendiendo Agramante
120 componer estas porfías,
   por la linda Doralice
   delante todos embía,
   y que a quien ella escogiere
   de los dos que la querían,
125 éssе se quede con ella,
   y que el otro más no pida.
   El de Argel y de Tartaria
   dizen que assí lo querían,
   que el uno está confiado
130 y que el otro más se fía.
   Escogiera a Mandricardo,
   y Rodamonte se yva
   con la furia que va el toro
   que ha perdido la novilla.
135 Sacripante tras él parte,
   que su cavallo quería.
   Entre Rugero y Gradasso
   echan suertes, quál haría
   con Mandricardo batalla,
140 y a Rugero le caya,
   con que la haga Rugero
   por lo que a los dos cumplía,
   y fue la más brava y fuerte
   que jamás visto se avía,
145 donde mostrando Rugero
   el gran valor que tenía,
   Gradasso ganó la espada,
   perdió el Tártaro la vida.

18 *Romancero 1582, 1585* quistión. *Romancero 1584* question. — 42 *Romancero 1582, 1584* escrevían. *Romancero 1585* escrivían. — 92 *Romancero 1582, 1585* la defendía. *Romancero 1584* lo defendía. — 117 *Romancero 1582, 1585* el caso todo. *Romancero 1584* todo el caso.

Este largo romance historial lo tituló Lucas Rodríguez *Romance del Ariosto, de una discordia que uvo en el real del rey Agramante entre los más valerosos cavalleros.* Resume prosaicamente, en su mayor parte, las octavas 39-84 y 102-113 del canto XXVII del *Orlando Furioso.* El autor, por adaptar tan fielmente el texto italiano, renuncia a reproducir los rasgos originales que aparecían en el romance de la *Rosa Gentil*: en particular sitúa en el campo de Agramante la elección de Doralice. Los últimos versos (137-148) indican rápidamente los acontecimientos que el Ariosto relata más adelante en su poema (*O. F.,* XXX, 17-75).

8

CELOS DE RODAMONTE

Ms 3168 de la Biblioteca Nacional, fol. 12 rº.

Con animoso deseo
y el ánimo acelerado
sale el fuerte Rodamonte
de hacer en París asalto.
5 Robar quiere a Doralices
por muerte de Mandricardo,
i para cumplir su intento
el muro y caba a saltado.
No le dan pena las armas
10 ni de heridas hace caso,
porque la llagua interior
tiene el sentido turbado.

Procurábase enguañar
mas en balde a trabajado,
15 que lueguo al siguiente día
vido al ojo el desenguaño,
vio a Mandricardo tendido
sobre el jubenil reguaço,
bebiéndose las raçones
20 boca con boca juntando,
las palabras que le dice:
"Sois mi bien, mi amor, mi ama-
Considere el que es amante   [do".
la pena deste cuitado.

Este romance trata con gran libertad el tema que ofrecía el *Orlando Furioso.* El autor español sitúa la hazaña del rey de Argel que pasa de un salto el foso de París en el momento en que Rodamonte abandona la ciudad: lo que era hecho de armas viene a ser indicio de furor celoso. Este sentimiento es el único elemento del episodio que interesa al poeta que no quiere relatar el combate de Mandricardo y Rodamonte ni tratar de la elección de Doralice.

9

MANDRICARDO LIBERTA A DORALICE

Pliego de la Biblioteca Nacional, Toledo, 1601 (R 3618).

Quando aquel claro luzero
su resplandor repartía
por el orbe terrenal
con claridad muy subida,
5 en una linda espessura
de arboleda muy florida,
por do corren muchas fuentes
de agua clara muy luzida
cuyas corrientes doradas
10 hazen dulce melodía,
allí las flores recrecen
con muy blancas clavellinas
y rosas muy olorosas
con cuyo olor se hinchían
15 los frescos campos amenos,
silvestres montes, montiñas,
y junto desta floresta
un fresco huerto se hazía,
bien poblado de laureles,
20 do cantan con melodía
silgueros y ruyseñores
y canarios a porfía
con cantos tan delicados
que ponen grande alegría
25 en los tristes coraçones
lastimados de herida
del amor tirano y fuerte

y su crueldad no vista,
debaxo un fresco laurel
30 un cavallero dormía,
de todas armas armado,
que nada le fallescía.
Y estando assí reposando,
ya que el sueño lo vencía,
35 durmiendo soñava un sueño
que gran temor le ponía,
el qual era desta suerte,
con que más se entristecía,
que vía yr a Doralice,
40 hija del rey de Granada,
entre gran cavallería
que por fuerça la llevava,
que de grado no quería,
y estando en esto despierta
45 con tormento y agonía,
y llorando cruelmente,
desta manera dezía:
"¿Cómo es posible, mis dioses,
que tal cosa acontescía,
50 que mi bien y mi esperança
assí presa la tenía?
No pienso dexar ciudad,
montañas, pueblos ni villas,
que todo lo he de andar

55 en busca de Doralice,
aunque no puedo creer
que tal cosa ser podría.
Partirme quiero de aquí
para Francia la garrida,
60 donde puede ser que dé
algún descanso a mi vida".
Estas palabras diziendo
en su cavallo subía
y comiença a caminar,
65 punto no le detenía,
y atraviessa una montaña
muy fragosa a maravilla
y descindiendo por ella,
vio venir gran compañía
70 de muchos hombres armados
que hasta quarenta serían,
todos bien adereçados
que nada les fallescía,
y en medio de aquella gente
75 una donzella venía
cuya beldad y hermosura
a Policena excedía.
Blanca es y colorada
muy más que una clavellina
80 y los sus ojos son zarcos,
graciosos, que parescían
dos reluzientes estrellas
según que resplandescían.
Pues su boca muy graciosa
85 falta ninguna tenía,
porque según su aspecto
muy al natural venía.
Una saya de brocado
aquesta dama traya,
90 toda de oro broslada,
que precio ni par tenía,
toda con franjuela de oro
se muestra muy guarnescida.
Un jubón trae encarnado,
95 de qué era no se sabía,
salvo que viene cubierto
con piedras de gran valía

que el rico jubón tenía,
y pasamanos de seda
100 encarnada a maravilla.
Y en su muy ruvia cabeça
una guirnalda traya
de aljófar resplandesciente
de muy gran precio y valía,
105 por do sus lindos cabellos
muy claro se parescían
ser más ruvios que no el oro
que nasce dentro en la mina.
Y desque cerca llegó
110 del todo fue conocida
ser la linda Doralice
do la beldad florescía
cubierta de dos mil gracias
que esta dama en sí tenía.
115 Mandricardo está espantado
de ver su gran loçanía,
y con muy dulces palabras
desta manera dezía:
"¡Ay! lumbre de mis entrañas,
120 espejo en el qual me vía,
cuya gracia me subjeta,
cuyo valor me traya
a la cárcel del amor
do mil tormentos sufría,
125 duélante ya mis congoxas
que se me acaba la vida.
Mira, bien de mi remedio,
el gran dolor que sentía
por ti, cruel matadora,
130 aunque no lo merescía.
Buelve ya tu vista clara
contra aquesta triste mía,
y darásme luz muy grande
con la qual me alumbraría
135 para salir del poder
de amor y su compañía".
Estas palabras diziendo,
conosciólo Doralice,
y con muy crescido amor
140 desta suerte le dezía:

"¡O dulce amor!, Mandricardo,
Mandricardo, vida mía,
di, ¿por qué no me socorres
en tal trance y agonía?"
145 Mandricardo que esto oyó
del cavallo descendía
y echara mano de un árbol
y un ramo quebrado avía
y con él arremetió
150 contra la cavallería,
diziendo: "Falsos traydores,
malos de poca valía,
¿por qué lleváys pressa assí
a quien nada os merescía?"
155 Estas palabras diziendo
con el bastón los hería
de golpes tan espantosos
que gran temor les ponía,
y en menos de media hora
160 ya los más muertos tenía,
y los pocos que quedaron
cada qual se defendía,
mas al fin todos llevaron
el pago que merescían.
165 Luego el fuerte Mandricardo
tomó su querida amiga
y subiendo en su cavallo
con ella partido avía.
Y andando por su camino
170 a hora de medio día
vieron un gran cavallero.
Armado va a la morisca
con un yelmo reluziente
cubierto de pedrería,
175 y un arnés todo trançado
con flores de plata fina,
trae un muy rico terciado
que una ciudad valía,
con muy ricos dïamantes,
180 trae una aljuba vestida,
y el cavallo en que viene
rucio claro parescía.
Y mirando a Mandricardo

y a la dama que llevava,
185 conosció a Doralice
y començó a requestalla
porque caso no hazía
del oculto cavallero
que a Doralice llevava.
190 Mandricardo desque vio
su grande descortesía
le dixo: "Falso, alevoso,
¿quién os dio tal osadía?
Pero muy presto veréys
195 lo que por ello os venía".
El cavallero espantado
de su ánimo dezía:
"Si tú supiesses quién es
el que la dama quería,
200 bien creo tú se la diesses
con voluntad muy crescida,
y porque sepas quién soy
el yelmo me quitaría".
Y en quitándoselo luego
205 Doralice conoscía
ser el fuerte rey de Argel
cuya fama se estendía
por las partes orientales
y por Francia y por Suría [sic].
210 Doralice que lo vido
con muy gran pena dezía:
"¡Ay! querido Mandricardo
¡qué desventura es la mía!
pues el que tienes delante
215 Rodamonte se dezía,
y según me tiene amor
por fuerça me llevaría".
Desque esto oyó Mandricardo,
muy presto le acometía,
220 y a los primeros encuentros
ninguno perdió la silla.
Echan mano a las espadas
con esfuerço y osadía.
Mandricardo con gran saña
225 a Rodamonte hería
de un golpe tan espantoso

que le hizo una gran herida
de la qual muy mucha sangre
en abundancia corría.
230 Pero presto llevó el pago
que el moro le respondía
con un tajo muy cruel
dado que bien parescía [sic],
que si no fueran las armas
235 allí acabara su vida.
Mandricardo se desmaya
con el dolor que sentía,
mas mirando entre las armas
vió llorar a Doralice,
240 por lo qual él esforçara,
y por tal modo y tal vía
dio un golpe a Rodamonte
que gran daño le hazía.
Y estándose combatiendo,
245 junto a la sierra venía
un cavallero a gran priessa,
corriendo quanto podía,

y llegando a la batalla,
desta manera dezía:
250 "Cesse, varones, la furia
de vuestra pendencia esquiva,
no passe más adelante,
que mucho me pesaría
que dos tan fuertes guerreros
255 acaben assí su vida,
o dezime qué es la causa
que la batalla se hazía".
"Por una dama, señor",
Rodamonte respondía.
260 El cavallero responde:
"Venga la dama, y venida,
veamos a quál escoge
o a quál dellos pedía".
Luego vino Doralice
265 y a Mandricardo escogía,
por lo qual el rey de Argel
con gran pesar se partía.

Este romance, cuyo texto conocemos por un solo pliego, nos ha llegado en un estado mediocre, como lo muestra en particular la frecuente irregularidad de la asonancia. El hecho es de lamentar. Cierto que esta larga composición es bastante pesada: su estilo es a veces confuso; el mismo verso —ripio evidente— vuelve dos veces bajo la pluma del autor (v. 32 y 73), las descripciones son largas en demasía, aflora un pedantismo fácil en el texto (v. 76-77). Pero estos defectos no le quitan interés a la composición.

Se puede observar primero el esfuerzo del poeta por ajustar el tema italiano al estilo tradicional. Toma su primer verso de un romance viejo que trata los amores y hazañas de Reinaldos.

Quando aquel claro luzero
sus rayos quiere embiar

(Pliegos poéticos P r a g a, "Joyas", núm.
XLIII. Cf. Durán, núm. 368.)

Acaso le sugiere el mismo romance la idea de esbozar primero un paisaje primaveral para introducir luego en él un caballero. Pero, evidentemente, esta reminiscencia pronto queda borrada por el recuerdo, mucho más concreto, del romance del juicio de Paris que ofrece al poeta una descripción en la que se inspira más que medianamente, y también el tema del sueño del caballero. Basta para convencerse del hecho comparar los versos 5-8 y 33-35 de nuestro romance con los siguientes fragmentos del romance de Paris:

> Por una linda espessura
> de arboleda muy florida
> donde corren muchas fuentes
> de agua clara muy luzida
> ... ...
> y estando assí el infante
> que el sueño más le vencía
> dormiendo soñava un sueño...

> (*Cancionero de romances,* fol. 195.)

Estas imitaciones tan exactas dan al romance, desde sus primeros versos, un color caballeresco. Los versos que siguen confirman esta impresión. El autor trastornó los datos del *Orlando Furioso*, y, si no aparecieran los nombres de los personajes, a duras penas se conocerían, por los cambios radicales que afectan sus caracteres y la situación en que se hallan. Según el romance, Mandricardo, enamorado desde hace mucho tiempo de Doralice, la liberta de unos felones que la tienen aprisionada. El rapto de la princesa de Granada, relatado por el Ariosto (*Orlando Furioso*, XIV, 38-54), se convierte aquí en un hecho de armas y de amor, por el cual Mandricardo presta ayuda, según la ley de caballería, a una beldad perseguida. Por otra parte, Doralice no tiene que agradecerle nada a Rodamonte, que no aparece en este romance como un amante fiel e injustamente desdeñado. El rey de Argel se ha enamorado de Doralice y pretende quitarla al que ella quiere (v. 212-217). Por eso cuando un caballero, cuya identidad no se indica en el texto, interrumpe el combate de Rodamonte y Mandricardo y les aconseja que se remitan al juicio de Doralice, decide ésta en favor del que la quiere, del que la ha salvado.

Esta preferencia ya no es la manifestación de inconstancia y sensualidad que divertía al Ariosto, sino un acto perfectamente conforme con las leyes del amor que había codificado la literatura caballeresca. Se observa en esta obra una modificación radical del personaje de Doralice, la misma que aparece en dos romances que reproducimos más adelante (núms. 24 y 25). Ya es su conducta la de una enamorada fiel, la que se puede esperar en una princesa. Todo pasa como si a Doralice la llamara a respetar el decoro un poeta que estimaría chocante el desenfado de Ariosto. Una reacción comparable se esboza en otros romances frente al personaje de Angélica (véase más adelante, núm. 74). Con tal arreglo desaparece la originalidad del carácter de Doralice, amoldado ya a los tipos delineados por el conformismo de la literatura novelesca. Claro indicio del espanto que varios poetas españoles del siglo XVI sintieron ante las audacias de Ariosto.

El personaje de Rodamonte aparecerá esporádicamente en el romancero español en que ha de ser constantemente símbolo de valor y ferocidad. Se lee su nombre en versos de Lope (*Sale la estrella de Venus. Flor de varios romances nuevos*. Pedro de Moncayo. Barcelona, 1591, fol. 8 vº- 10 rº. Véase Durán, núm. 33) y también en *Por las montañas de Jaca*, obra atribuida a veces a Lupercio Leonardo de Argensola (*Flor de varios romances nuevos. Tercera parte*. Felipe Mey. Valencia, 1593, fol. 137 vº- 138 vº. Véase *Rimas de Lupercio y Bartolomé L. de Argensola*, ed. José Manuel Blecua, I, Zaragoza, C. S. I. C., 1950, p. 295. Véase además Durán, núm. 1708). Igualmente figura en varias comedias de Lope, en comedias del joven Lope sobre todo. Además de las refecciones del episodio que ofrece en *Los celos de Rodamonte* y *Angélica en el Catay*, el dramaturgo recordará más de una vez el rapto de Doralice por Mandricardo y el furor de Rodamonte (*El mesón de la Corte*, jornada II, *Acad. N.*, I, p. 294 a; *Los locos de Valencia*, jornada I, *Acad. N.*, XII, p. 420 b-421 a; *El amigo por fuerza*, jornada II, *Acad. N.*, III, p. 265 b). De modo mucho más frecuente menciona a Rodamonte cuando quiere dar un ejemplo de valentía: hemos contado veintidós pasajes en que se da el caso en el teatro de Lope: no queremos imponer al lector la lista fastidiosa de estos ejemplos.

Pero no tardó el personaje en excitar el humor jocoso de los poetas. Su nombre se prestaba a retruécanos fáciles: ya se encuentran dos ejemplos de ellos en la obra de Lope (*Los esclavos libres*, jornada III, *Acad. N.*, V, p. 428 b; *El secretario de sí mismo*, jornada III, *Acad. N.*, IX, p. 337 a). La fuerza desmedida y el valor del rey de Argel ofrecían un blanco tentador y no dejó Góngora de herirle con ironía punzante (Millé, núm. 31). En fin, el texto de un baile publicado en 1616 demuestra que un poeta por lo menos no vaciló en burlar de las desilusiones amorosas del héroe:

FREGONA 1.ª: ¡Qué bravo toro!
BELTRÁN: Semejante a Rodamonte

(*Colección de Entremeses, Loas, Bailes ...*, N. B. A. E., XVIII, p. 477 b.)

10

MUERTE DE ZERBINO

Ms 1132 de la Biblioteca Nacional, fol. 58 rº-60 vº.

De gran flaqueza ya no caminava
y ansí se paró zerca de una fuente.
La hermosa Isabel se congojava
de no poder valelle en su acidente
5 porque de aquel lugar lejos estava
villa o ciudad donde habitase jente
do con tal priesa al médico recorra
que por piedad o premio le socorra.
No sabe sino en vano lamentarse
10 y al cielo maldezir sin ningún tiento,
diziendo que mejor fuera anegarse
quando en el ozéano dio vela al viento.
Zerbín, que en ella tiene por holgarse
los ojos convertidos, más tormento
15 le da vella quejarse de tal suerte
que verse tan zercano de la muerte.

"Así, corazón mío, le dezía,
os ruego que me améis desta manera,
pues dejaros aquí sin compañía
20 es lo que siento y no porque [me] muera,
que si en segura parte se ofrezía
de mi vida cumplir la hora postrera,
dichoso y fortunado por entero
fuera, señora, pues que viéndoos muero.
25   Mas pues que mi destino falso y duro
quiere que sea de vos apartado,
por estos ojos y esta boca juro
y estos cabellos donde fui enlazado
que con gran rabia al profundo oscuro
30 vo del infierno muy desesperado,
do el pensar que os dejé de tal manera
tiene de ser mi pena verdadera".
     En esto la tristíssima donzella
declinando su cara lagrimosa
35 y juntando su boca con aquélla
de Zerbín, descolorida como rosa
cojida sin sazón, así que ella
el color pierde y no el ser hermosa,
dijo: "No penséys vos hazer, mi vida,
40 sin mí esta triste y última partida.
     Esto, corazón mío, sin rezelo
cree[d], por[que] mi alma seguir quiere
la vuestra en el infierno u en el cielo,
y juntas vayan doquiera que fuere,
45 que si no podrá tanto el desconsuelo
de veros acabar que no muriere,
prométoos porque vais más satisfecho
con esta espada oy pasarme el pecho.
     Tengo de nuestros cuerpos esperanza
50 que más muertos que vivos avrán ventura
y alguno pasará que por usanza
de hazer bien les dará sepultura".
Parézele a la muerte que tardanza
el alma haze ya, y ella procura
55 ir con los tristes labrios recojiendo
el spíritu vital y consumiendo.
     Zerbín la flaca voz algo esforzando
dize: "Te ruego y pido, alma mía,
por el amor que me mostraste quando

60 por mí tu patria dejaste aquel día,
y si puedo mandar, yo te lo mando,
que vivas quanto Dios por bien tendría
sin que pueda de ti ser olvidado
que quanto amar se puede, yo te e amado.
65   Dios quizá proveerá de tal manera
que librada seréys de auto villano
como en la cueva otra vez hiziera
quando os salvó el senador romano,
y como de la mar os sacó fuera
70 y de aquel vizcaíno tan profano,
si despúes converná la muerte sea
de suerte que el menor mal se provea".
  No creo que esta palabra postrimera
tan claro pronunció que fue entendida
75 y acabó como lunbre que la cera
le falta u el umor do está enzendida.
  ¿Quién podrá dar la cuenta verdadera
del dolor de Isabel y quán perdida
quedó viendo quedar frío en sus brazos
80 el su amado Zerbín echo pedazos?
  Sobre el sangriento cuerpo se dejava
caer, con el dolor dando alaridos
tan grandes que bien lejos resonava [sic]
por los valles sus llantos doloridos.
85 Ni su hermoso rostro perdonava,
ni pechos de sus manos conbatidos,
rompiendo sus cabellos y llamando
el nonbre amado en vano sospirando.

1 1

MUERTE DE ISABELA

Ms 1132 de la Biblioteca Nacional, fol. 61 rº-62 vº.

  "En esta prueva quiero ser primera
del dichoso licor de virtud lleno,
para que tú des fe más verdadera
sin pensar que te doy algún veneno.

5 Después que yo me bañe toda entera
para poder provar si es cierto y bueno,
con la fuerza que tienes y tu espada
verás hiriendo en mí no hazer nada".
     Bañóse, como digo, alegremente
10 y al pagano tendió el cuello desnudo.
El, venzido del vino y su acidente
contra quien no aprovecha arma ni escudo,
creyóla el cruel y en continente
corrió la dura mano y yerro duro,
15 apartando del cuerpo con la espada
el rostro donde amor hazía morada.
     Cortada la cabeza tan hermosa
dio tres saltos, y quando se apartava
del cuerpo, dio una voz muy dolorosa
20 que nonbrando a Zerbín se arrancava,
por quien ella seguir esta rabiosa
muerte tan cruda con plazer pasava
queriendo más dejar dc limpia y pura
su fama clara que de hermosura.
25   ¡O alma que la fe guardaste tanto
que tu virjinal cuello te dejaste
cortar sin rezebir ningún espanto
por no mudalla de quien tanto amaste!
¡quién alabar pudiese aquesto quanto
30 el caso lo mereze! pues preciaste
el nonbre de firmeza y castidad
más que tu vida ni tu verde edad.
     ¡Vete en paz, alma bien aventurada!
Así mis versos fuesen poderosos
35 como mi fatiga sería empleada
en alabar tus echos glorïosos
porque mil y mil años ensalzada
tu fama fuese sobre los famosos.
Vete en paz a gozar la gloria eterna,
40 pues tal exemplo dio tu edad tan tierna.
     El caso inconparable y stupendo
nuestro Criador del cielo a mirado
y dijo: "Más que aquella te encomiendo
cuya muerte a Tarquino le a quitado
45 el reyno, que una ley hazer entiendo
que a de ser un prezepto muy guardado,
la qual por las sagradas aguas juro

que no la mudará siglo futuro.
Y es que en lo porvenir la que tuviere
50 el nonbre tuyo será muy discreta,
con bondad y virtud qual se requiere,
y hermosura y gracia muy perfeta,
tanto que al que escribir della quisiere
gran materia y ayuda le prometa,
55 y el saber que Parnaso y Pindo tiene
Ysabel, Ysabel siempre resuene".

Estas dos composiciones, acaso obras de Pedro de Guzmán, traducen torpemente dos series de octavas del *Orlando Furioso* (XXIV, 76-86; XXIX, 24-29. La octava 26 se adapta en dos octavas). El autor se atiene servilmente al texto italiano: muchas veces le debe sus rimas, y llega al extremo de calcar sus construciones de manera inadmisible en español (*Muerte de Isabela,* v. 20-22). Estos versos siempre prosaicos, cojeantes a veces, ofrecen con todo el interés de ejemplificar la seducción que tuvo para los poetas españoles el episodio conmovedor de los amores y la muerte de Isabela y Zerbino.

1 2

MUERTE DE ZERBINO

Pedro de Padilla, *Romancero*, 1583, fol. 163 rº-165 vº.
Ms 1579 de la Biblioteca Real, fol. 28 vº-30 vº.

En seguimiento de Orlando
Cerbino se partió un día,
al tiempo que sus dorados
rayos el sol esparcía,
5 los mismos pasos siguiendo
por donde el Conde venía,
y siguiendo su jornada,
vio lexos que reluzía
un arnés tendido en tierra,
10 y que un cavallo traya
del arçón colgado el freno

y mansamente pacía.
Cerbín luego reconoce
que Roldán le poseya,
15 y aquéllas vio ser las armas
del mismo que le regía.
Quedó de verlo espantado
sin saber lo que sería,
hasta que de un pastorcillo,
20 que de un monte descendía,
se supo que el señor dellas
el seso perdido avía.

Cerbín dexó su cavallo,
ya Ysabela descendía,
25 y recogiendo las armas,
sobre un pino las ponía
pretendiendo deffendellas
al que llevarlas querría,
y en la corteza del tronco
30 este letrero escrevía:
"Estas son las ricas armas
de que Orlando se vestía,
ningún hombre toque a ellas
que le costará la vida,
35 que aunque su dueño las dexa,
Cerbino las deffendía".
Y acabada aquella obra,
ya que descansar quería,
vio venir a Mandricardo
40 que, quando las armas vía,
informándose del caso,
para la espada acudía,
y del pino la descuelga,
y estas palabras dezía:
45 "Orlando fingió ser loco
porque entiendo que sabía
lo mucho que le he buscado
por esta espada que es mía".
Cerbín, a muy grandes bozes:
50 "Déxala, moro, dezía,
y si la piensas llevar,
gánala por valentía;
si assí ganaste el arnés
que Héctor un tiempo traya,
55 claro está que le hurtaste".
Y sin que otra cosa diga,
parte el uno para el otro
con sobervia gallardía,
la rigurosa batalla
60 en todo el valle se oya.
Cerbino teme la espada
que su contrario tenía,
porque sabe que le importa
no más que salvar la vida,
65 y aunque a una y otra parte

los fieros golpes huya,
uno no pudo escusar
que en el arnés recebía,
que aunque no fue peligroso,
70 le hizo una gran herida
por la qual la sangre sale
que todo el campo teñía,
y a Ysabela que mirava,
el coraçón le partía.
75 Cerbín con un bravo golpe
desto se satisfazía,
que a la cerviz del cavallo
la de Mandricardo inclina,
mas también se venga el moro,
80 que en poco espacio traya
tan herido a su contrario
que aliento le fallecía.
Ysabela que mirava
el estremo en que le vía,
85 a una dama muy hermosa
que Mandricardo traya,
que estorve aquella batalla
por Dios del cielo pedía.
Doralice, que este nombre
90 la gentil dama tenía,
hizo a ruego de Ysabela
lo que demandado avía,
dexando tal a Cerbino,
que en su rostro se entendía
95 lo poco que le faltava
para acabar con la vida.
Sentóse par de una fuente
que por el prado corría,
con Ysabela a su lado,
100 que en verle como le vía
diera por darle remedio
la salud que ella tenía.
No sabe sino quexarse,
con dolor entristecida,
105 que las piedras ablandara
las lástimas que dezía,
y Cerbino que la tiene
dentro del alma imprimida,

la començó a consolar
110 de la suerte que podía,
y en este officio dio el alma,
que, de su cuerpo salida,
quando Ysabela lo vio
con el ansia que sentía,
115 a sí misma se matara
si no fuera socorrida
de un sancto viejo hermitaño,
que de ordinario acudía
por agua de aquella fuente
120 de la celda en que vivía.
Y quando vio tal la dama
y lo que hazer quería,
con muy discretos exemplos

de su intento la desvía,
125 y prometió de llevarla,
haziéndole compañía,
donde quiera que quisiese,
y que no la dexaría.
Acetó la triste dama
130 lo que el viejo le offrecía,
y el cuerpo de su Cerbino
sobre un cavallo ponían,
y a un monasterio partieron
que el hermitaño sabía,
135 do pudiessen enterralle
del modo que merecía,
y allí acabase la dama
todo el resto de su vida.

7 *Ms 1579* y haziendo su jornada. — 13 *Ms 1579* Zerbín luego le conoze. — 17 *Ms 1579* de bello quedó espantado. — 21 *Ms 1579* supieron que. — 24 *Romancero 1583* y a Ysabela descendía. *Ms 1579* ya Ysabela deçendía. — 25-26 *Ms 1579* las armas todas recoge / y en un pino las ponía. — 42 *Ms 1579* por el espada acudía. — 46 *Romancero 1583* porque entendió. *Ms 1579* porque entiendo. — 48 A continuación incluye el manuscrito dos versos que no aparecen en la redacción definitiva: si él por cobarde la dexa / yo della me serviría. — 54 *Ms 1579* que el troyano Héctor traía. — 69 *Ms 1579* y aunque. — 79-80 *Ms 1579* mas presto se venga el moro / que en poco tiempo traía. — 92 *Ms 1579* todo quanto le pedía. A continuación intercala el manuscrito dos versos que se excluyeron de la versión definitiva: y partió luego del canpo / con el que venido avía [*sic*]. — 93 *Ms 1579* quedó Zerbino de suerte. — 96 Después de este verso, dos versos inéditos en el manuscrito: quiso provar a partirse / pero vio que no podía. — 108 *Ms 1579* entre el alma ynprimida. — 110 *Ms 1579* del grave mal que sentía. Los versos 111-113 del *Romancero* no se leen en el manuscrito, que intercala en su lugar una serie de octavas que esbozó Padilla, y que se presentan en la forma siguiente:

Ansí, mi corazón, queráis, deçía

2ª

Mas pues mi fiero hado iniquo y duro

3ª

A esto la castíssima donçella

4ª

No estéis, mi coraçón, desto medroso

5ª

De nuestros querpos esperança entera

6ª

Zerbín la débil boz más reforzando

7ª

En el amargo extremo no a podido
hablar y entenderse y a quedado
qual vela que el pabilo a consumido
y el umor por quien arde le a faltado.
¿Qué mano escrivirá lo que a sentido
viéndole sin color, disfigurado,
la triste dama entre sus brazos yerto
a su bien y Cerbín del todo muerto?

8ª

Sobre el sangriento cuerpo se abandona
y de copiosas lágrimas le baña,
el balle gime y con su boz se entona,
atruena su gritar selva y montaña.
A tierno pecho y rostro no perdona,
oféndelos con rabia muy estraña,
destroza aquel cabello tan dorado
llamando en bano siempre el nombre amado.

Sigue el manuscrito con los versos: y estando desta manera / con el ansia que sentía. A continuación el texto que ofrece coincide de nuevo, con algunas variantes, con la versión del *Romancero*. — 115 *Romancero 1583* assí misma. — 126-127 *Ms 1579* y hazelle compañía / do quiera que ella quisiese. — 137 *Ms 1579* y acabase allí la dama.

Este romance historial resume las octavas 48-53, 57-72 y 76-92 del canto XXIV del *Orlando Furioso*. Es obra seca y falta de arte. La desaparición de las imágenes que prestaban color e intensidad al combate de Mandricardo y Zerbino priva de toda poesía los versos 56-96 de Padilla; la muerte de Zerbino, narrada en tono pedestre, no despierta ninguna emoción. Se alarga el relato en forma bastante aburrida en los veinte últimos versos cuya función es enlazar este romance con los acontecimientos narrados en *El sobervio Rodamonte* (véase más adelante, núm. 13).

En un principio había planeado Padilla una obra más amplia en la que se hubiera desarrollado largamente el diálogo de Isabela y Zerbino moribundo, como lo demuestran las octavas del manuscrito 1579. Concluidas o esbozadas, son traducción, o proyecto de traducción, de las octavas 78-83 y 85-86 del canto **XXIV** del *Orlando Furioso*. Padilla renunció finalmente a pulir y publicar este fragmento. Es posible que haya querido abreviar su texto: sin embargo parecerá atrevida la hipótesis si recordamos que el poeta muchas veces intercala octavas en las composiciones del *Tesoro* lo mismo que en las del *Romancero*. Más bien se puede pensar que Padilla, el cual escribía y publicaba apresuradamente, no quiso tomarse el trabajo de terminar un trozo que no pasaba de ser un esbozo.

1 3

MUERTE DE ISABELA

Pedro de Padilla, *Romancero* 1583, fol. 157 v°-160 r°.
Ms 1579 de la Biblioteca Real, fol. 25 r°-26 r°.

El sobervio Rodamonte,
de Doralice negado,
después que la tierra y cielo
con quexas a importunado,
5 en un barco yva metido
y como desesperado
navegava noche y día,
combatido del cuydado.
Llevábale el pensamiento
10 como enfermo congoxado
que con la gran calentura
viéndose muy apretado
en la cama no reposa
ni para de ningún lado;

15 y viéndose desta suerte,
el agua luego ha dexado.
Y estando pensoso un día
como siempre lo avía usado,
por un pequeño camino
20 que estava en medio de un llano
vio venir una donzella
y con ella un viejo anciano
y un cavallo tras de sí
llevaban los dos cargado,
25 cubierto de un paño negro
señal de luto mostrando.
Era la dama Ysabela
que de Zerbino, su amado,

lleva consigo el cuerpo
30 a donde fuesse enterrado,
y aunque muy descolorida
y el cavello destroçado,
viene la dama hermosa,
y todo el rostro vañado
35 en lágrimas que sus ojos
sin cesar han derramado.
Era tal su hermosura
que el amor rico y pagado
pudiera vivir en ella
40 de lo demás descuydado.
En viéndola Rodamonte
quedó tan enamorado
que determinó con éste
dexar el primer cuydado,
45 y llegóse mansamente
a preguntalle su estado.
Ysabela le dio cuenta
del succeso desdichado
y dixo que su intención
50 era, el mundo despreciando,
ocuparse en el servicio
de aquel que la avía criado.
Rióse el sobervio moro,
desta respuesta mofando,
55 y respondióle: "No es justo
que esté tal rostro encerrado".
Y porque su parecer
contradixo el hermitaño,
de su respuesta offendido,
60 por el cuello lo ha tomado,
y por el ayre lo embía
do jamás no fue hallado,
porque le arrojó en el mar,
que aunque de allí está cercano,
65 por lo menos de distancia
avía tres millas de llano,
do por no saber nadar
dentro della se a ahogado.
Y quando se vido solo,
70 del monge desocupado,
a la dama sin consuelo

bolvió menos demudado,
y llamávala su Dios,
su contento desseado,
75 su regalo, su esperança,
hablar de amantes usado,
y mostróse en esta hora
el moro tan bien criado,
que no quiso tomar della
80 cosa fuera de su grado.
Estava la casta dama
sola con el moro al lado,
que a la rata parecía
que en poder del gato a entrado.
85 Quisiera estar en un fuego
y no donde se ha hallado,
y con muerte determina
de poner fin a su estado
antes que el bárvaro goze
90 de lo que tenía pensado.
Al moro crece el desseo
y de cortesía menguado,
por fuerça tomar quería
lo que la dama ha negado,
95 la qual viéndole que estava
a ello determinado,
le dixo: "Si tú quisieses
no hazer lo que has pensado,
en cambio yo te daría
100 un bien que es tan extremado
que sólo con él serías
para siempre eterniçado.
Y es que conozco una yerva,
y la he visto en este prado,
105 que cozida con la ruda,
y el ciprés allí mezclado,
el hombre que en ello fuere
de todas partes bañado,
le queda el cuerpo tan duro
110 que el agua ni el fuego ayrado
ni el hierro podrá offendelle,
ni todo lo que ay criado;
y en premio sólo te pido
que hasta averte bañado

115 nada pretendas de mí
ni tomes contra mi grado.
Y para que de lo dicho
quedes muy asegurado,
y no pienses que te doy
120 algún veneno mezclado,
yo me bañaré primero
en estando adereçado,
y entonces podrás en mí
con un puñal afilado
125 ver tan cierta la expiriencia

como yo te lo he contado".
Creyólo el moro bestial,
y ella aviéndose lavado,
el blanco cuello desnudo
130 dio al cuchillo aparejado,
el qual del primero golpe
fue con brevedad cortado,
y tres botes dio en el suelo,
y en cada qual ha nombrado
135 el nombre de su Cerbino
a quien avía tanto amado.

1 *Ms 1579* Rodomonte. — 2 *Ms 1579* Doralisa. — 8-9 *Ms 1579* conbatido de cuydado / yva con el pensamiento. La redacción primitiva "yva con" se rectifica en el mismo manuscrito en la forma "llevávale". — 20 *Ms 1579* Primera redacción: que stava en el medio de un prado. Corregida en: que stava en el verde de un prado. — 29 *Ms 1579* llevava consigo. — 41 *Ms 1579* Rrodomonte. — 68 Los versos 63-68 no se leen en el manuscrito. — 118 *Ms 1579* asigurado. — 133 *Ms 1579* dio del suelo.

Este romance resume un relato mucho más extenso del *Orlando Furioso* (XXVIII, 87-91, 95-102, XXIX, 5-26).

1 4

COMBATE DE ZERBINO Y MANDRICARDO

Ms 3168 de la Biblioteca Nacional, fol. 138 v°.

Caminando yba Ysabela
con el valiente Zervino
quando hallaron colgadas
las armas del paladino
5   de un tronco que sale afuera
de un ñudoso y verde pino.
Reconoze ser aquéllas
las armas del paladino,
y estándolas contemplando,
10 Mandricardo sobrevino,

que furioso yba buscando
las armas del paladino.
Yva el sar[r]azino moro
prosiguiendo su camino
15 quando vido estar colgadas
las armas del paludino.
Apeóse del caballo
y allegóse al verde pino,
alzó el brazo por tomar
20 *las armas del paladino.*

Cervino se las defiende,
diziéndole: "No eres digno
de llebar en tu poder
las armas del paladino".
25 El moro de rabia lleno:
"De matarte determino,
le dize, si no me dejas
las armas del paladino".

Armase cruda batalla,
30 rómpese el azero fino,
perdió Cervino en tal tranze
las armas del paladino.
Cayó palpitando en tierra,
ya de la muerte vezino,
35 diziendo: "Ya llebas, moro,
las armas del paladino".

El autor de esta composición supo aislar la escena del combate de Zerbino y Mandricardo y presentarla con loable brevedad. En el manuscrito, el verso *las armas del paladino* aparece varias veces en la forma acortada *las armas* (v. 8, 16, 24, 28, 32). Corregimos lo que parece ser una irregularidad debida al capricho del copista.

1 5

COMBATE DE ZERBINO Y MANDRICARDO. LLANTO DE ISABELA

Livro de Sonetos y Octavas de diverços auctores, de 1598, fol. 98 rº-99 vº.
Ed. Julián Zarco, *Un cancionero bilingüe ...,* en *Religión y Cultura,* XXIV, p. 406-449, núm. 41.

Entre las armas del Conde
que encima de un roble estava[n]
sólo escoge Mandricardo
aquella famosa espada
5 *para guerra y arma,*
de paganos tan temida,
entre christianos nombrada,
y entre fuertes cavalleros
por la más noble estimada
10 *para guerra y arma.*
Con soberbia parte el moro
por llevarse a Durindana,
ya le sale a defendella

un cavallero de fama
15 *para guerra y arma,*
cuio nombre era Zerbino
de valor y fuerça brava;
vase el uno para el otro,
brava batalla se trava
20 *para guerra y arma.*
A los primeros encuentros
Zerbino en tierra quedava,
quiere el moro darle muerte,
Isabela gritos dava
25 *que le llegan al alma.*
La castíssima Isabela

en sus braços regalava
su dulce esposo Zerbino
que a priesa se desangrava
30 *que le llegan al alma* [*sic*].
    La sangre y sudor le limpia
que de las heridas mana,

y aquellos tiernos ojos
en los de su amado enclava
35 *que le llegan al alma.*
    Dízele aquestas razones
con boz tierna y regalada,
    que le llegan al alma:

"¿Adónde vas, mi bien, sin más valerme?
40 ¿Adónde quedo yo? a desesperarme,
    donde estimo menos el perderme
    que de tan dulce lazo libertarme.
    ¿Adónde está la luz que en sólo verme
    aora y siempre pudo ansí enlaçarme?
45 que aqueste amor ardiente, puro y firme,
    no se podrá acabar aun con morirme".

La octava que termina este romance no es traducción del *Orlando Furioso.*

1 6

LLANTO DE ISABELA

Ms Esp. 372 de la Biblioteca Nacional de París, fol. 165 rº-166 rº.

"¿Adónde vays, mi bien, sin más valerme?
¿Adónde quedo yo? a desesperarme,
adonde estimo menos el perderme
que de tan dulçe lazo livertarme.
5 ¿Adónde está la luz que en sólo verme
agora y siempre pudo así acavarme?
Aquel amor ardiente, puro y firme
sólo podrá acavarse con morirme".

El gallardo cavallero
10 que su dulçe amor mirava,
con palabras tan penosas
el dolor se le doblava.
    Desmayóse el cavallero

no porque ánimo le falta,
15 sino por la mucha sangre
que de las heridas mana,
    y teniéndolo por muerto
la hermosa y casta dama,

dio dos gritos tan terribles
20 que todo el bosque tronava.
   Cervino al segundo grito

del gran de[s]mayo tornava,
respondiendo a su Ysavela
lo que más le llega al alma:

25   "¡O lumbre más que el sol serena, pura!
si puedo en el morir, quiero rogaros
por vuestra soverana hermosura,
por quien me duele más desampararos,
por el principio y fin de mi ventura,
30 que son el bien quereros y dejaros,
tengáys assí por bien de acavarme,
después de muerto yo también amarme".

El autor de esta composición debió conocer el romance que reproducimos más arriba (núm. 15). La octava con que empieza su obrita es, con algunas variantes, parecida a la que termina el romance precedente; además los versos 19-24 de su texto parecen ser torpe imitación de los versos 24-25 de *Entre las armas del Conde*. La última octava, que sin duda está alterada y cuyo sentido falta de claridad, se inspira en dos estancias del *Orlando Furioso* (XXIV, 78 y 83).

1 7

LLANTO DE ISABELA

Ms Esp. 372 de la Biblioteca Nacional de París, fol. 25 vº-26 vº.

El delicado brazo sustenía
el cuerpo de Çervino casi elado,
siendo de la alma amada compañía
la fuerça de aquel alma açelerado [*sic*].
5 El lachrymal arroyo descurría
del vello rostro ya disfigurado
por el Cerbino pecho que bien siente
el fuego de la dulçe agua corriente.
   Procura el buen Çerbino entretenello
10 soltando de sus ojos el ruçío
cuya frialdad es mal engrandeçello

que deshazer aquel ardiente estío [*sic*].
Quiere quejarse porque siente dello
un mal vascoso tan elado y frío
15 que no vale al furor de su acçidente
el fuego de la dulçe agua corriente.
   "Buelve los ojos ya, Ysabela mía".
Con ansias que del alma van saliendo
en pensar de su mal gime y suspira,
20 más del que de su muerte se doliendo.
Quiere hablar a la Parca llena de yra,
el ya cansado aliento entretenía,
haze a la hermosa dama que acresçiente
el fuego de la dulçe agua corriente.
25   Suelta el aliento y dice: "¡O mi Çerbino!
¿por do iré sin tu dulce compañía?
¿Qué fortuna cruel, qué duro signo
procurar quiso la livertad mía?
Mejor me fuera estarme de contino
30 en cueva obscura donde no sintiera
la fuerza deste mal que veo presente
para dar de la triste agua corriente" [*sic*].

5 *Ms 372* lachryminal [*sic*].

El texto en forma de glosa que presenta el manuscrito es muy defectuoso, como lo demuestra entre otras cosas la frecuente ausencia de la
rima.

1 8

LLANTO DE ISABELA

Ms 1587 de la Biblioteca Real, fol. 151.

  Despúes de muerto y bençido
por el fuerte Mandricardo
ese valiente Çerbino,
quanto de bentura falto,

5   quando la hermosa Ysavela,
la ayrada muerte ymbocando
porque la enfada la vida
en tan miserable estado,

tiene en los braços su bien,
10 su esperança y su rregalo,
frío, sanguinoso y yerto,
sin alma, desfigurado,
   los labios negros y gruesos,
sumidos los ojos claros,
15 y en amarillez funesta
buelto aquel color rrosado,
   suspensa, triste y confusa,
rasga el cavello dorado

y de su florido rrostro
20 haze berdugos sus manos.
   No ay xénero de consuelo
para tanta pena y llanto,
que do esperança no asiste
mal puede caver descanso.
25 Y ansí llorando y quexosa,
buelta de un fuerte desmayo,
los ojos en su Zerbino,
estas palabras hablando [sic]:

"Çerbino dulçe, dulçe compañía,
30 ¿será posible que me ayáis dexado?
¿No veys quál quedaré, sola y sin guía,
en un lugar tan yermo y despoblado?
Si dormís, despertad, bien y alma mía,
que es ya mucho descuydo a mi cuydado.
35 Mas ¡ay me! que es dar bozes en desierto,
que es muerto mi Zerbín, Zerbín es muerto".

13 *Ms 1587* negro y hruesos. — 15 *Ms 1587* funesto. — 22 *Ms 1587* para
tanta, para tanta pena y llanto [sic].— 30 *Ms 1587* me ayas dexado.

No se interesó el poeta por el tema caballeresco de la batalla de Zerbino y Mandricardo, que les había gustado a los autores de las dos obras precedentes. Únicamente se dedicó a presentar el dolor de Isabela, y eso en forma original que no debe casi nada a las octavas de Ariosto. El poeta italiano había pintado con una discreción del todo clásica la muerte de Zerbino (*O. F.*, XXIV, 85), se observará el contraste entre esta reserva y el realismo sombrío del romance cuando describe el cadáver de Zerbino. Los versos 11-12 evocan de manera bastante concreta un fragmento de otro romance ariostesco, que trata de la muerte de Mandricardo (véanse núms 25 b, 25 d). Otro parecido entre las dos obras: Isabela se pregunta en este romance —así como en otro que editamos más adelante (núm. 19)— si su amante ha muerto realmente, como lo hace Doralice en *Los cielos ynterrompía*. Estas semejanzas formales corresponden a una identidad profunda, ya que el romancero español hace de Doralice una enamorada fiel y una como réplica de la virtuosa Isabela. ¿Habrá influido una serie de romances sobre otra? La hipótesis es interesante. Sin embargo puede que las dos series se inspiren en una fuente común y, de todas formas, no nos parece posible fijar orden de prioridad ni evidente filiación entre una y otra.

LLANTO Y SUICIDIO DE ISABELA

19 a

Ms 1580 de la Biblioteca Real, fol. 154 vº-155 rº.

Sobre el cuerpo de Zervino
la linda Ysavela estava
contenplando aquellos ojos
que aun muerto los desseava.
5 Limpiándole las heridas
que sacó de la vatalla,
tanvién le linpia los ojos
y los párpados le alça,
pretendiendo que la mire
10 Zervino, mas ba engañada.
Tantas lágrimas vertía
que la hierva ensangrentava;
aunque estava muy teñida,
de su color la privava.
15 Con suspiros deleitossos [sic]
a los bientos ynbocava;
quebrantando el corazón,
estas palabras ablava:

"Zerbino, tu Ysavella se abandona
20 y de copiosas lágrimas se baña,
su voz resuena y su gemido entona
el hueco del balle y la montaña.
A tierno pecho y rostro no perdona
con ravia al uno y otro muy estraña,
25 quiebra el cavello rubio y delicado,
llamando en vano el nombre de su amado.
No te apartes de mí, mi dulce esposo,
que si fucres al cielo o al ynfierno
tras tu espíritu [?] el mío yrá furioso,
30 y juntos vivirán en tiempo eterno.
No apenas te veré en final reposo
que el dolor matará este cuerpo tierno,
y si esto yo no puedo hazer derecho,
tu amada espada me atraviese el pecho".

35 Y con un desmayo fiero
sobre el cuerpo se ar[r]ojava
y después de buelta en sí
muy de nuevo lamentava:
"Di, muerte, ¿por qué no bienes?
40 Ayúdame en tal desgraçia,

ayúdame en este trançe,	mi vida sea reservada".
páguese deuda tan cara.	45 Echas estas lamentaçiones
No es justo, muerto Zervino,	mete el cuerpo por la espada.

8 *Ms 1580* y ιos parparos [*sic*]. — 12 *Ms 1580* que toda la hierva ensangrentava [*sic*]. — 19 *Ms 1580* se abandoña [*sic*]. — 21 *Ms 1580* su voz resueña [*sic*]. — 25 *Ms 1580* el cavello duro y delicado [*sic*].

A pesar de la forma mediocre en que nos ha llegado, no deja de tener interés este romance. Las dos octavas que le entorpecen son adaptaciones, la primera de la estancia 86 del canto XXIV del *Orlando Furioso*, la segunda de la estancia 81 del mismo canto. En cuanto a la primera, es verosímil que no deriva directamente del texto italiano, sino más bien de una octava española traducida de Ariosto: se la podrá comparar con la octava 8 del romance *En seguimiento de Orlando* de Padilla (véase más arriba, núm. 12). Las coincidencias que presentan las dos octavas en los versos 5 y 6 son muy concretas para atribuirse a una pura casualidad.

La desesperación de Isabela evoca, de modo literal a veces, otras escenas del mismo estilo descritas en el romancero. El verso 37 *y después de buelta en sí* aparece en el *Romance de Don Alonso de Aguilar* (*Pliegos poéticos de Praga*, "Joyas", núms. XIII y LIV), en que se aplica a la nodriza del héroe. Más interesante es el caso del verso 39 *Di, muerte, ¿por qué no bienes?*, verso tradicional tomado de una composición de Nicolás Núñez (véase *Romancero tradicional de R. Menéndez Pidal. I. Romanceros del Rey Rodrigo y de Bernardo del Carpio*, p. 51), composición conocidísima que se incluye en el *Cancionero General de 1511* ("Bibliófilos Españoles", p. 540 b), en el *Cancionero de romances* (fol. 249 rº), en la *Segunda parte del Cancionero General* (1552, p. 114) y en los *Pliegos poéticos de Praga* ("Joyas", II, núm. LXXV. Véase Durán, núm. 1378). Este verso expresa un lugar común poético, según piensa R. Menéndez Pidal, que lo compara con el verso *Oh muerte ¿por qué no vienes?*, común al romance de Reinaldos *Cuando aquel claro lucero* y al romance del Rey Rodrigo *Las huestes de don Rodrigo*, y también con los versos del romance del Marqués de Mantua: *Ven, muerte, cuando quisieres | no te quieras detardar* (véase *Romancero tradicional, ibid.*).

Otro ejemplo muy parecido a los precedentes se encuentra en una glosa de los *Pliegos poéticos de Praga*:

> O muerte cruel, rabiosa,
> ¿por qué vienes espaciosa,
> pues me ves desesperado?
> ... ...
> Ven ya, muerte, que a ti llamo
> ... ...

(*Pliegos poéticos de Praga*, "Joyas", I, núm. LXXIX.)

El empleo del verso *Di, muerte ¿por qué no bienes?* revela el deseo del poeta de imitar el estilo de los romances viejos. No se puede decir que se logre este propósito en la composición que ha llegado hasta nosotros. Pero es de creer que el romance se dio también en una forma más breve y estéticamente superior, de la que podemos formarnos cierta idea por la glosa que publicamos más adelante (núm. 19 b).

Obsérvese por fin la originalidad de una obra que concluye con el suicidio de Isabela. Conclusión atrevida desde el punto de vista literario, ya que se aleja de la narración ariostesca, y también desde el punto de vista moral, ya que la literatura del Siglo de Oro pocas veces admite el tema del suicidio, fuera de los casos autorizados por la historia o la tradición literaria. Este arreglo del episodio que ofrecía el poema italiano se inspira sin duda en la muerte trágica de Tisbe.

19 b

Ms 531 de la Biblioteca Real, fol. 100 rº.

Dando suspiros al zielo,
que a la tierra ponía espanto,
sin tener ningún consuelo,
la sangre mudada en hielo,
5 cercada de un triste llanto,
con un llanto tan contino
que a las piedras ablandava,

por el caso que le abino,
sobre el cuerpo de Zervino
10 *la linda Ysabela estava.*
    "¡Ay mi Zervino!, deçía,
rostro con rostro juntando,
dulçe amor y mi alegría,
respóndeme, vida mía,

15 por ventura estás burlando".
Con estos y otros antojos
la triste se desmayava
sobre Zervino de inojos,
contemplando aquellos ojos
20 *que muertos los deseava.*
Y después de aver cobrado
las fuerças que avía perdido,
con su cabello dorado
limpiava a su charo amigo
25 el rostro en sangre vañado.
Con ansia y dolor suspira
toda en lágrimas vañada,

y de las manos le tira
entendiendo que la mira
30 *su Cervín, mas va engañada.*
Pero como el desengaño
sus ojos y alma entendieron,
un día se le hace un año
de vida, pues tan gran daño
35 sus tristes hados hiçieron.
Su ventura maldeçía,
de fortuna se quejava,
sus ojos fuentes haçía,
tantas lágrimas vertía
40 *que la yerva ensangrentava.*

Esta composición, titulada en el manuscrito *Glosa del romançe Sobre el cuerpo de Zervino,* prueba que este romance gozó de cierto éxito, pero en una forma distinta de la que tiene en el manuscrito 1580 de la Biblioteca Real.

2 0

DIÁLOGO DE ISABELA Y ZERBINO

Flores del Parnaso. Octava parte. Luis de Medina. Toledo, 1596, fol. 139 vº-140 vº.

Romancero General 1600, 1604, 1614. Octava parte.

Ms 125 de la Biblioteca Universitaria de Barcelona, fol. 54 rº-55 rº.

Romancero de la Biblioteca Brancacciana, R. H. LXV, 1925, p. 345-396, núm. 39.

La versión del romance que reproducimos es la que incluye la *Flor* de 1596, la más correcta.

"Muerte, si te das tal priessa
en llevarme a mi Cerbino
por dar a entender al mundo
tu supremo poderío,
5   no has buscado buen exemplo

pues queda en su fama vivo,
donde tu fiera guadaña
provará en vano sus filos.
Y si pretendes mostrar
10 que es Amor, qual dizen, niño,

y que el deshazer sus obras
pende de solo tu arbitrio,
 mira que en las almas mora,
y éstas tú no las has visto
15 si piensas que ha de quedar
la que me queda conmigo.
 Seguiréle al alto cielo,
seguiréle al hondo abysmo,
y hará yguales nuestras vidas
20 esta mano y un cuchillo,
 que si propuse morir
por guardar mi cuerpo limpio,
quando le quiso violar
el infame vizcayno,
25 no con menos voluntad
que por la mar le he seguido
le seguiré por las aguas
del horrible lago stygio".
 Cerbín recogió el aliento
30 en los labios casi fríos
y apenas la voz formando
estas palabras le dixo:
 "¡O castíssima Isabela!

en cuya viudez confío
35 hazer mayor resistencia
que con mi fama al olvido,
 más precioso es el dolor
que cabe dentro el juyzio
que el que sus límites rompe
40 y llega a ser desvarío.
 Vivid, señora, vivid
lo que Dios fuere servido,
y no muera yo dos vezes
si en vos, como dezís, vivo.
45 Reservaos para suplir
las faltas que yo he tenido,
y no dexéys a otras manos
este religioso oficio.
 No pido yo sepultura,
50 que escurezca las de Egypto
para mis huesos que presto
serán polvos, y no míos.
 Un templo para mi nombre
dentro en vuestro pecho pido,
55 y no se diga: "Aquí yace",
sino: "Aquí vive Cerbino".

1 *Romancero* prisa. — 2 *Ms 125* en quitarme a mi Serbino. — 4 *Ms 125* tu supremo señorío. — 5 *Ms 125* no as tomado buen exemplo. — 6 *Ms 125* en la fama. — 9 *Ms 125, Romancero* o si. — 11 *Romancero* y que desazer. — 12 *Ms 125* de todo su adbitrio. *Romancero* de solo su adbitrio. — 14 *Ms 125, Romancero* y éssas. — 16 *Ms 125, Romancero* la que me dexas. — 17 *Ms 125* siguiréle. *Romancero* seguiréle. — 18 *Romancero* seguiréle a hondo. — 19 *Ms 125* ará yguales nuestras obras. *Romancero* hará yguales nuestras bidas. — 20 *Ms 125* estas manos. — 22 *Ms 125* por dexar. — 23 *Ms 125* le quise [*sic*]. — 24 *Ms 125* el ynfante viscayno. A continuación intercalan el manuscrito 125 y el *Romancero* de la Brancacciana una cuarteta que no se halla en la *Flor* de 1596.

Ms 125	*Romancero*
moriré con más razón	aora con más rraçón
que el mundo queda vaçío	que el mundo queda baçío
que mi bien sabré buscalle	de mi bien, sabré buscalle
por qualquier fiero camino	por qualquier fiero camino.

26 *Romancero* le e servido. *RG 1600, 1604* le ha seguido. — 27 *Romancero* seguiréle. — 28 *Ms 125, Romancero* estigio. — 30 *Romancero* con los

lavios. — 33 *Ms 125* O caríssima. — 34 *Ms 125* con cuya viu[d]es. *Romancero* con cuya biudez. — 36 *Ms 125* que con mi fama olvido [*sic*]. — 39 *Ms 125* que el que su ley misma rompe. *Romancero* que el que su límite rrompe. — 40 *Ms 125, Romancero* allega a ser. — 42 *Ms 125* fuera. — 49 *Ms 125* sepultura. — 50 *Ms 125* no los altares de egipto. — 51 *Ms 125* güesos. — 52 *Ms 125* polvos y momios [*sic*]. — 54 *Ms 125* dentro vuestro pecho. — 55 *Ms 125* y no digan. — 56 *Ms 125* y no aquí vive Servino [*sic*].

Las copias relativamente numerosas que poseemos de este romance y las variantes bastante importantes que presentan dichas copias, el hecho también de haber sido recogido por los compiladores del *Romancero General* prueban que la obra gozó de cierta popularidad. Sin embargo nos parecen discutibles sus méritos. Cierto que el autor no es imitador servil del *Orlando Furioso,* aunque se perciben en sus versos claras reminiscencias de las octavas italianas (v. 17-20, compárese *O. F., XXIV, 81;* v. 41-42, compárese *O. F., XXIV, 83.* Para la alusión a la conducta del infame Odorico y al viaje que había emprendido Isabela para reunirse con Zerbino, véase *O. F., XIII, 10-29).* Pero esta obrita no es exenta de cierta grandilocuencia (v. 28 y 49-50) que deslustra de modo importuno la discreta emoción del episodio ariostesco.

El texto del *Romancero* de la Biblioteca Brancacciana lleva la acotación *Romance de Doña Catalina Çamudio.* Varias composiciones incluidas entre las piezas liminares de *La hermosura de Angélica* y de *La Dragontea* de Lope, en las *Rimas* de Espinel y en el *Cancionero* de López Maldonado se atribuyen a Doña Catalina (véase Serrano y Sanz, *Antología de poetisas líricas,* Madrid, 1915, I, p. 49, y Pérez Pastor, *Noticias y documentos relativos a varios escritores españoles de los siglos XVI, XVII y XVIII,* en *Memorias de la Real Academia Española,* X, Madrid, 1911, p. 305-306). Sería imprudente inferir de estos hechos que Catalina Zamudio fue efectivamente poetisa. J. F. Montesinos se preguntó si dichas composiciones no serían en realidad obras de D. Félix Arias, que, según parece, fue unido por tiernos lazos con D.ª Catalina (*Algunos problemas del Romancero nuevo,* en *Romance Philology,* VI, 1953, p. 241-242). Sospecha el mismo erudito que el conocido romance *Sobre moradas violetas,* atribuido a D.ª Catalina en una apostilla marginal, fue escrito no "por" la dama, sino más bien "a su intención".

Vale esta observación para el texto que nos ocupa. Y, suponiendo que el autor de la acotación del *Romancero* de la Biblioteca Brancacciana no haya errado acerca de la identidad de la persona a quien se dirigía el romance, podemos preguntarnos si el elogio de la fidelidad amorosa, que es el tema de *Muerte, si te das tal priessa,* no deja transparentar alguna alusión mordaz a D.ª Catalina, cuya virtud no parece haber sido intachable.

Los poetas españoles no habían de olvidar los nombres de Isabela y Zerbino, aunque sus recuerdos fueron a veces confusos. Isabela aparece citada como ejemplo de enamorada fiel en el romance burlesco *Cortesanas de mi alma (Flor de varios romances. Novena parte.* Luis de Medina. Madrid, 1597, fol. 142 vº y *Les Romancerillos de Pise,* en *R. H.,* LXV, 1925, núm. 92) y en *Hazme, niña, un ramillete (Les Romancerillos de la Bibliothèque Ambrosienne,* en *R. H.,* XLV, 1919, núm. 29, y *Romancero de la Biblioteca Brancacciana,* en *R. H.,* LXV, 1925, núm. 4). El autor de *Desterró el rey Alfonso* (Durán, núm. 643) parece confundir Zerbino y Almonte. El romancero morisco dará el nombre de Zerbín, hijo del rey de Escocia según el *Orlando Furioso,* a un moro de Granada (Durán, núm. 226): entra así el joven caballero en una teoría de brillantes personajes en la que volvemos a encontrar también, de modo muy natural, la encantadora Doralice, hija de Estordilán (Durán, núm. 71). Góngora, en fin, evocará el recuerdo de Zerbino, pero únicamente para jugar sobre las palabras "Cervín" y "ciervo":

> En Sevilla, Brandimarte
> quiero ser de Flordelís,
> antes, hijo, que en Toledo
> ser de Isabela Cervín
>
> (*Las firmezas de Isabela,* acto III, v. 2470-2473.)

FUNESTOS PRESENTIMIENTOS DE DORALICE

2 1 a

Ms 996 de la Biblioteca Real, fol. 134 vº.
Ms 17.556 de la Biblioteca Nacional, fol. 53.
Juan de la Puente, *Jardín de amadores,* 1611, fol. 21 vº-22 rº.

Ya editó John M. Hill (*Poesías Barias y Recreación de Buenos Ingenios,* núm. XIV) el texto del manuscrito 17.556. Publicamos el romance siguiendo el manuscrito 996. Indicamos las variantes que ofrecen las dos otras versiones. Obsérvese que el texto que nos ha transmitido Juan de la Puente presenta varios versos comunes con la versión más breve que reproducimos a continuación (núm. 21 b).

    Aquel rutilante Febo
toda la tierra yllustraba,
se sale el fuerte Rugero
a la batalla aplaçada,
5   armado de todas armas,
en ellas el águila blanca,
quando el fuerte Mandricardo
esperaba a la vatalla.
    Sientiendo tocar el cuerno,
10 apriesa pide las armas.
Doraliçe como vido
que a su Rugero no basta,
    otra vez ansí le diçe,
toda en lágrimas vañada:

15 "Mandricardo, dulçe esposo,
déjasme muy mal pagada,
    pues preçias una debisa
más que en contentar tu dama.
¿Qué mejor debisa quieres
20 que mi coraçón y alma?
    De quando la ayas ganado
¿qué sacarás de ganalla?
Mira que abenturas mucho
por tan mísera esperança.
25   Considera como puedo
quedar si entras en vatalla,
    pues tú estarás peleando,
yo rindiendo a Dios el alma".

    1 *Jardín* ya que el rutilante Febo. — 3 *Jardín* sale el fuerte don Rugero. — 6 *Jardín* y en ella [*sic*]. — 7 *Jardín* Manricardo. — 8 *Jardín* esperava la batalla. — 10 *Ms 17556* aprisa. *Jardín* animosamente se arma. — 12 *Jardín* que sus ruegos ya no bastan. — 13 *Jardín* assí le dixo. — 15-16 *Jardín* Manricardo, señor mío / cómo me dexas burlada. — 17 *Jardín* pues precias más una divisa. — 18 *Ms 17556, Jardín* más que contentar tu dama. — 21 *Jardín* después que la ayas. — 24 *Jardín* tan pequeña. — 28 *Ms 17556* y rrindiendo a Dios el alma.

2 1   b

Flor de varios romances nuevos. Primera y segunda parte. Pedro de Moncayo. Barcelona, 1591, fol. 151 vº.

Aquel rutilante Febo
toda la tierra illustrava,
sale el fuerte don Rugero
a la batalla aplaçada,
5   armado de todas armas,
en ellas la águila blanca,
quando el fuerte Mandricardo
le esperava a la batalla.
Sintiendo tocar el cuerno,
10   animosamente se arma.
Doralizes como vido
que su ruego ya no basta,

otra vez assí le dize,
toda en lágrimas bañada:
15   "Mandricardo, señor mío,
¡cómo me dexas burlada!
Más precias una divisa
que acontentar a tu dama.
¿Qué mejor divisa quieres
20   que mi coraçón y alma?
Después que la ayas ganado,
¿qué sacarás de ganalla?
Tú estarás peleando
y yo rindiendo a Dios el alma".

12 *Flor* que su Rugero ya no basta [*sic*].

Este romance tuvo cierto éxito, como lo muestran las versiones numerosas y bastante distintas que poseemos de él. De hecho tiene notables méritos. El poeta escogió felizmente una escena del *Orlando Furioso* que sin dificultad se podía aislar del contexto y que ofrecía un tema dramático. Supo apartarse de una imitación demasiado concreta del poema italiano: con habilidad aplaza los ruegos de Doralice (*O. F.*, XXX, 31-36) para situarlos en el momento exacto en que Mandricardo se viste el arnés después de oir el cuerno de Rugero (*O. F.*, XXX, 44-46). Así se condensa la acción y crece la intensidad dramática. El arreglo del romance que incluye la *Flor* de 1591, arreglo en que se abrevian las palabras de Doralice, revela nuevo progreso en este sentido.

RUGERO RETA A MANDRICARDO

2 2 a

Ms 3168 de la Biblioteca Nacional, fol. 1 rº.

La alegre nueba del alba
dábala aquel bello luçero
quando entraba en la estacada
el baleroso Rugero
5 en su caballo Frontino
qual viento o raio ligero,
cubiertos sus miembros fuertes
de pieças de un limpio acero,
y aquel escudo y divisa,
10 premio del combate fiero,
y es que aguarda a Mandricardo,
aquel tartaro guerrero.
Ledo y contento de verse
en la estacada el primero,
15 puniendo el cuerno en la voca,
dice el cortés caballero:
"Mandricardo baleroso,
ven, que en el campo te espero,

que bien sé que es de tu dama
20 la culpa del ser postrero,
mas cumple dejar aora
el ser de amor prisionero
por la honra a quien se debe
el amor más verdadero.
25 Aquí traiguo la divisa
que tú quieres y io quiero,
de quien por muerte del uno
el otro será heredero".
El tartaro que a entendido
30 del cuerno aquel son parlero
del lecho saltó pidiendo
las armas a su escudero.
Aquí hizo Doralice
aquel llanto lastimero
35 que fue del succeso triste
infelice y mal agüero.

2 2 b

Ms 2803 de la Biblioteca Real, fol. 167.

La alegre nueba del alba
dava ya el claro luçero
quando entrava en la estacada
el valeroso Rugero
5 en su caballo Frontino
qual viento o rayo ligero,
cubiertos sus miembros fuertes
con pieças de fino azero,
aquel escudo y divisa,

10 premio del combate fiero.
Aquí aguarda a Mandricardo
ese tartaro guerrero.
Poniendo el cuerno en la boca
dize el cortés caballero:
15 "Mandricardo valeroso,
ven, que en el campo te espero,
que bien sé que es de tu dama
la culpa de ser postrero,

que con la muerte del uno
20 el otro será heredero.
Mas cumple dejar agora
ser del Amor prisionero
por la honrra que se debe
a un amor tan verdadero".
25 Mandricardo que avía oydo

la voz del cuerno parlero
salta del lecho pidiendo
las armas a su escudero.
Allí hizo Doraliçe
30 aquel llanto postrimero
que fue del suçeso triste
ynfeliz y mal agüero.

Los últimos versos de este romance prueban que su autor quiso enlazarlo con el pequeño ciclo de las obras que tratan de Doralice y Mandricardo. Conocía evidentemente el poeta un romance en el cual expresaba Doralice su angustia y funestos presentimientos, sin duda *Aquel rutilante Febo* (núm. 21). Se inspiró con mucha libertad en el *Orlando Furioso,* en cuyos versos no se hallará nada equivalente a las palabras que en el romance pronuncia Rugero. Los únicos detalles comunes a ambos textos son el cuerno de Rugero y la prisa de Mandricardo (*O. F.,* XXX, 44-46.) Estos elementos le han sugerido al romancista una escena caballeresca que debía de ser muy de su gusto. Se complace evocando el caballo veloz y las armas relucientes de Rugero, en quien ve, según la definición ariostesca unánimemente aceptada por los autores españoles del siglo XVI, un dechado de cortesía. El principio de esta composición recuerda las descripciones de la aurora que tan frecuentemente se leen en los primeros versos de los romances de Pedro de Padilla o de Gabriel Lobo Lasso: obsérvese sin embargo que el poeta no quiso introducir una de las fáciles alusiones mitológicas que acompañan frecuentemente este género de evocaciones bajo la pluma de sus contemporáneos.

La segunda versión del texto que publicamos (núm. 22 b) es muy defectuosa, y sólo la reproducimos porque es prueba de la difusión del romance. Acaso se manifiesta en ella cierto esfuerzo por conseguir mayor brevedad: desaparecen los versos 13-14 del romance copiado en el manuscrito 3168, versos que no contienen ningún elemento esencial a la narración. Pero es difícil sacar conclusiones concretas de un texto visiblemente mutilado.

2 3

COMBATE DE RUGERO Y MANDRICARDO

Fabián de Cucalón, *Actas de la Academia de los Nocturnos,* III, fol. 68 v°-
69 v° (24 de noviembre de 1593).

Después de la discordia brava y fuerte
que el ángel truxo al campo de Agramante,
por voluntad del Rey y de los otros
mandaron que por suerte les cupiesse
5 salir al desafío los primeros
dos que saliessen de una grande urna.
Pusieron dentro della muchos nombres,
y cupiéndole en suerte a Manricardo
salir a combatir contra Rugero
10 por su pendencia antigua de las águilas
que ambos trahían puesta en los escudos,
para saber quál dellos merecía
llevar en el escudo esta divisa,
y como están fogosos y arrogantes
15 luego aplasaron para el otro día
la batalla cruel que qualquier dellos
por vencida en su pecho la juzgava,
aunque furiosos a las tiendas suyas
se recogieron luego y Manricardo,
20 olvidado de Marte y su braveza,
de Doralice el bello lado goza.
Y regando el divino rostro suyo
con lágrimas de gusto —que a las vezes
se llora más de gloria que de pena—
25 y a vezes que el plazer lugar le dava
para dezille con su lengua y alma
en el grado de amor que la quería,
que sin duda ninguna fue impusible,
y quando de su llanto enternecida
30 con ygual gloria Doralice hermosa
le dize mil palabras amorosas
que a un frío y duro mármol ablandaran,
como gozando un bien siempre se ofrecen

ocasiones de males, le rogava,
35 poniéndole delante el amor suyo,
que por él y por ella se dexasse
de dalle pena con salir al campo
por una cosa tan ligera y vana
contra Rugero, moço impertinente,
40 que aunque su triste, desdichada muerte
por sigura tenía entre sus braços
no quería poner su bien en duda.
Y quando el bravo, fuerte Manricardo
mostrando su valor le respondía
45 que era imposible como no adoralla
dexar él de salir al desafío,
y quando prosiguiendo en su porfía
Doralice le dixo rigurosa:
"Bien y señor de todo mi alvedrío,
50 ¿cómo puedo creer que tú me quieres
si en la cosa primera que te ruego
siendo cosa tan fácil y ligera
aun no me das de açello confianças?
Bien se conoce, ingrato y enemigo,
55 que finges las palabras y las obras
que aquí ante mí contra tu gusto pasas
amor del coraçón y amor del alma
que bive por servirte solamente
en este cuerpo desdichado y triste.
60 ¿Por qué, si no es verdad que me aborreces,
me niegas, Manricardo, esposo caro,
aqueste bien, aqueste sí que pido?"
Mas ya que Ma[n]ricardo no podía
suffrir los lloros y las ansias suyas,
65 está para otorgalle lo que pide
y para pronunciar el sí dichoso
la ese nombra por el ayre vano,
siente el rumor del cuerno riguroso
que a batalla cruel le desafía,
70 y assí sin acabar de pronuntialle
atajó aquesta voz su pasatiempo
y tanto le trocó que fue impusible
poder tenelle Doralice bella,
que lleno de pesar, de rabia lleno
75 de la tardança que en salir ponía,
de su lado gentil salta y se quita,

y hablando estas raçones le responde,
pidiendo todas armas y cavallo:
"Ya no podrás pedirme, esposa mía,
80 con este nuevo son y este contento [*sic*]
que a darte gusto sin salir me quede.
No me mandes que quede, que no puedes,
estando mi contrario ya en el puesto
esperando su muerte con mi vista.
85 No me detengas más, déxame, acaba".
Y forsejando por soltarse della,
no da lugar su dama hermosa a ello,
y cogiéndole el braço, assí le dize:
"¿Quién creyera, traydor, de tus ficciones
90 que tan poco estimases mi contento
que quieras más salir que darme gusto?
Mas, lumbre de mis ojos, si algo puedo
con ese rostro dulce y amoroso
por las veçes que juntos han estado
95 aquéste mío con aquése tuyo,
por los regalos que los dos sentían,
por los mismos favores que me has hecho,
te ruego, dulce amigo, que no salgas".
Mas ya que el bravo Manricardo fuerte
100 venció a un dios con otro —que fue tanto
que era impusible sino con su ayuda—
le dixo libre de su gusto y redes:
"Ya es impusible, déxame, mis ojos,
salir al campo a defender tu honrra
105 que siendo tuya es cierto a de ser mía,
no me detengas", y tirando el braço
la dexó sola, ausente y desdichada,
y subiendo a cavallo corre alegre,
maldiciendo los pasos por ser tantos
110 que hasta llegar al puesto va midiendo.
Mas quando ya consiente su desdicha
que llegue a ver el puesto deseado,
vio rodada la plaça de la gente
y en alto trono con vistosa pompa
115 al rey Sobrino vido y a Agramante,
que están cercados de valientes moros.
Mira el concierto, mira el vulgo todo
que a boces pide que Rugero vença,
y mirándolo todo advierte y mira

120 su bella dama, Doraliçe bella,
    que como la dexó tan sola y triste,
    por no morir ausente fue corriendo
    al campo do tenía vida y muerte.
    Mas por no detenerse pasa presto,
125 olvidado de amores y regalos,
    llegando al puesto do el contrario estava,
    esperando su fin o el suyo mismo,
    que tan bravo, feroz, valiente vino
    que temblar hizo al mundo con su sombra.
130 Mas, aprestados, cada qual desea
    que el ronco son de la trompeta suene,
    y quando más los dos lo deseavan,
    sintieron que la seña resonava,
    y apenas cada qual la huvo sentido
135 quando picando los cavallos fieros
    arremeten el uno para el otro,
    haziendo hastillas de las lanças fuertes
    que abraçadas salían de sus pechos [sic],
    quando Rugero saca a Balisarda,
140 ya Manricardo Durindana tiene.
    Los cavallos feroces arremeten
    y dándose mil golpes temerarios,
    Manricardo partió medio por medio
    la causa principal de su desdicha
145 que era el escudo donde estava el águila,
    que quiso dividilla en dos pedaços
    porque Rugero valeroso y fuerte
    pudiesse llevar dos en vida suya.
    Mas quando ya llegava el fin sangriento
150 de la vida cruel de Manricardo,
    metióle a Balisarda por el pecho
    al tiempo que la fuerte Durindana
    le abrió a Rugero la cabeça fuerte.
    Mas como al coraçón llegado avía
155 el golpe penetrante de Rugero,
    el nombre le borró de Doralice
    que tanto tiempo tuvo en él escrito,
    y assí acabó sus infelices días.
    Mas Rugero quedó tan sin sentido
160 que cayendo primero açia las ancas,
    creyeron todos que era muerto el triste,
    pero bolviendo en sí vio que caya

el fuerte Manricardo en el arena,
perdido ya el aliento, que hasta entonces
165 le pudo sustentar su furia misma.
Olgóse tanto el pueblo en ver cumplido
su deseo que dize a bozes altas:
"Rugero es vencedor, ¡viva Rugero!"
Infinito los reyes se alegraron
170 de ver vencido a Manricardo triste.
Sola la triste Doralice llora
la pérdida del bien del amor suyo,
mas como son mudables las mugeres,
ya casi le mirava blandamente
175 al vencedor Rugero para dalle
el parabién dichoso, arrepentida,
olvidando su muerte con su vida.

88 *Ms* y corriéndole el braço [*sic*].—139, 151 *Ms* Belisarda.

Esta composición en verso suelto es libre adaptación de un extenso fragmento del *Orlando Furioso* (**XXX**, 31-72).

LLANTO DE DORALICE

24 a

Romancero historiado, Lucas Rodríguez, 1582, fol. 119.

Llanto hazía Doralice
sobre el cuerpo desangrado
de su muy querido esposo
que estava disfigurado.
5 Vee sus lumbres quebradas,
su lindo color mudado,
limpiándole está la sangre
con un cendal delicado,
y con ardientes sospiros
10 desta manera ha hablado:
"Mandricardo, amigo mío,
¡cómo mueres mal logrado!
¿Qué te valieron las armas
que eran de Héctor el troyano?
15 ¿Qué te valió el rico escudo
que estava tan encantado?
¿Qué te valió mi favor
ni el granadino cavallo,
que bastante dezías que era
20 para romper todo un bando?
¿Qué es de aquel braço feroz,
que con la rama de un árbol

fue tal que sacarme pudo
de entre cien hombres en salvo?
25 Quitásteme a Rodamonte
y con él heziste campo,
mataste al fuerte Zerbino,
ganaste la espada a Orlando.
¿Qué es de aquel juramento,
30 en que me avías jurado,

que avía de ser yo reyna
del tartaro tu reynado?"
Assí hablava con él
como si estuviera sano,
35 mas es dar vozes al ayre,
porque el moço desdichado
el alma avie despedido
dexando el cuerpo finado.

Esta composición, titulada por Lucas Rodríguez *Romance del llanto que hizo Doralice por la muerte de Mandricardo,* modifica radicalmente el tema que ofrecía el *Orlando Furioso.* Es mucho mayor la libertad de inspiración de este romance que la de las obras anteriores. Ariosto dedicaba dos versos a la aflicción de Doralice (*O. F.,* XXX, 71, 4-5) y afirmaba a continuación que la joven, si se hubiera atrevido a hacerlo, de buena gana se hubiera unido a las que miraban a Rugero con tiernos ojos, pues Mandricardo ya no le podía servir de nada. En cambio, en este romance aparece Doralice como una enamorada constante y desesperada. Es uno de los casos más evidentes de refección de un relato ariostesco en el romancero. También se altera profundamente el personaje de Doralice, y de modo muy parecido, en *Quando aquel claro luzero* (núm. 9).

Se observará además cierto esfuerzo por dar al romance un estilo tradicional. Los versos 33-34

assí hablava con él
como si estuviera sano

derivan sin duda del romance viejo *Yo me estava allá en Coymbra,* cuyo autor presenta a D.ª María de Padilla dirigiéndose rabiosa a la cabeza del Maestre de Santiago D. Fadrique:

assí hablava con ella
como si estuviera sano

(*Cancionero de romances,* fol. 168 rº.)

Tal escena impresionó a los poetas de fines del siglo XVI por su vigor dramático. Varias reminiscencias de estos versos que expresaban el odio aparecen en romances posteriores en los cuales dan por lo contrario una nota de íntima ternura. Aparte de *Llanto hazía Doralice,* se pueden citar el romance de Montesinos y Durandarte *Cuydoso va Montesinos*:

> como si estuviese bivo
> con él yva rrazonando

> (editado por Paciencia Ontañón de Lope,
> *Veintisiete romances del siglo XVI,* en
> *N. R. F. H.,* XV, 1961, p. 180-192, núm. 11.)

Argia reyna y muger, romance en el cual la reina halla el cadáver de su esposo Polinice en el campo de batalla:

> hablando estava con él
> como si estuviera sano

> (*Rosa Gentil,* fol. 15 vº.)

y el romance de Zayda *Quando al nuevo desposado,* en el cual salen los siguientes versos:

> buelve con un gran sospiro
> para hablar con su señor
> como si estuviera vivo

> (*Flor de varios romances nuevos.* Pedro
> de Moncayo. Huesca, 1589, fol. 122 vº.)

24 b

Ms 1580 de la Biblioteca Real, fol. 199 vº-200 rº.

	Llanto haze Doralize	sobre sí lo a sentado.
	sobre el cuerpo desangrado	Límpiale sangre y sudor
	de su muy querido esposo,	10 con un zendal delicado,
	el tartaro Mandricardo.	y con palabras muy tristes
5	Vele quebrados los ojos,	desta manera hablando:
	su rojo color rovado,	"¡O desdichada vengança!
	arráncase sus cavellos,	¡O tema [?] desventurado!

15 Quisiste vengar la muerte
dada a tu padre Agricano,
dejaste con él la vida
con la mesma espada en mano.
Mandricardo, esposo mío,
20 ¡cómo mueres mal logrado!
que no sólo ver tu padre
no lo permitió tu hado
y conoscer su hijo [sic]
siendo más tiempo pasado.
25 ¿Qué te vallieron tus armas
que heran de Etor el troyano?
¿Qué te balió el rico escudo
y el rico hielmo azerado?
¿Qué [te] valió mi favor
30 y el granadino cavallo
que dixiste ser vastante
para ronper todo un canpo?
¿Qué es de aquel braço feroz
que con la rama de un árbol
35 fue tal que pudo sacarme
de entre cien onbres en salvo?
Quitásteme [a] Rodamonte
y con él heçiste canpo,

mataste al fuerte Servino,
40 ganaste la espada de Orlando.
Y agora, dulçe amor mío,
¡cómo mueres mal logrado!
¿Cómo ahora no me respondes?
Del todo te beo trocado.
45 Soy aquella granadina
de quien eras más amado
que el Rey ni Reina, mis padres,
.... [?] mi hermano.
¿Qué es de aquel gran juramento
50 con que me as certificado
que no sólo sería reina
de tu tartaro reinado,
mas del poder de Agripantes [sic]
de Alonso y de Carlo Magno?"
55 Ansí hablava la ynfanta
en el cuerpo ya finado,
ansí se querella y llama
como si estubiera sano,
mas es dar vozes al viento,
60 el triste moço cuitado
está del cuerpo ferido
y [d]el sentido privado.

1 *Ms 1580* Doradize. — 4 *Ms 1580* el tartaron [sic]. — 5 *Ms 1580* verle. — 8 *Ms 1580* los a sentado [sic]. — 30 *Ms 1580* gradnavo cavallo [sic]. — 47 *Ms 1580* qual Rei. — 53 Se habrá de leer: mas del poder de Agramante.

Este texto es difícil de descifrar, y además mediocre. Creemos que representa una torpe amplificación del romance recogido por Lucas Rodríguez que reproducimos más arriba (núm. 24 a). Obsérvese que el mismo manuscrito 1580 de la Biblioteca Real incluye *Con soberbia y grande orgullo,* que consideramos como infeliz arreglo de otro romance de Doralice, igualmente compuesto o recogido por Lucas Rodríguez (véase más arriba, núm. 4 d). Las quejas de Doralice fueron particularmente ampliadas: ocupan ahora 42 versos (22 en el romance anterior). La torpeza del autor que repite el mismo verso (v. 20 y 42) es patente.

Entre las conquistas que pudiera hacer Mandricardo, menciona Doralice los reinos de Agramante (?), Carlomagno y Alfonso. Este soberano es el rey de León Alfonso el Casto, vencedor en Roncesvalles según la tradición castellana. Denota este rasgo el deseo del autor de hacer entrar un español en la leyenda carolingia rejuvenecida que presentaba Ariosto. Se puede fácilmente observar el mismo sincretismo en algunas comedias de Lope de Vega (véase nuestro estudio *L'Arioste en Espagne*, p. 406-407).

LLANTO DE DORALICE

2 5 a

Ms 1587 de la Biblioteca Real, fol. 109 v°-110 r°.

Los çielos ynterronpía
la dévil boz delicada
de la hermosa Doraliçe,
hija del rrey de Granada,
5   llorando a su Mandricardo
que tendido en la estacada
le dexó el fuerte Rrujero
de un fiero golpe de espada,
el color rrobado y muerto,
10 la cara disfigurada,
y el alma del cuerpo frío
dividida y apartada,
y de la várvara sangre
la verde yerva manchada,
15 y el fuerte escudo partido
por medio el águila blanca.
Reçelosa de su daño,
sospecha que bivo estava
y con rrecatado oydo
20 le escucha si rrespirava.

Mas quando rebuelve y mira
la rrabiosa cuchillada,
renueva su amargo llanto,
de su mal çertificada.
25   De sus cristalinos ojos
tantas lágrimas derrama
que las rrosadas megillas
y el blanco pecho vañava,
y coxiéndole el aliento
30 que la dulze boca echava,
echándose sobre el cuerpo,
desta manera le habla:
"Mi querido Manrricardo,
dulçe esposo y prenda cara,
35 tres cosas, mi dulçe amigo,
saqué de aquesta vatalla,
vuestra muerte y quedar sola,
perdida y desmanparada,
y el plaçer de Rrodamonte
40 quando sepa mi desgraçia".

23 *Ms 1587* remueva [*sic*].

2 5 b

Flor de varios romances nuevos. Primera y segunda parte. Pedro de Moncayo. Barcelona, 1591, fol. 151 vᵒ-152 vᵒ.

Los cielos interrompía
la débil boz delicada
de la hermosa Doralize,
hija del rey de Granada.
5 Mirava su Mandricardo
que tendido en la estacada
le dexó el fuerte Rugero
de un fiero golpe de espada,
el color perdido y hierto,
10 la cara disfigurada,
y el alma del cuerpo frío
dividida y apartada,
y de la bárbara sangre
la verde yerva manchada,
15 y el fuerte escudo partido
por medio el águila blanca.
Incrédula de su daño,
sospecha que vivo estava
y con recato oydo

20 escucha si respirava.
Mas quando rebuelve y mira
la raviosa cuchillada,
remueve su amargo llanto,
de su mal certificada.
25 De sus crystalinos ojos
tantas lágrimas derrama
que sus doradas mexillas,
el blanco pecho regavan,
tendida sobre el cuerpo
30 estas palabras hablava:
"Mi querido Mandricardo,
dulce esposo y prenda cara,
tres cosas, mi buen señor,
saqué de esta batalla,
35 vuestra ausencia y quedar sola,
perdida y desmamparada,
el plazer de Rodamonte
quando sepa mi desgracia".

1 *Flor* interrompían. — 13 *Flor* y de la barba la sangre [*sic*].

2 5 c

Ms 2803 de la Biblioteca Real, fol. 167 vᵒ-168 vᵒ.

Los çielos interrompía
la débil voz delicada
de la hermosa Doralize,
hija del rey de Granada,
5 llorando a su Mandricardo
que tendido en la estacada
le dejó el fuerte Rugero
de un fiero golpe de espada,

el color pálido y muerto,
10 la cara desfigurada,
el alma del cuerpo frío
dividida y apartada.
Yncrédula de su daño,
sospecha si vivo estaba,
15 mas quando rebuelve y mira
la rabiosa cuchillada,

rrebuelve el amargo llanto [sic],
de su mal certificada.
De sus cristalinos ojos
20 tantas lágrimas derrama
que sus rosadas mejillas
y el blanco pecho le laba[n],
abraçóse con el pecho,
desta manera le habla:

25 "Mandricardo, señor mío,
dulçe esposo y [prenda cara],
tres cosas, mi dulçe amigo,
saqué de aquesta batalla
vuestra muerte y quedar sola,
30 perdida y desamparada,
y el plaçer de Rodamonte
quando sepa mi desgracia".

23 *Ms 2803* ablaçóse con el pecho. — 26 Estando deteriorado el manuscrito, sólo se puede leer la primera parte del verso. Lo completamos siguiendo los textos de la *Flor*, del manuscrito 1587 de la Biblioteca Real y del manuscrito 3924 de la Biblioteca Nacional.

25 d

Ms 3924 de la Biblioteca Nacional, fol. 155.

Los çielos ynterrompía
la débil boz delicada
de la hermosa Doralize,
hija del rrey de Granada,
5   llorando a su Mandricardo
que tendido en la estacada
le dexó el fuerte Rrugero
de un fiero golpe de espada,
el color perdido y llerto,
10 la cara disfigurada,
y el alma del cuerpo frío
dividida y apartada,
y el fuerte escudo partido
por medio el águila blanca,

15 y de la bárvara sangre
la berde yerva manchada.
Mas quando rrebuelve y mira
la rraviossa cuchillada,
rrenueva el amargo llanto,
20 de su mal certificada:
"¡Ay! amigo Mandricardo,
dulçe esposso, prenda cara,
tres cossas, mi dulçe amor,
saqué de aquesta desgraçia,
25   vuestra muerte y quedar sola,
y quedar desamparada,
y el plazer de Rrodamonte
quando sepa mi desgracia".

1 *Ms 3924* ynterronpían. — 13 *Ms 3924* el fuerte escudo y partido. — 16 *Ms 3924* la berde yerva manchado [sic].

2 5 e

Ms 3915 de la Biblioteca Nacional, fol. 173 vº.

Los cielos interrumpía
la débil boz delicada
de la hermosa Doralice,
hija del rey de Granada,
5   de ber a su Mandricardo
que tendido en la estacada
le dexó el fuerte Rrugero
de un fiero golpe de espada,
y el cuerpo pálido y [y]erto,
10 la berde hierba manchada,
y el fuerte escudo rrompido
por medio el ág[u]ila blanca.

Llora, lamenta y suspira
pensando que bivo estava,
15 mas quando rrebuelbe y mira
la rabiosa cuchillada,
con bos triste y dolorosa
desta manera le abla:
"Tres cosas, mi bien querido,
20 saqué de aquesta batalla,
vuestra muerte y quedar sola,
viuda y desmamparada,
y el plaçer de Rrodomonte
quando sepa mi desgraçia".

2 5 f

Ms 3168 de la Biblioteca Nacional, fol. 15.

Los cielos inter[r]ompía
la dévil voz delicada
de la hermosa Doraliçe,
hija del rei de Granada,
5   mirando su Mandricardo
que tendido en la estacada
le mató el fuerte Rugero
de un fiero guolpe de espada,
la color pálida y ierta
10 los ojos ansí tornaba,

y el alma del cuerpo frío
dividida y apartada,
y de la bárbara sangre
la verde ierva bañada,
15 y el fuerte escudo partido
por medio el águila blanca.
"Mandricardo, señor mío,
Doralices ansí habla,
¿qué es de aquel fuerte guer[r]ero
20 de quien bolaba la fama?"

Se sitúa este romance en la línea temática que trazaba *Llanto hazía Doralice*. Tuvo innegable éxito, como lo demuestran las seis versiones que han llegado hasta nosotros. Publicamos los textos que conocemos empezando por el más largo y concluyendo con el más breve. Si se compara el primer texto con los dos últimos, se puede observar que se abreviaron las palabras de Doralice, y más aún el fragmento en que se niega la heroína a admitir la muerte de su amante. Así se destaca con creciente nitidez la escena que presenta el romance: la descripción del guerrero muerto y el llanto de su amiga desesperada. Aparecen muchas veces cuadros de este tipo en los versos del romancero: compárense por ejemplo Guacolda llorando a Lautaro (*Flor de varios romances.* Pedro de Moncayo. Huesca, 1589, fol. 125 v°-126 v°) y, más precisamente, la aflicción de Isabela después de la muerte de Zerbino (véase más arriba, núms. 18 y 19).

La versión del manuscrito 3915 de la Biblioteca Nacional presenta el verso

> viuda y desmamparada

reminiscencia de un romance troyano que pinta el dolor de Hecuba:

> Triste estava y muy penosa
> aquessa reyna Troyana
> de que assí se vido sola,
> biuda y desmanparada
>
> > (*Pliegos poéticos de la Biblioteca Nacional,*
> > "Joyas", II, núm. LIV.)

Fue sin duda muy conocido este romance de Hecuba: lo glosó Alonso de Salaya (*Pliegos poéticos de Praga,* "Joyas", II, núm. XLIX. Una versión muy distinta del romance se incluye en el *Cancionero de romances,* fol. 211 r°-212 r°). Vuelve a aparecer el mismo verso *viuda y desamparada* en otro romance de Hecuba, *Gritos dava de passión* (*Pliegos poéticos de la Biblioteca Nacional,* "Joyas", II, núm. LVIII).

26

FUNESTOS PRESENTIMIENTOS DE FLORDELÍS

Ms 3168 de la Biblioteca Nacional, fol. 20 vº.

> Flordelís con gran pena está labrando
> la sobreveste negra a Brandimarte,
> el venidero mal adevinando
> que le traçavan ia Fortuna y Marte,
> 5 el rostro de tristeças va carguando,
> i ansí formaba quejas de tal arte
> que al color negro puja[ba] y excedía
> la mínima tristeça que tenía.
> El delicado sirguo bien quisiera
> 10 que fuera de un acero bien templado,
> porque los duros guolpes resistiera
> del rei Gradaso fiero y denodado.
> Probábale con puntas de tijera
> i viéndolas pasar a el otro lado:
> 15 "¡Ai! dice Flordelis, desventurada,
> ¡quánto mejor penetrará la espada!"

Esta breve composición se inspira muy libremente en las octavas 31-33 del canto XLI del *Orlando Furioso,* quizás también en las octavas 155-156 del canto XLIII.

27

DUELO DE FLORDELÍS

Romancero historiado, Lucas Rodríguez, 1582, fol. 65 vº-67 vº; 1584, fol. 61 vº-63 vº; 1585, fol. 65 vº-67 vº.

No se atreve el duque Astolfo
a dar la nueva angustiada
a la linda Flordelís
de la sangrienta batalla,

5 hasta que con Sansoneto
vaya juntamente a dalla,
porque de dolor tan fuerte
puedan ambos consolalla.
Ella que llegar los vido
10 con las vistas demudadas,
como está medrosa y triste
por un sueño que soñara,
dixo: "¡Brandimarte es muerto!"
y cayóse desmayada.
15 Tornó en sí, sabiendo el caso,
y las hebras de oro arranca,
y sin compassión de sí
rostro y pecho en sangre baña,
y a su Brandimarte a vozes
20 en vano mil vezes llama.
Una vez pide la muerte,
o que le den una espada,
otra que al mar quiere yrse
y a nado passar el agua
25 hasta llegar a la ysla
do fue la triste batalla,
y de Agramante y Gradasso
hazer entera vengança,
de arrastrarlos con los dientes,
30 como fiera tigre hircana.
"¡Ay Brandimarte! ¡ay bien mío!
¿por qué, dize, me dexavas?
Tu querida Flordelís
contino te acompañava.
35 Si fuera, señor, contigo,
de algo te aprovechara,
que quando a Gradasso viera
que sin verle tú llegava,
sirviera de darte un grito
40 que siquiera te apartaras,
o me metiera yo en medio
y el golpe le reparara.
Fuera mi cabeça escudo,
y la tuya se librara,
45 que mi muerte por tu vida
fuera bienaventurada,

pues que de morir assí
mejor fuera en tal demanda.
O ya que el injusto cielo
50 nada desto me otorgara,
diérate el postrer abraço,
y con mi llanto bañara
tu rostro en sangre teñido
para que te lo limpiara,
55 y oyérasme al postrer punto
que se te arrancava el alma
dezir: "¡Vete en paz, bien mío,
que ya va tras ti tu amada!"
¿Es aquéste el rico estado
60 que yo assí te demandava
para que del reyno mío
por señor te coronara?
¿Estas son las dulces bodas?
¿Es éste el bien que esperava?
65 ¡Ay hado! ¡Ay fortuna esquiva!
¡quántos gozos desbaratas!
Mas ¿por qué me tardo, triste?
¿Por qué no me saco el alma?
que pues Brandimarte es muerto
70 ¿de qué me queda esperança?"
Estas y otras cosas dize
y a maltratarse tornava.
De las manos, con los dientes,
amargos bocados saca,
75 y su rostro, con las uñas,
cruelmente despedaça.
Esto haze cada día
hasta que Roldán llegara,
que por ella viene él mismo,
80 para que a Sicilia vaya
a ver el sepulchro triste
do su Brandimarte estava.
Y en llegando, sobre él llora,
que los cielos mueve a lástima.
85 Y tal fue su sentimiento,
tal su dolor, tal su ansia,
que la vida amarga y triste
consumida en llanto acaba.

84 A continuación incluye el texto del *Romancero de 1584* los versos siguientes que faltan en las ediciones de 1582 y 1585:

> diziendo y haziendo cosas
> qual su dolor le mostrava,
> llamando a su dulce amigo,
> muchas vezes se traspassa

Resume este romance una serie de octavas del *Orlando Furioso* (XLIII, 154-164, 182-185). Al autor español se le deben algunos adornos retóricos, la comparación con el tigre de Hircania por ejemplo (v. 30). Puede que el verso 12

> por un sueño que soñara

sea reminiscencia de *En París está doña Alda* (Durán, núm. 400), que presenta los versos:

> ensoñado había un sueño

y

> un sueño soñé, doncellas

2 8

OLIMPIA ABANDONADA

Pedro de Padilla, *Romancero*, 1583, fol. 160 v°-162 v°.
Ms 1579 de la Biblioteca Real, fol. 34. [1]

> Con su querido Bireno
> contenta Olimpia vivía,
> a quien el famoso Orlando
> de prisión librado avía.
>
> 5 Con ver delante sus ojos
> la cosa que más quería,
> de todo el daño passado
> ninguna cosa sentía,

[1] Nos indica A. Rodríguez-Moñino que también figura este texto, como anónimo, en el *Cancionero de romances* de Lorenzo de Sepúlveda, Sevilla, 1584, fol. 248. No hemos podido ver ejemplar de este rarísimo libro que ha de reproducir dentro de poco la Editorial Castalia.

aunque el amor de Bireno
10 de falso correspondía,
porque estava aficionado
de una hija que tenía
el rey de Frisa ya muerto,
de admirable gallardía.
15 Olimpia le fastidiava,
la otra le da alegría,
para su hermano le dize
a Olimpia que la quería,
y que a Gelandia se partan
20 con gran amor le pedía.
En alta mar se metieron,
y quando a Gelandia arrivan,
fueles el tiempo contrario
y a una despoblada isla
25 llegó la fuerça del viento
las naves en que venían.
Saltaron todos en tierra,
que refrescarse querían
de la fortuna del mar
30 que tanto les perseguía.
Bireno y Olimpia solos
fuera de la mar dormían,
porque los demás entraron
a dormir donde solían.
35 Con el gran trabaxo y miedo
Olimpia se adormecía,
y el malvado de Bireno,
quando la sintió dormida,
dexóla sola en la cama,
40 y a las naves se acogía,
y con un silencio estraño
a la bela se hazía.
Olimpia, no bien despierta,
ya que amanecer quería,
45 la mano a Bireno tiende,
mas fue la presa bazía.
El lecho de nuevo tienta,
piernas y braços tendía,
y ninguna cosa halla
50 de aquello que pretendía.

Al sueño el temor destierra,
y abriendo los ojos mira,
y soledad sola halla
porque otra cosa no avía.
55 La cama viuda dexando,
a la mar luego corría,
y arañando el rostro bello,
adivina su desdicha,
porque a la luz de la luna
60 solamente el puerto vía.
Bireno a bozes llamava,
y el mismo nombre hazía
eco dentro de las peñas
que Bireno respondía,
65 y en un risco se ha subido
adonde la mar batía,
y vio las hinchadas belas
de Bireno que huyan,
y sin poder sustentarse
70 amortecida caya.
Y después bolvió en sí,
estas palabras dezía:
"¿Por qué me huyes, cruel,
pues más que a mí te quería?
75 ¿Llevar, di, qué te costava,
pues tan poco te impedía,
el cuerpo, pues que mi alma
llevas en tu compañía?"
Mas el viento que llevaba
80 las velas del que huya,
las querellas también lleva
que la triste Olimpia embía.
Tres vezes quiso ahogarse,
y antes al lecho bolvía
85 y en lágrimas le bañava
y estas palabras dezía:
"¡Ay! cama, pues que nos diste
anoche a dos acogida,
dame el depósito entero
90 que yo en ti hecho tenía.
Cuytada, ¡qué haré sola,
miserable y afligida!

Quien me socorra no veo,
pues aunque pierda la vida,
95 no avrá quien dé sepoltura
a la triste carne mía,
si no son las bravas fieras
que en aquesta selva avía".
Con estas lamentaciones
100 otra vez al mar bolvía,
sobre una peña se asienta
por mirar si algo vería.
Y estando desta manera
unos cosarios venían,

105 y dellos fue luego presa,
que nadie la deffendía,
y a la ínsula cruel
fue con presteza trayda,
para ser pasto del monstruo
110 que le davan cada día
una donzella hermosa
para su pasto y comida,
y estando Olimpia en el puesto
donde comer la tenía,
115 don Roldán se la ha quitado
y en libertad la ponía.

19 y 22 *Ms 1579* Selandia. — 30 *Ms 1579* los perseguía. — 36 *Ms 1579* se endormecía. — 51 *Ms 1579* el temor desterró el sueño. — 53 *Ms 1579* la soledad sola halla. — 58-59 *Ms 1579* su desventura adivina / que a la lumbre de la luna. — 63 Preferimos no reproducir la grafía equívoca (*hecho*) del *Romancero*. — 65 *Ms 1579* sobre una peña a subido. — 71 *Ms 1579* y después que bolvió en sí. — 85 *Ms 1579* en lágrimas le bañava. — 96 *Ms 1579* a esta triste carne mía. — 98 A continuación da el manuscrito 1579 cuatro versos que desaparecieron en la redacción definitiva:

y ellas daránme una muerte
quando yo mil vezes moría
por ti, pérfido Bireno,
a quien más que a mí quería

103 *Ms 1579* y estando puesta sobre ella. — 105 *Ms 1579* y en viéndola la prendieron. — 108-109 *Ms 1579* con presteza la traían / para ser pasto de un monstruo. — 113 *Ms 1579* y estando ya Olinpia puesta.

Resume este romance historial una serie de octavas del *Orlando Furioso* (X, 10-35 y XI, 54-55). Padilla se ciñe al texto ariostesco cuando relata el asombro de Olimpia al verse sola y sus primeras quejas (*O. F.*, X, 19-29). La imitación es a veces literal, compárense por ejemplo los versos 51-52 del romance con el verso de Ariosto

Caccia il sonno il timor : gli occhi apre, e mira

(*O. F.*, X, 21, 5.)

2 9

OLIMPIA ABANDONADA

Francisco Tárrega, *Actas de la Academia de los Nocturnos,* III, fol. 165 rº-166 rº (9 de febrero de 1594).

Borda su manto la rosada aurora
de nácar y de aljófar el del suelo
cuyo cristal de espejo le servía
para mirar sus nubes ya doradas
5 con los asomos del mayor planeta,
quando en las aguas del gran mar de Flandes
y en las riberas de una inculta isleta
se muestran con señales diferentes
en ésta un pavillón, allí una nave.
10 Este cubre la tierra, aquélla el agua,
y entrambos tienen los mojados lienços
llenos de viento de fortuna varia,
que las velas inchían los lebeches
que a Çelanda encaminan a su duque,
15 y el pavillón ocupan los suspiros
de Olimpia que de Olanda rige el suelo,
y eran su pecho y su color de Olanda.
Esecuta Bireno sus mudanças
en el gran mar que es gran theatro dellas,
20 y prueva Olimpia las firmezas suyas
en una ysla sola que a su causa
con nombre quedará de tierra firme.
Quísola bien el alevoso duque,
rindióle lo mejor de sus entrañas
25 (si son entrañas donde cabe olvido),
acogió la engañada sus deseos,
que los deseos muchos pueden mucho,
entró su voluntad a su llaneza
y della al coraçón y dél al gusto
30 y del tirano gusto a la osadía
que paga en obras las palabras falsas.
Dexóle tan señor de su govierno
que no tuvo la triste más que dalle,

estado peligroso para damas,
35 que las suelen tener por lo que tienen.
Bireno de pagado vino a loco,
de loco a no estimar lo que gozava,
y de la poca cuenta al enfadarse,
y del enfado vino al menosprecio,
40 y luego a la mudança, que son pasos
juveniles, forçosos, infalibles.
Quitó los ojos de su Olimpia bella
y púsolos en otro nuevo gusto,
menor en prendas y mayor por nuevo,
45 dexó a la dama y dexó su lecho
huyendo de su amor y de sus braços,
y amor con tanta fuerça entretenido,
braços con tanto amor acreditados
que bien pensavan ellos ser cadenas
50 del cuello de su amante, y de su nave
ser áncoras siguras que la tienen
hasida con la fuerça de sus gustos.
Mas viendo de los rotos eslavones
las pieças por el lecho mal sembradas,
55 y viendo de las áncoras rompidas
libre la nave que en el mar sulcava,
las ya contrarias flámulas desechas
al viento que le aparta a su Bireno,
aunque a dezir verdad Bireno rige
60 al ayre, pues acçede a sus mudanças,
assí dixo en la cumbre de una peña:
"Tú que fuiste bonança de mis males
y eres ya de mis bienes la tormenta,
tú que en suspiros tiernos me entregavas
65 el alma que ya niegas a los míos,
si acaso con la fuerça de mis ojos
pasan mis bozes a tu sordo intento,
si acaso con mis lágrimas saladas
mesclado el mar a tu vaxel abiba,
70 y las conoces por el gusto dellas
que entre la sal del agua a de sentirse,
mira que mis suspiros ni mi llanto
no te aguardan que quieras lo que olvidas,
que en hombre ya mudado no es pusible
75 que buelva a querer bien a la que dexa,
ni te piden que gastes en clemencia

algo del justo amor de quien me privas
por otras luzes y por otras hebras
más bellas y dichosas que las mías,
80 que no fuera cautiva de tu gusto
si aun siendo contra mí no acreditara
las fuerças del que son tiranas fuerças.
Sólo te ruegan, si rogarte pueden
prendas que ya rogadas te enfadaron,
85 que mires la borrasca del mar cano,
que quiça tiene caras de sufrirte,
cómo levanta tu vaxel al cielo,
donde tal vez pretendo que a Sant Telmo
lo muestra porque vengue mis agravios,
90 cómo después lo arroja a los abismos,
donde pienso que baxa condenado
del justo acuerdo de la justa gloria,
cómo lleva tu vida en un tablero
fabricado de tablas mal siguras
95 que el grave peso de tus culpas graves
y su furor aprietan por dos partes,
y assí con el combate se sostienen
como veleta puesta entre dos ayres,
que mires la pujança de los vientos,
100 que si te ayudan para que me dexes
también pueden servir para vengarme,
que mires que mis vozes los esfuerçan
o por mejor dezir los atosigan,
y que pueden herirte o anegarte,
105 y que formes de todo algún recelo
que baste a conocer lo que aventuras,
y si de tu peligro no hazes cuenta,
mira, Bireno falso, que peligra
la dama que causó tus falsedades.
110 No precies más mi olvido que su vida,
no faltes a su amparo por faltarme,
no quieras su temor por no quererme.
¿De qué sirve mi olvido sin su acuerdo?
¿de qué sirve mi sobra con su falta?
115 ¿de qué mis alaridos si ella gime?
y ¿de qué mis temores si ella teme
la tempestad desecha? y finalmente
¿qué te valdrá mi muerte si ella muere?
Buelve a la tierra que mi llanto riega,

120 y si por verme en ella te desvías,
    yo me entraré en el mar porque la tomes
    en tanto que las olas se sosiegan,
    en tanto que tu amada se assigura,
    en tanto que mi boz oyes y en tanto
125 que miras lo que tienes en tan poco.
    Mas ¡ay de mí! que en vez de dar la buelta,
    bolando tu baxel con tus deseos,
    huye a mis tristes ojos que ya míos
    los dexa el enemigo que en él huye".
130 Con esto dando fin a sus acentos
    a la vista quedó del falso amante
    sobre la peña yerta tan de peña
    que él la tuvo por tal y casi estuvo
    para querella assí, porque su pecho
135 era de pedernal por su mudança,
    y quiere cada qual su semejança.

69 *Ms* a tu vaxel abibas.

Esta composición en verso suelto desarrolla de modo muy libre el tema que ofrecía el *Orlando Furioso*. Las lamentaciones de Olimpia en el texto de Tárrega no se parecen en nada a las que se leen en los versos de Ariosto. Quizás recordó el autor la epístola de Dido a Eneas (*Heroidas*, VII), en que la reina de Cartago evocaba los peligros que asaltaban a su amante en el mar y le rogaba que tuviera compasión de Ascanio cuando el peligro que corría él no bastara a detenerlo.

LAMENTACIONES DE OLIMPIA

3 0 a

Ms 3924 de la Biblioteca Nacional, fol. 14 vº-16 rº.

Subida en una alta rroca
do combate el mar ynsano,
del engañador Bireno
Olimpia se quexa en bano:

5 "*¡Traidor tirano!*"
    Dale mill vozes diziendo:
"Di ¿por qué huies, tirano,
la que por ganarte a ti

perdió su padre y hermano?
10 ¡*traidor tirano*!"
    Rompe con golpes crueles
aquel rrostro soberano,
mordiendo sus manos bellas
qual de rravia herido alano:
15 "¡*Traidor tirano*!
    Hiziste un hecho en amarme
de cavallero lozano,
y agora en dexarme ansí
azes hecho de villano,
20 ¡*traidor tirano*!
    ¿Por qué no te despedías,
corazón de tigre hircano,
ya que no como amador,
siquiera por cortessano?
25 ¡*traidor tirano*!
    En llevarme ¿qué perdías?
En dexarme aquí ¿qué gano,
sino ser pasto y comida
de algún león más cercano?
30 ¡*traidor tirano*!
    No me pessa que me coma
el león más comarcano,

mas del corazón me pessa
do estás rretratado en vano,
35 ¡*traidor tirano*!
    Más cruel heres que Eneas,
pues se despidió el troyano
de aquella rreyna su esclava
y el yrse no fue en su mano,
40 ¡*traidor tirano*!
    Amor que sufres las belas
de aquel yngrato villano,
az que los contrarios vientos
buelvan la nabe a este llano.
45 ¡*Traidor tirano*!
    Cortaste de mi jardín
la flor, siento tú ortelano,
mira con quánto deleyte
gozaste deste verano,
50 ¡*traidor tirano*!
    Buelve, Bireno, por mí,
no seas tan ynhumano,
pues que de nunca dejarme
me diste la fee y la mano,
55 ¡*traidor tirano*!

14 *Ms 3924* criado alaño. — 22 *Ms 3924* tiguere ocano [*sic*]. — 27 *Ms
3924* ¿qué sano?. — *Ms 3924* gozastes.

3 0 b

Flor de varios romances nuevos. Primera y segunda parte. Pedro de
Moncayo. Barcelona, 1591, fol. 123 r°-124 r°.
Romancero General 1600, 1604, 1614. Segunda parte.

    Subida en una alta roca
donde bate el mar insano,
del engañador Bireno
Olympia se quexa en vano:
5 "¡*Traydor tyrano*!"
    Hiere con golpes crueles
aquel rostro soberano,

mordiendo sus manos bellas
qual de rabia herido alano:
10 "¡*Traydor tyrano*!"
    Dale mil vozes diciendo:
"Buelve, no huyas, villano,
de quien por ganarte a ti
perdió a su padre y hermano,

15   ¡traydor tyrano!
      Hiziste un hecho en amarme
de cavallero loçano,
y agora en dexarme sola
hazes hecho de villano,
20   ¡traydor tyrano!
      Por qué no te despedías,
coraçón de tygre hircano,
ya que no por amador,
siquiera por cortesano?
25   ¡traydor tyrano!
      En dexarme aquí burlada
vas muy contento y ufano,
más acuérdate que puse
mi vida y honra en tu mano,
30   ¡traydor tyrano!
      En llevarme ¿qué perdías?
En dexarme ¿qué has ganado,

sino que me coma luego
algún león más cercano?
35   ¡traydor tyrano!
      Cogiste de mi jardín
la flor, siendo tú hortelano,
mira con quántos deleytes
gozaste deste verano,
40   ¡traydor tyrano!
      ¡O mar que suffres las velas
del más ingrato y tyrano!
haz que los contrarios vientos
buclvan su nave a este llano.
45   ¡Traydor tyrano!
      Buelve, Bireno, no tengas
coraçón tan inhumano,
mas el darme aquí la muerte
será el remedio más sano,
50   ¡traydor tyrano!

    1 *RG 1600, 1604, 1614* un alta roca. — 6 *Flor* hire [*sic*] con golpes
crueles. — 12 *RG 1600, 1604* no huygas.— 14 *RG 1600, 1604, 1614* perdió
a su madre y hermano.

3 0 c

Ms 2803 de la Biblioteca Real, fol. 164 r°-165 r°.

      Subida en un alta rroca
donde bate el mar ynsano,
del engañador Vireno
Olimpa se queja en bano:
5   "¡Traydor tirano!"
      Dale mill boçes diçiendo
"Di, ¿por qué huyes? tirano,
de quien por ganarte a ti
perdió a su padre y hermano,
10   ¡traydor tirano!
      Siempre colegí sospecha
de que eras moço libiano.
¡Ay! engañador Vireno,
que mi amor salió de vano,

15   ¡traydor tirano!
      No me pesa que me coma
el león más comarcano,
mas duéleme el coraçón
do estás rretratado en bano,
20   ¡traydor tirano!"
      Rompe con golpes crueles
aquel rrostro delicado,
torçiendo sus manos vellas
que ravia herido a la mano [*sic*].
25   "¡Traydor tirano!
      Heçiste un hecho en amarme
de caballero loçano,
y agora déjasme sola,

haces hecho de villano,
30   ¡*traydor tirano*!
¡O mar que suffres las velas
de aquel cruel y tirano!
haz que los contrarios vientos
vuelvan la nao a este llano.
35   ¡*Traydor tirano*!
¿Por qué no te despedías,
coraçón de tigre hircano,
ya que no como amador,
siquiera por cortesano?

22 Falta la rima.

40   ¡*traydor tirano*!
Más cruel eres que Eneas,
pues se despidió el troyano
de aquella reyna su esclava
y el yrse no fue en su mano,
45   ¡*traydor tirano*!
Goçaste de mi jardín
la flor, siendo tú ortolano,
mira con quántos deleites
pasaste aqueste verano,
50   ¡*traydor tirano*!"

3 0 d

Flor de varios romances. Pedro de Moncayo. Huesca, 1589, fol. 107 vº-108 vº.

Subida en un alta roca
donde bate el mar insano,
del engañador Byreno
Olympia se quexa en vano:
5   "¡*Traydor tyranno*!"
Rompe con gritos el cielo,
y su rostro soberano,
mordiendo sus manos bellas
qual de rabia herido alano:
10   "¡*Traydor tyranno*!"
Dale mil vozes, diziendo:
"Di ¿por qué huyes, estraño?
pues que por librarte a ti
perdí mi padre y hermano,
15   ¡*traydor tyranno*!
¿Por qué no te despidías,
coraçón de tygre hircano,
ya que no por amador,
siquiera por cortesano?
20   ¡*traydor tyranno*!
Hiziste un hecho en amarme
de cavallero loçano,
y agora en dexarme sola

haslo hecho de villano,
25   ¡*traydor tyranno*!
Más cruel eres que Eneas,
pues se despidió el troyano
de aquella reyna su esclava,
que el partir no fue en su mano,
30   ¡*traydor tyranno*!
En llevarme ¿qué perdías?
en dexarme aquí ¿qué gano,
sino ser presto comida
de algún león más cercano?
35   ¡*traydor tyranno*!
Cogiste de mi vergel
la flor, no siendo hortelano,
mirarás quántos deleytes
sacaste deste verano,
40   ¡*traydor tyranno*!
¡O mar que suffres las velas
del más ingrato tyranno!
haz que las furiosas hondas
buelvan la nave a su llano.
45   ¡*Traydor tyranno*!"

3 *Flor* del engañador Pyreno [*sic*]. — 12 Falta la rima. — 18 *Flor* ya que no por emador [*sic*]. — 33 *Flor* sino ser presto comido [*sic*]. — 39 *Flor* sacaste desta verano [*sic*]. — 44 *Flor* buelvan la mar a su llano [*sic*].

3 0 e

Ms 3915 de la Biblioteca Nacional, fol. 69 vº.

Subida en un alta rroca
donde bate el mar insano,
del engañador Bireno
Olimpa se quexa en vano:
5   "¡*Traidor tirano*!"
Hiere con golpes crrueles
aquel rrostro soberano,
mordiendo sus manos blancas
qual de rravia herido alano:
10   "¡*Traidor tirano*!"
Dale mil boces diziendo:
"Di ¿por qué huies, tirano,
de quien por amor de ti
dexó su padre y hermano?
15   ¡*traidor tirano*!
Hisiste un hecho en amarme
de caballero loçano,
y aora en dexarme sola
hazes hecho de un billano,
20   ¡*traidor tirano*!

Cortaste de mi bergel
la flor, siendo tú ortelano,
mi[ra] con quántos deleites
gosaste de este verano,
25   ¡*traidor tirano*!
Despediéraste siquiera,
coraçón de tigre ircano,
ya que no por amador,
siquiera por cortesano,
30   ¡*traidor tirano*!
¡O mar que sufres las velas
del mal yngrato tirano!
haz que los contrarios vientos
buelban la nave al llano.
35   ¡*Traidor tirano*!
En dexarme aquí perdida
bas muy contento y ufano,
pues acuérdate que puse
mi vida y honrra en tu mano,
40   ¡*traidor tirano*!

7 *Ms 3915* alquel rrostro soberano [*sic*]. — 8 *Ms 3915* mordienose sus manos [*sic*]. — 11 *Ms 3915* dale mil beços [*sic*]. — 22 *Ms 3915* la flor, siendo tú el ortelano [*sic*]. — 31 *Ms 3915* O mar que sufres las ondas [*sic*].

3 0 f

Ms 1587 de la Biblioteca Real, fol. 114 rº-115 rº.

Subida en un alta rroca
donde bate el mar insano,

del engañador Byreno
Olinpia se queja en bano:

5   "¡ *Traydor tirano!*"
    Dale mill boçes diziendo:
    "Y ¿por qué huyes, tirano,
    de quien por amarte a ti
    perdió su padre y ermano?
10   ¡ *traydor tirano!*
    Hiziste un hecho en amarme
    de cavallero loçano,
    y agora en dexarme sola
    hiziste como villano,
15   ¡ *traydor tirano!*"
    Hiere con golpes crueles
    aquel rrostro soberano,
    mordiendo sus manos vellas
    qual de rravia herido alano:
20   "¡ *Traydor tirano!*

    Coxiste de mi xardín
    la flor, siendo tú ortelano,
    mira con quántos deleytes
    gozaste deste verano,
25   ¡ *traydor tirano!*
    ¿Por qué no te despedías,
    coraçón de tigre ircano,
    pues que de nunca dexarme
    me diste la fe y la mano?
30   ¡ *traydor tirano!*
    En llevarme ¿qué perdías?
    y en dexarme ¿qué ganavas,
    sino ser pasto y comida
    del animal más cercano?
35   ¡ *traydor tirano!*"

19 *Ms 1587* qual de rravia y herido alano [*sic*]. — 32 Falta la rima.

El autor de este romance muy artificioso, en que la rima se sustituye a la asonancia, separó acertadamente del episodio de Olimpia un cuadro que se basta a sí mismo: las lamentaciones de la heroína abandonada. Fue tratada muchas veces la escena en la poesía latina, en las *Heroidas* y las *Metamorfosis* en particular. Esta coincidencia con un tema clásico, tan patente ya en el *Orlando Furioso,* contribuyó sin duda al éxito de la composición. Ninguna de las obritas españolas derivadas de Ariosto se reprodujo tantas veces como ésta. La incluyen dos de las *Flores* y el *Romancero General,* por otra parte han llegado hasta nosotros cuatro versiones manuscritas. Las numerosas variantes que presentan los varios textos nos han llevado a reproducirlos separadamente, empezando por el más largo y concluyendo con el más breve.

Con ser muy importante este indicio para comprobar la popularidad del romance, no es tan convincente como las numerosas reminiscencias que se descubren de él en la poesía de fines del siglo XVI y de los primeros años del siglo siguiente. Unos versos de *Subida en una alta roca* aparecen en dos romances que publicamos a continuación (núms. 31 y 32). Pero hay más. De modo muy natural se compararon la historia de Olimpia desamparada y la de Dido abandonada. Veremos más de una vez las dos heroínas unidas en una misma evocación por los poetas españoles: un soneto del Licenciado Juan de Valdés y Meléndez, por ejemplo, presenta juntas a la reina de Cartago y a la princesa de Holanda (*Llora la viuda tórtola en su nido,* en *Primera parte de las Flores de poetas ilustres de España,* de Pedro Espinosa, ed. Juan Quirós de los Ríos y Francisco Rodríguez Marín, Sevilla, 1896, p. 25). Trajo consigo el paralelismo de los temas la similitud de las formas: el romance que ahora nos interesa fue imitado por el autor de *Por el ausencia de Eneas* (*Flor de varios romances nuevos. Tercera parte.* Felipe Mey. Valencia, 1593, fol. 135 r°-136 r°). Tan evidente es el hecho que, por un lapso revelador, en el texto de la *Flor,* después de los cuatro primeros versos, el estribillo ¡*Traydor tirano!* sustituye al ¡*Ay mal troyano!* que a continuación vuelve constantemente.

No se limitó la influencia de este romance al tema de Dido. También se perciben ecos de él en unas composiciones de género pastoril, el romance *De la arrugada corteza,* en que se lee:

> ¿Por qué tantas esperanças,
> Albanio, al viento esparziste?
> De cavallero te precias,
> pero villano anduviste.
>   De la que engañas me pesa
> si fe y palabra le diste.
> Haz, Amor, que con olvido
> tan villana fe castigues.
> ... ...

> (*Ramillete de Flores. Quinta parte de Flor de romances.* Pedro de Flores, Lisboa, 1593, fol. 200 v°-201 v°. Véase Durán, núm. 1515.)

así como en el romancillo *Caudaloso río | transparentes aguas* en que aparecen los versos siguientes:

Y pues las que digo
son verdades claras,
ante su presencia
por disculpa valgan.

Si no las admite
y acaso me llama
ingrato Vireno
o tygre de Ircana,

Eneas engañoso,
fractor de palabra,
o que soy tyrano,
dile que se engaña

> (*Romancero General 1604, Onzena parte.*
> Véase Durán, núm. 1818.)

También aparecen reminiscencias del mismo romance en dos composiciones de estilo burlesco, primero en el soneto *Pacífica donzella de Sansueña,* que concluye con los dos siguientes tercetos:

Ománateme, Olimpa de traílla,
modera el rumbo, no te entones, loca,
buelbe al amor del primitivo paje.
    Dexa el balcón azul, puta amarilla,
que vives como Olimpa en alta roca,
godeña en condición, mas no en linaje

> (Ms 4117 de la Biblioteca Nacional, fol.
> 43 rº. Se incluye este soneto, en forma algo
> distinta, en el manuscrito 3915 de la Biblioteca Nacional, según el cual lo publicó Foulché-Delbosc. Véase *136 sonnets anonymes,* en
> *R. H.,* VI, 1899, p. 328-407, núm. 60.)

y de manera mucho más concreta en *La vida del estudiante* cuyo autor parodió las lamentaciones de Olimpia en las quejas que presta a los tenderos cuando se enteran de la huida del estudiante acribillado de deudas:

Mas con dolor inhumano,
el rostro de angustias lleno,
y en la mexilla la mano,
del engañador Vireno
Felices se quexa en vano:
    "¡*Traydor tirano*!

En de ti me confiar
yo me mostré cortesano,
mas tú en yrte sin pagar
y sin prenda me dexar,
has hecho como villano,
    ¡*traydor tirano*!

Cogiste por muy ventura
de mi tienda lo más sano,
y pues yo hize locura,
mirarás la confitura

que te pesé con mi mano,
¡¡*traydor tirano*!

> (*Romancerillos de la Bibliothèque Am-*
> *brosienne*, en *R. H.*, XLV, 1919, p. 613,
> v. 301-318.)

Tan popular se hizo este romance que citó dos versos suyos el maestro Correas en su recopilación de refranes: *aunque no por amador, siquiera por cortesano* (*Vocabulario de refranes*, ed. Louis Combet, Bordeaux, 1967, p. 33 a).

En fin hemos descubierto dos versiones a lo divino de este romance en el manuscrito 166 de la Biblioteca Universitaria de Barcelona; las reproducimos a continuación. Su mediocridad es evidente. El autor o los autores se limitaron a adaptar el texto profano con fidelidad cómoda y desalentadora, procedimiento harto frecuente en este género de composiciones. Los veinte primeros versos del texto que publicamos con el núm. 30 h también se copiaron en el fol. 170 v° del mismo manuscrito, pero luego se tachó parte de ellos. El texto que publicamos a continuación (núm. 30 g) se titula en el manuscrito *Coplas contrapuestas a las que dicen subida en una alta roca.*

3 0 g

Ms 166 de la Biblioteca Universitaria de Barcelona, fol. 170.

Subido en un alta cruz,
nuestro Jesús soberano
del peccador miserable
se quexa y lamenta en vano:
5   "¡*Traydor tirano*!"
Rompe con voçes el ayre,
mas no el coraçón insano
de aquel pecho endurecido
del peccador inumano:
10   "¡*Traydor tirano*!"
Dale mil voçes diciendo:

"Di, ¿por qué huyes, tirano,
de quien por haçerte bien
se hiço en carne tu hermano,
15   ¡*traydor tirano*!
Entra en el jardín del cielo,
que es este pecho rasgado,
y goçarás del deleyte
otoño, invierno y verano,
20   ¡*traydor tirano*!
En perderme, tú te pierdes
y yo en ganarte no gano,

sino padecer la muerte
por dar la vida a un villano,
25　¡*traydor tirano*!
Buélvete a mí, peccador,

y démonos oy las manos,
recíbeme por tu amigo,
dexa ya de ser villano,
30　¡*traydor tirano*!

17, 27 Faltan las rimas.

3 0 h

Ms 166 de la Biblioteca Universitaria de Barcelona, fol. 173 r°.

De la vara virginal
do no toca el mar insano,
el Señor recién nacido
se quexa del hombre humano:
5　"¡*Traydor tirano*!"
Enciéndese en mil sospiros
aquel pecho soberano,
hácense sus ojos fuentes,
señal de penar temprano:
10　"¡*Traydor tirano*!
Por ti estoy temblando al hielò,
tú descuydado y ufano,
pues acuérdate que al fin
has de venir a mi mano,
15　¡*traydor tirano*!

Porque collegí sospechas
de que eres flaco y liviano,
quise por más encumbrarte
baxar del çielo a este llano,
20　¡*traydor tirano*!
Hiçe yo un hecho en amarte
de cavallero esforçado,
y tú en no pagar mi amor
háçeslo como villano,
25　¡*traydor tirano*!
Muéstrateme agradecido,
coraçón tan inumano,
pues me precio de tu amor
como galán corteçano,
30　¡*traydor tirano*!" [1]

22 Falta la rima.

3 1

LAMENTACIONES DE OLIMPIA

Ms 3915 de la Biblioteca Nacional, fol. 193.

Bertiendo lágrimas bibas
por quien el amor pudiera

ensender en vibas brasas
unas entrañas de fiera,

[1] Estas dos obritas se han atribuido a veces a San Juan de la Cruz (véase, por ejemplo, San Juan de la Cruz, *Poesías completas,* Colección Lira, México, 1957, p. 117-120). Tal atribución nos parece por lo menos atrevida.

5   en una roca subida,
ablanda a su dolor qual sera
la bella y hermosa Olimpa.
Decía desta manera:
"Espera, Bireno, espera."
10   Lleba las voces el biento
como a la nave ligera,
y aiuda el hequo diciendo,
como si su mal sintiera:
"Espera, Bireno, espera.

15   Espera, berás la muerte
de quien por ti desespera.
No huias de quien te llama,
que en barón es cossa fea.
Espera, Bireno, espera.
20   Mas pues no quieres esperar
a quien por ti desespera,
aunque no esperes aora,
mi alma siempre te espera.
Espera, Bireno, espera".

El verso 5 de esta composición es evidente reminiscencia del romance que reproducimos más arriba (núm. 30). La constante repetición del verbo *esperar* y el juego conceptista sobre los verbos *esperar / desesperar* de los versos 20-24 recuerdan un procedimiento muy del gusto de los poetas del siglo xv, procedimiento que los autores de romances no habían abandonado a fines del siglo xvi (véase por ejemplo Durán, núms. 72, 160, 161).

El primer verso de este romance aparece, exactamente idéntico o con ligera variante, en otras composiciones poéticas del Siglo de Oro. Compárese con este texto un romance en el cual Cleopatra llora a Antonio:

> Virtiendo lágrimas tristes
> que pueden quemar el yelo,
> haze Cleopatra fuentes
> los ojos resplandecientes
> ... ...
>
> *(Flor de varios romances nuevos. Primera
> y segunda parte.* Pedro de Moncayo. Barce-
> lona, 1591, fol. 150 r°.)

y un romance de Francisco de la Torre y Sebil sobre Dido:

> Assí se quexava Dido
> al fugitivo engañoso,
> vertiendo lágrimas vivas
> de los casi muertos ojos
> ... ...

(*Varias hermosas flores del Parnaso. Que en quatro floridos, vistosos quadros plantaron junto a su cristalina fuente D. Antonio Hurtado de Mendoza, D. Antonio de Solís, D. Francisco de la Torre y Sebil, D. Rodrigo Artes y Muñoz, Martín Juan Barceló, Juan Bautista Aguilar, y otros ilustres poetas de España.* Valencia, Francisco Mestre, 1680, p. 200-203).

OLIMPIA ABANDONADA

3 2 a

Ms 3168 de la Biblioteca Nacional, fol. 20 vº-21 rº.

Ia la aurora clara y bella
del ancho çielo var[r]ía
las reluçientes estrellas
prometiendo alegre día,
5 quando Olimpa la enguañada
de un grabe sueño salía,
porque como mal segura
del mucho bien que tenía,
tienta la desierta cama
10 del que más que a sí quería,
y como no topa nada,
de ella sale ardiendo en ira,
corre furiosa a la mar
y por la rivera mira
15 por si acaso con la luna
a su Vireno vería.
Vio que con hinchadas olas
el mar hondo arando yva
su dulçe y traidor esposo,

20 y suspirando decía:
"¿Dó bas? que no va carguada
la nave como solía.
Buelbe y haz que llebe el cuerpo
pues que lleba el alma mía".
25 Con la mano y con la ropa
muchas señas le haçía,
pero el importuno viento
llebaba lo que quería.
Buelbe al pabellón cansada,
30 mui triste de lo que vía,
i raçonando con él,
desta suerte le deçía:
"Dos encer[r]aste aquí anoche,
¿Por qué no das dos al día?
35 Mas ¿por qué de ti me quejo?
¡ai triste demanda mía!
sino del traidor Vireno,
que otro paguo merecía".

17 La forma correcta del verso sería: vio que con hinchadas velas.

3 2 b

Ms 3924 de la Biblioteca Nacional, fol. 18 vº-19 rº.

Ya la [a]urora clara y vella
que el ancho çielo cubría
de las luzientes estrellas
publicando alegre día [*sic*],
5 quando Olinpia la engañada
de un triste sueño salía,
y aunque como descuidada
del mucho bien que perdía,
toca la desierta cama
10 del que más que a sí quería,
y como no toca en nada,
della sale ardiendo en yra,
corre furiossa a la mar

y hazia la rrubia mira [*sic*]
15 de la cumbre de la luna [*sic*]
a su Bireno bería.
Subida en una alta rroca
donde el ancho mar batía,
bio que con gruessas belas
20 el mar alto arando yba,
dale mil vozes diziendo,
desta manera dezía:
"Buelve, que no ba cargada
la nabe como devía,
25 que no es éssa la palabra
ni ley de cavallería".

Al contrario de las piezas precedentes, quiere explicar este romance la situación en que se halla Olimpia. Son muy breves las lamentaciones de la heroína; en cambio el motivo de la aurora, sugerido por las octavas del *Orlando Furioso* y muy corriente en el romancero, aparece en estos versos lo mismo que en la composición de Tárrega (véase más arriba, núm. 29).

El texto del manuscrito 3924 es mediocre. Lo publicamos sin embargo porque demuestra que este romance tuvo cierto éxito, y sobre todo porque revela un intento de reelaboración inspirado en *Subida en una alta roca*. Los versos 17-18 y 21 de esta versión están tomados en efecto del romance conocido (núm. 30).

33

LAMENTACIONES DE OLIMPIA

Ms 4117 de la Biblioteca Nacional, fol. 105 vº-106 rº.

Ya la blanca y roja Aurora
por entre valles i sotos
hería con mano franca
lirio azul i clavel rojo,
5 ya despertaban las aves
al labrador codicioso,
bendiciendo al sol sus rayos
en las naves los pilotos,
    quando la engañada Olimpa,
10 viendo menos a su esposo,
así dize con vos triste,
bañando en perlas el rostro:
    "Si el sueño es gloria
y el velar enojos,
15 *duerman sin despertar*
siempre mis ojos.

    Traidor duque, dize a bozes,
¿adónde vas, alevoso,
con la vida i con mi honra
20 que te costaron tan poco?
    ¡Ai de mí! que descuidada
dormí en tus braços piadosos
para mí sueño tan grande,
y para ti brebe i corto.
25   ¡Ai de mí! pues que me quexo
con pecho injuriado i ronco
a un hombre a mis quexas piedra
i a un mar a mis bozes sordo.
    Si el sueño es gloria
30 *y el velar enojos,*
duerman sin despertar
siempre mis ojos".

Esta composición, titulada en el manuscrito *Romance a la desdichada Olimpia gozada de Vireno,* es una de las más acertadas en el pequeño ciclo que inspiraron a los poetas españoles los infortunios de Olimpia. El tema que desarrolla el estribillo está tomado de las quejas de otra enamorada ariostesca, la constante Bradamante, que echa de menos, cuando despierta, el sueño huido en el que se había reunido con Rugero:

se 'l dormir mi dà gaudio, e il veggiar guai,
possa io dormir senza destarmi mai

(*O. F.,* XXXIII, 63, 7-8.)

OLIMPIA ABANDONADA

3 4 a

Ms 3924 de la Biblioteca Nacional, fol. 155 v°-156 r°. [1]

Formando quexas al biento
la boz con rravia levanta
de dolor la triste Olimpia
que al duque Bireno llama,
5 y biendo que no aprovecha
y que ella en vano se canssa,
que ba por el mar adentro
el rrovador de su fama,
que ni buelbe por la toca
10 ni la seña de la manga,
y que ya Bireno lleva
aquella yntención dañada,
buelbe al lecho do estubieron
juntos la noche pasada,
15 y hechos sus ojos fuentes,
dize con la boz cansada:

Canción

"Despojos de mi gloria
bueltos en triste pena
y testigos de vista de mi daño,
20 mirad que aya memoria,
pues que ya me condena
a dura muerte mi terrible engaño,
porque el dolor estraño
dará fin a mi vida
25 que ya beo perdida.
Al fin el cuerpo muerto
aquí en este disierto
a de quedar ¡ay triste!
Mi bien, aquí dormiste
30 y agora no te beo ¿por qué en-
[peño?
Disierta playa ¿qué es de mi Bi-
[reno?

11 *Ms 3924* y que ella Bireno lleva [*sic*]. — 21 *Ms 3924* pues que ella me condena [*sic*]. — 25 *Ms 3924* que ella beo perdida [*sic*].

3 4 b

Ms 996 de la Biblioteca Real, fol. 65 r°-66 r°.

Formando quejas al biento
la boz con ravia lebanta
de dolor la triste Olimpia
que al duque Bireno llama,

5 y biendo que no aprovecha
y que ansí en bano se cansa,
y que por el mar adentro
ba el robador de su fama,

[1] Según indicación del Profesor Rodríguez-Moñino, figura este texto en el *Cancionero de romances* de Lorenzo de Sepúlveda, Sevilla, 1584, fol. 249.

que ni buelve por la toca
10 ni por señas de la manga,
y que la nave del puerto
con lijereza se aparta,
buelve al lecho do durmieron
juntos la noche pasada.
15 Sus dos ojos hechos fuentes,
dize con la boz cansada:

"¡Ay, despoxos de mi gloria
con tal renombre alcanzada!
¿cómo no henternezisteis
20 mi memoria no olvidada
de aquella dichosa noche
donde reposó mi alma
con mi querido Bireno
que agora de mí se aparta?"

13 *Ms 996* buelve al lecho do durmiendo [*sic*].

El último verso del núm. 34 a es eco del verso de la conocida canción de *La Diana*:

> Ribera umbrosa ¿qués del mi Sireno?

> (*Los siete libros de La Diana,* I, "Clásicos castellanos", p. 24.)

También inspiró el mismo verso de Montemayor a un poeta valenciano, Juan Andrés Núñez, autor del romance *Empezada ya la fiesta | y ordenadas sus cuadrillas,* cuyo estribillo es como sigue:

> les dice cada hora:
> Paredes tristes ¿qués de mi señora?

> (*Catálogo de la Biblioteca de Salvá,* I, p. 77.)

Quizás sea tradicional el primer verso de la composición que ahora nos interesa. También aparece, con ligera variante (*formando quexas al cielo*), en un romance de Bernardo (*Al pie de un túmulo negro,* Durán, núm. 664).

El autor del romance que publicamos con el núm. 34 b arregló y abrevió la composición precedente: sigue el texto de modo bastante fiel en los versos 1-10 y 13-16, pero suprime la canción que sustituye por ocho octosílabos.

35

LAMENTACIONES DE OLIMPIA

Primera parte de los romances nuevos, nunca salidos a luz. Compuestos
por Hierónymo Francisco Castaña, natural de Çaragoça, 1604, fol. 4 rº-
6 rº.
Romancero General 1604, 1614. Trezena parte.
Segunda parte del Romancero General, Flor de diversa poesía, recopilados
por Miguel de Madrigal, 1605, fol. 67 vº-68 rº.

De su querido Vireno
ingratamente olvidada,
la bella Olimpa se quexa
con mil suspiros del alma,
5 y viendo cómo se parte
rompiendo las raudas aguas,
a bueltas de los suspiros
le dixo aquestas palabras:
"Aguarda, dulce enemigo,
10 no te apresures, aguarda,
oye una muger siquiera
por ser muger, que esto basta.
¿Qué te he hecho, que me abo-
[rreces?
Si es porque mi pecho te ama,
15 no tienes razón en esso,
que amor con amor se paga.
Pero ya que no me quieres,
escucha mis tristes ansias;
mas mal escucharme puede
20 una piedra dura, helada.
Oye mis quexas, que al cielo
y aquesta universal mapa
pongo por fieles testigos
para defender mi causa.
25 Mas ya que te muestras sordo,
ellos oyrán mis desgracias,
si ya no están conjurados
contra mí, que sólo falta.
Sol, que desde el quarto moble

30 muestras alegre tu cara,
alumbrando el orbe todo
y haziendo crecer sus plantas;
luna, que a la noche obscura
con tus rayos buelves clara,
35 estrellas, que todo el cielo
bordáys de flores de plata;
tierra, de los hombres madre,
de las mugeres madrasta,
que no es mucho pues las crías
40 tan tristes y desgraciadas:
cielos, estrellas, sol, luna,
elementos, piedras, plantas,
ríos, vientos, prados, flores,
con las más cosas criadas,
45 *mira[d] una desdichada*
que ama aborrecida, ¿ay tal des-
[*gracia?*
Veréys, si me miráys, en mí un re-
[*trato*
de una muger que adora un hom-
[*bre ingrato.*
Mugeres, que ya en el mundo
50 logràys vuestras esperanças
casadas con gusto vuestro,
y no como yo cansadas;
viudas que, el marido muerto,
gozáys de libertad tanta,
55 aguardando ya otras bodas
por dexar las tocas largas;

donzellas, que soys servidas
de mil galanes que os aman,
passando la juventud
60 en fiestas y en esperanças;
   amadas, si ay en el mundo
algunas que sean amadas,
que, como las aman hombres,
no serán sino engañadas;
65   aborrecidas, si algunas
ay, pero bien avrá hartas,
que es condición de los hombres
poner en su amor mudança;
   ricas, las que de tesoros
70 gozáys, y con vuestras galas,
como los prados con flores,
alégráys la tierra varia;
   hermosas, a quien el cielo
ha dotado de mil gracias,

75 dándoos cristal en los pechos
y en las mexillas el nácar;
   feas, que siendo graciosas
soys libres de las aljabas
del niño ciego Cupido,
80 aunque no tan desdeñadas;
   viudas, casadas, donzellas,
aborrecidas y amadas,
ricas, pobres, feas, hermosas,
nobles, humildes y baxas,
85   mira[d] una desdichada
que ama aborrecida, ¿ay tal des-
[gracia?
Veréys, si me miráys, en mí un re-
[trato
de una muger que adora un hom-
[bre ingrato".

28 *Segunda parte RG* que sola falta [*sic*]. — 34 *Segunda parte RG* buelve clara. — 44 *Primera parte* verano invierno amorosos [*sic*]. *Segunda parte RG* verano invierno madrasta [*sic*]. *RG 1604, 1614* con las más cosas criadas. — 56 *Primera parte, Segunda parte RG* por dexarlas todas largas [*sic*]. *RG 1604, 1614* por dexar las tocas largas.

Este romance declamatorio está compuesto con mucho aliño, demasiado aliño acaso. Obsérvese, en la segunda parte de la composición, el recuerdo de temas misóginos corrientes en la poesía del Siglo de Oro, como el de la viuda olvidadiza, y, en la primera parte, la invocación a los varios elementos de la naturaleza, rasgo que aparece en otros romances, en romances de género pastoril sobre todo. Compárense por ejemplo con este texto los versos siguientes de *Oyd, nimphas y pastores*:

Cielo, luna, sol, estrellas,
que days luz a lo criado,
admirables elementos,
ríos, fuentes y lagos,
obscuros montes sombríos,

deleytosos verdes prados,
playas, montes y riberas,
altos, desiertos y llanos,
sed testigos de mi gozo
de que quiero cuenta daros...

(*Flor de varios romances nuevos*. Pedro de Moncayo. Huesca, 1589, fol. 94 v°-96 v°.)

3 6

OLIMPIA ABANDONADA

Ms 19003 de la Biblioteca Nacional, fol. 392 vº.

Madrugava entre las flores
el alva pidiendo albricias
a las aves y a las fieras
de que se acercava el día,
5 quando, viéndose engañada
del duque Vireno Olimpia,
dava vozes en la playa
a la nave fugitiva:
"*¡Plega [a] Dios que te anegues, nave enemiga!*
10 *Pero no, que me llevas dentro la vida.*
¡Plega [a] Dios que aquella nave
en que va el fiero homiçida,
que de una cruel tormenta
la trague la mar impía!
15 ¡Plega [a] Dios que a ver no llegue
aquella enemiga mía,
si no fuere vomitado
de alguna bestia marina!
¡Plega [a] Dios que te anegues, nave enemiga!
20 *Pero no, que me llevas dentro la vida*".

Incluyó Lope de Vega los primeros versos de este romance en *La fuerza lastimosa*, jornada II (*Acad.*, XIV, p. 18 a), en forma algo distinta:

Madrugaba entre las rosas
el alba pidiendo albricias
a las aves y a las fieras
de que se acercaba el día,
cuando, viéndose engañada
del duque Vireno Olimpia,
a voces dice en la playa
a la nave fugitiva:
"¡Plegue a Dios que te anegues,
nave enemiga!
Pero no, que me llevas
dentro la vida."

Este romance, que se canta en la comedia con acompañamiento musical, es glosado a continuación por la infanta Dionisia, abandonada por el conde Enrique.

El tema de Olimpia y Bireno vuelve escasas veces en la obra de Lope. Fuera de este romance de *La fuerza lastimosa,* comedia fechada de 1595-1603 por C. Bruerton y S. G. Morley, sólo hemos observado en las comedias del Fénix unas contadas alusiones a dicho episodio ariostesco: una evocación del destino común a Olimpia, Ariana y Dido en *El valeroso catalán* (jornada II, *Acad.,* VIII, p. 423 b), una mención de Bireno en *La prisión sin culpa* (jornada III, *Acad. N.,* VIII, p. 626 a) y una breve alusión a Olimpia y Bireno en *El testigo contra sí* (jornada I, *Acad. N.,* IX, p. 691 b). C. Bruerton y S. G. Morley fechan *El valeroso catalán* y *La prisión sin culpa* de 1599-1603, *El testigo contra sí* de 1605-1606. Teniendo en cuenta la amplitud de la producción lopesca, bien se puede decir que estos recuerdos del episodio de Olimpia y Bireno son muy poco numerosos bajo la pluma del dramaturgo. Se observará admás que aparecen todos en obras de la juventud del poeta. No parece que la aventura de la princesa de Holanda haya dejado huellas profundas en la sensibilidad de Lope: cuando le conduce la acción de sus comedias a evocar una heroína abandonada, cita frecuentemente a Dido y pocas veces a Olimpia.

3 7

OLIMPIA ABANDONADA

Tirso de Molina, *La Ninfa del cielo,* jornada II (*Obras dramáticas,* ed. Blanca de los Ríos, I. Madrid, Aguilar, 1946, p. 818 b - 819 a).

Bordaba el alba las flores
que afrentó la noche fría,
cantaban al sol las aves,
lloraban las tortolillas,
5 cuando, buscando los brazos
del duque Vireno, Olimpia

sombras ciñe, engaños toca.
Despierta, llora y suspira,
salta del desierto lecho,
10 corre al mar, su arena pisa,
y de la peña más alta
la nave del Duque mira.

Este romance, cantado por un músico, le recuerda su propio infortunio a Ninfa, abandonada por don Carlos, duque de Calabria. Tiene en la acción un papel exactamente paralelo al de *Madrugaba entre las rosas* en *La fuerza lastimosa*. Puede ser que Tirso haya recordado la comedia de Lope, anterior de varios años a la suya, ya que se asigna comúnmente la fecha de 1613 a *La Ninfa del cielo* (véase la opinión de C. Bruerton en *N. R. F. H.*, III, 1949, p. 189-196).

Ofrece la misma comedia una reminiscencia concreta del romance *Subida en una alta roca* que publicamos más arriba (núm. 30). En la jornada I, declara el lacayo Roberto, al comentar el abandono de Ninfa por el duque de Calabria:

> hará de Olimpia el papel,
> pues tú el de Vireno has hecho,
> y a la nave y al mar cano
> dará voces como loca
> *subida en una alta roca*
> y será el quejarse en vano.
>
> (*ed. cit.*, p. 805 b.)

Pocas veces recordó el maestro Tirso de Molina este episodio del *Orlando Furioso*. Sólo dos comedias suyas presentan alusiones a Olimpia y Bireno —y se ha de tener en cuenta que la segunda es de autenticidad dudosa— (*Amar por arte mayor*, jornada I, ed. Blanca de los Ríos, III, p. 1172 b; *Quien da luego da dos veces*, jornada III, *ed. cit.*, II, p. 335 a).

3 8

OLIMPIA ABANDONADA

Pérez de Montalbán, *No hay vida como la honra*, jornada I (*B. A. E.*, XLV, p. 480 c).

> De su querido Vireno
> la bella Olimpa se queja,
> más porque le lleva el alma

que porque el honor le lleva:
"¡Ay!", dice, triste, quejosa...

Se ve que Montalbán conocía el romance *De su querido Vireno* (núm. 35) del que copia dos versos (1 y 3).

39

OLIMPIA ABANDONADA

Moreto, *Primero es la honra*, jornada I (*B. A. E.*, XXXIX, p. 232 c).

Así a Vireno culpa
la desgraciada Olimpia,
cantando sus finezas,
llorando sus desdichas.

40

OLIMPIA Y BIRENO

Calderón, *Auristela y Lisidante*, jornada I (*B. A. E.*, XII, p. 646 a).

VOZ 1.ª   En una guardada torre,
en sus verdes años preso
por el príncipe de Holanda,
estaba el conde Vireno.
VOZ 2.ª   Olimpa, que de su padre
acusaba el rigor fiero,
presa en los hierros de amor,
si es que amor prende con
[hierros...
VOZ 3.ª   Bien fiada de los aires,
mal guardada de los ecos,
desde una almena una noche
la voz esparció diciendo...

VOZ 1.ª   "El postigo del socorro
al amanecer abierto
hallarás, y un bergantín
en la blanda paz del puerto.
VOZ 2.ª   Blanca bandera en la popa
su seña será: entra dentro,
que seguro en él podrás
escapar a vela y remo.
VOZ 3.ª   Huye pues, huye el peli-
[gro,
mas no te olvides huyendo
de que tú la prisión dejas,
y yo en la prisión me que-
[do."

En este hermoso romance, da Calderón nuevo sentido a la aventura de Olimpia y Bireno. El dramaturgo es, que sepamos, el único escritor español del Siglo de Oro que ha modificado un relato cuyos datos fundamentales habían respetado todos los poetas anteriores.

Otras huellas dejó en la comedia del Siglo de Oro este episodio del *Orlando Furioso*. Se leen en el teatro de Francisco Tárrega, a quien se debe una de las composiciones que publicamos más arriba (núm. 29), dos alusiones a Olimpia y Bireno, una en *El prado de Valencia*, jornada II (*Poetas dramáticos valencianos*. Real Academia Española, Madrid, 1929, I, p. 214 a), otra en un soneto de *El esposo fingido*, jornada II (*ed. cit.*, I, p. 246 ab). Son frecuentes las alusiones de este tipo en las comedias de Vélez de Guevara. Las hemos notado en las siguientes comedias: *La serrana de la Vera*, jornada II (*Teatro antiguo español*, I, ed. R. Menéndez Pidal y M. Goyri de Menéndez Pidal, 1916, p. 77), *El rey en su imaginación*, jornada I (*Teatro antiguo español*, III, ed. J. Gómez Ocerín, Madrid, 1920, p. 5-6. Véase también p. 190), *El Cavallero del Sol*, jornada III (*suelta*, s. l. n. a., BNM T 10.921, p. 29) y *El amor en vizcaíno, los zelos en francés y torneos de Navarra*, jornada II (*Colección de comedias de los mejores ingenios de España*, XVIII, Madrid, 1662, p. 13). En este último texto aparece la palabra "virenada", sin duda forjada por Vélez de Guevara.

Fuera del teatro, las alusiones a la aventura de Olimpia y Bireno son también bastante numerosas. Bireno, bajo la pluma de los romancistas, viene a ser el infiel por antonomasia, como lo demuestran una serie de composiciones: *Una dama en su opinión* (*Flor de varios romances. Primera y segunda parte*. Pedro de Moncayo. Barcelona, 1591, fol. 119 r°), *Con un pequeñuelo infante* (*Flor de varios romances. Novena parte*. Luis de Medina. Madrid, 1597, fol. 46 v°. Véase Durán, núm. 1366), *En su balcón una dama* (*Romancero de la Biblioteca Brancacciana*, en *R. H.*, LXV, 1925, núm. 11, y *Poesie spagnole appartenute a donna Ginevra Bentivoglio*, en *Homenaje a Menéndez y Pelayo*, II, p. 473). Lorencio de Zamora recuerda la historia de Olimpia en su poema épico, *Primera parte de la historia de Sagunto, Numancia y Cartago* (Alcalá, Juan Iñíguez de Lequerica, 1589, canto VII, fol. 75 r°), Luis de

Belmonte Bermúdez hace lo mismo en dos versos en los que se percibe un eco de *Subida en una alta roca*:

> aquí vencida, al fin, del niño insano
> cual otra Olimpa se fatiga en vano

(*La Hispálica*, I, ed. Santiago Montoto, Sevilla, 1921, p. 58.)

Es muy sabido por otra parte que Cervantes une en el romance de Altisidora la evocación de Eneas y la del cruel Bireno (*Quijote*, II, LVII). Ofrecen las obras en prosa de la primera mitad del siglo XVII varios ejemplos parecidos: las *Noches de invierno* de Antonio de Eslava, en el capítulo VII dedicado a los amores de Serafina y Sulpicio y en el capítulo VIII que trata de Milón y Berta (Barcelona, Hierónymo Margarit, 1609, fol. 121 r° - 122 r° y 152 r°), y *El Menandro* de Matías de los Reyes ("Colección Selecta de Antiguas Novelas Españolas", X, Madrid, 1909, p. 147). Más de una vez las alusiones toman un color burlesco, lo que demuestra que se va desgastando el tema. Se da el caso en *El Diablo Cojuelo* ("Clásicos castellanos", p. 145) y en *La niña de los embustes Teresa de Manzanares*, donde recordó Castillo Solórzano uno de los romances que publicamos más arriba (núm. 36), como lo prueba el siguiente fragmento:

> Aquí comenzaron los trabajos de la gallega Olimpia, viéndose dejada del segoviano Bireno. No dijo aquello de: "¡Plegue a Dios que te anegues, nave enemiga!" ni: "¡Mal huracán te sorba!", que no sabía nada de marinaje y su engañador caminaba en una mula...

("Colección Selecta de Antiguas Novelas Españolas", III, Madrid, 1906, p. 17.)

II

RUGERO Y BRADAMANTE

Dentro de esta sección, colocamos primero una serie de obras que, por su asunto, no se relacionan más que indirectamente con los amores de Bradamante y Rugero (núms. 41-45). Las composiciones que siguen se enlazan todas con el tema de la unión de los personajes, tratan en su mayor parte de los celos de la heroína y de los últimos obstáculos que se oponen a la felicidad de los enamorados.

Un nombre vuelve constantemente a lo largo de esta sección: el de Pedro de Padilla, quien dedicó diez romances a este asunto. Tres composiciones se toman del *Romancero historiado*, otra proviene del manuscrito 1132, otra es obra de Núñez de Reinoso. Bastan estos datos para comprobar que la historia de Rugero y Bradamante inspiró sobre todo a los poetas que escribían antes de 1580. Éstos ven ante todo en el *Orlando Furioso* una gesta nupcial, un poema épico y genealógico. El episodio de Rugero y León no les parece ser inútil apéndice, infelizmente añadido por Ariosto en la redacción definitiva de su poema. Esta era, como se recordará, la opinión de Menéndez y Pelayo. [1] Pero los juicios de los años 1550-1580 eran muy distintos. Se apasionaban los poetas del

---

[1] *Orígenes de la novela*, Santander, 1943, III, p. 268-269.

tiempo por la angustia de Rugero, la desesperación de Bradamante, la generosidad de León.

Pronto va a cambiar el gusto. Las *Flores* y el *Romancero General* sólo reproducen escasas composiciones dedicadas a Bradamante y Rugero. Con la excepción de una de ellas (núm. 65), versan todas sobre motivos galantes afectados, a no ser que presenten alguna brillante estampa. De los amores del guerrero y de la hija de Aimón, el siglo XVII no guardará más que el baile del *Rugero*. Una composición de Lope en elogio de la maga Alcina (núm. 43) indica sin ambigüedad la irremediable decadencia de un tema que tanta seducción había ejercido sobre los hombres del siglo XVI.

4 1

BRADAMANTE TRIUNFA DE URGEL

Romancero historiado, Lucas Rodríguez, 1582, fol. 89 r°-92 r°; 1584, fol. 85 v°-88 v°; 1585, fol. 89 r°-92 r°.

Ya se parte el moro Urgel
de la ciudad de Granada
en busca de Bradamante,
aquella dama preciada.
5 Dize que quiere provar
con ella su espada y lança,
y que si acaso la vence
por su grande esfuerço y maña,
que la ha de llevar consigo
10 a su muy querida patria
para casarse con ella
aunque es de nación christiana.
Yva tan gallardo el moro
que bien claro demostrava
15 yr por el amor guiado
y ser qual es su demanda.
Y andando por su camino
junto a Montalván llegava,
aquel castillo tan fuerte

20 donde Bradamante estava.
Y quando cerca se vido,
gran gozo y plazer tomava,
y por ver que era ya tarde
azia un lugar caminava
25 que estava muy poco trecho
de donde abita su amada.
Allí reposó la noche,
mas no era bien de mañana
quando el fuerte Urgel se sale
30 en una yegua alaçana,
de todas armas armado,
con su rico escudo y lança,
y en medio el escudo lleva
una dama figurada,
35 con una letra que dize:
"Fortuna, no seas contraria."
Y assí llegado al castillo,
muy rezio a la puerta llama,

pero alçando la cabeça,
40 vio que entre una almena estava
un dispuesto cavallero,
gallardo y de buena gracia.
Aquéste era Ricardeto,
a quien Reynaldos dexava
45 por guarda deste castillo
con sus hermanos y hermana.
Ricardeto que vio al moro
le dize: "¿Qué es lo que man-
[das?"
y con alta voz el moro
50 desta manera le habla:
"Señor, soy un cavallero
de tierra y nación christiana,
y por sólo ganar honrra
vengo a pedirte batalla,
55 por ser tan grande tu esfuerço
y estimado en toda España."
Ricardeto que lo oyó,
sin respondelle palabra,
manda ensillar su cavallo
60 y que le traygan sus armas,
y vase derecho al moro
que en el campo lo esperava.
El moro, cuando lo vido,
para él enrristró su lança,
65 lo mismo hizo Ricardeto,
y ambos a dos se encontravan.
En el escudo del moro
quebró el christiano su lança,
mas el moro lo encontró
70 en medio de la zelada
de suerte que Ricardeto
desatinado quedava,
y assí se quedó en el suelo
sin poder hablar palabra.
75 Y con gran presteza el moro
del cavallo se arrojava,
quitado le avía el yelmo
pensando que era su amada,
y visto que era mancebo
80 de los pies y manos lo ata.

Y no lo uvo bien atado
quando ya en el campo estava
Alardo, el segundo hermano,
armado de todas armas,
85 y arremetió para el moro,
y el moro tomó otra lança,
que como sagaz y astuto
la tenía aparejada.
Y cavalgando en su yegua
90 ambos a dos se encontravan,
pero Alardo vino al suelo,
y assí el moro presto lo ata.
Lo mismo hizo a Ricardo,
que era el menor que quedava.
95 Bradamante, que esto vido,
ciega de cólera y saña
viendo presos sus hermanos,
en un momento se armava,
por no estar aquí Reynaldos
100 que entre la morisma andava,
y assí la fuerte donzella
donde está el moro guiava,
y llegada junto a él
desta suerte le hablava:
105 "Suelta, moro, a mis hermanos,
o apercíbete a batalla."
El moro luego responde:
"Déxate dessas palabras."
Rebolviendo sus cavallos
110 y blandeando sus lanças,
se dan tan bravos encuentros
que ambos las hizieron rajas.
Bradamante bolvió presta,
poniendo mano a su espada,
115 el moro, muy orgulloso,
su fuerte alfange sacava.
Dávanse tan bravos golpes
que los yelmos se abollavan.
El moro con gran furor
120 un fuerte revés tirava
a la hermosa Bradamante,
que escudo y armas le passa,

mas descuydándose un poco,
Bradamante le acertava
125 un tal golpe en la cabeça,
que la media le cortava.
Y assí cayó el moro muerto
por precio de su demanda,

y la linda Bradamante
130 a sus hermanos desata,
con ellos se va al castillo
dándole a Dios muchas gracias.
Mirad qué haze el amor
a los que mejor le tratan.

80 *Romancero 1582, 1585* lo ata. *Romancero 1584* le ata.—113 *Romancero 1582, 1584* bolvió presta. *Romancero 1585* bolvió presto. — 117 *Romancero 1582, 1584* dávanse. *Romancero 1585* danse.

No es cierto que se haya de incluir este romance entre los que derivan del *Orlando Furioso*. Se percibe en él la huella de leyendas antiguas, ajenas a los relatos de Ariosto: en Urgel el autor ve un sarraceno, el sarraceno que era efectivamente en un principio. Este rasgo incitaría a buscar la fuente de esta composición en uno de los *romanzi* italianos de los siglos xv y xvi que recogen las tradiciones antiguas, o en una novela caballeresca española adaptada de un original francés. Nuestras investigaciones sobre este punto no han dado resultado alguno. Lo que sí podemos afirmar es que el episodio no deriva del *Libro de le bataglie del Danese* (Milano, 1513).

Junto con este carácter arcaizante, presenta el romance rasgos mucho más modernos. Atribuye gran papel al personaje de Ricardeto que es en el texto, lo cual no deja de sorprender, el segundo de los hijos de Aimón. También apunta la semejanza de Ricardeto y Bradamante, detalle que sin duda deriva del *Orlando Furioso*.

Con todo puede que sea el romance libre variación sobre los temas del *Orlando Furioso*. No sería éste caso aislado en el *Romancero historiado* (véase más arriba nuestro comentario al núm. 4 c). Si es correcta la hipótesis, se podrá suponer que el autor pensó en las octavas en que desarzona Mandricardo a Viviano, Malgesí, Aldigiero y Ricardeto (*O. F.*, XXVI, 70-77), o en las estancias en que derriba Grifón a Ricardeto, Alardo y Guichardo (*O. F.*, XXXI, 8-11). Pero hay que confesar que no existe ninguna semejanza literal que permita hacer más concreto el paralelo.

El primer verso de esta composición corresponde a un tipo muy corriente en el romancero (véase sobre este punto R. Menéndez Pidal,

Romancero hispánico, I, p. 68 y 271). Nada menos que siete romances del *Romancero historiado* comienzan por un verso de este género (véase Durán, núms. 332, 342, 343, 350, 787, 797, 1098). En los dos últimos versos se da una nota sentenciosa que vuelve a aparecer en otros romances de la misma colección (véase más abajo, núm. 84).

4 2

RUGERO BAUTIZA A SACRIPANTE

Romancero historiado, Lucas Rodríguez, 1582, fol. 111 vº-112 rº.
Flor de varios romances. Pedro de Moncayo. Huesca, 1589, fol. 102 vº-
103 rº.

De los muros de París
se sale el fuerte Rugero
a acabar una batalla
con un fuerte cavallero,
5 llamado el rey Sacripante,
rey pagano, crudo y fiero.
Vanse a las selvas de Ardenia
los dos famosos guerreros,
comiençan batalla cruda,
10 pone grande espanto en vellos.
Al fin fue vencido el Rey
por aquel fuerte guerrero,
y viéndose assí vencido,
en sus días los postreros,
15 con gran sed pidió baptismo
conociendo a Dios eterno.
En una fuente muy clara
le baptizava Rugero,
y llorando amargamente
20 muerte de tal compañero:
"No lloréys, dixo el buen Rey,
que yo, sabed que más quiero
la salud desta alma mía
que del corruptible cuerpo.
25 Mas lo que os ruego, señor,
(si lo merecen mis ruegos)
sepa Angélica mi muerte,
por quien ando vivo y muerto,
que la passé para el alma
30 del aposento del cuerpo."

Este romance, que se presenta en forma exactamente igual en las varias colecciones en que se incluye, trata sobriamente el episodio del bautismo del guerrero pagano vencido, episodio frecuente en la poesía medieval.

Se ha de buscar la fuente del relato en el *Libro V dello Innamoramento di Orlando* de Niccolò Degli Agostini (Vinegia, 1529). El canto III de este libro V describe una batalla en la que se encuentran bajo los muros de París el ejército de Carlomagno y las tropas de Agramante.

En esta jornada se desafían Sacripante y Rugero. Se van juntos los dos guerreros hasta la selva de Ardenia, en que entablan una lucha encarnizada que cuenta detenidamente el poeta. Gravemente herido, Sacripante pide el bautismo. Bautiza Rugero al rey pagano, llorando la próxima muerte del que fue su compañero. Le consuela Sacripante afirmando que nada teme ya que se ha hecho cristiano. Ruégale en fin que le cuente a Angélica su muerte y le recuerde un amor que fue apasionado y constante.

El paralelismo exacto de las situaciones no deja lugar a ninguna duda acerca del origen de este romance. Hemos mostrado en otra ocasión que el *Innamoramento di Orlando* fue plagiado por los autores del *Espejo de caballerías* (véase nuestro estudio *L'Arioste en Espagne,* p. 174-175). Pero es cierto que el autor de este romance, se inspiró en el texto italiano, y en el solo texto italiano, pues en este lugar se aparta el relato de la novela española del *Innamoramento di Orlando.*

43

RUGERO Y ALCINA

Lope de Vega, *Alcina a Rugero. Epístola.* (Rimas, 1604, fol. 137 v°-142 v°.)

> La más leal muger de las mugeres
> escrive al más ingrato de los hombres,
> a ti, Rugero, escrive, que tú eres.
>   Y porque con tu boca no me nombres,
> 5 leyendo aquesta humilde carta, indina
> que de su dueño sin razón te asombres,
>   no digo que es la más leal Alcina,
> perdona que lo dixe, no lo leas,
> y pues de Dios te precias, adivina.
> 10   No te escrivo, crüel, para que seas
> tan mudable en bolverte como en yrte,
> ni porque mi vezina muerte creas.
>   Ya no quiero con lágrimas pedirte
> (que van borrando lo que escrivo agora)
> 15 que buelvas otra vez a despedirte,

que ya no podrán más que quien te adora,
y más en ti, que siempre me dezías
que con poco dolor la muger llora.

Bien sé que al viento doy quexas baldías,
20 pues antes de llegar a tus orejas,
con yr ardiendo en fuego buelven frías.

Pero veo también que si me dejas
el alma, el cuerpo y el honor perdido,
no importa que se pierdan estas quejas.

25 ¿A dónde vas, crüel? ¿a dónde has ydo?
¿qué ageno acogimiento te ha engañado
que se pueda ygualar al que as tenido?

Que halles otro palacio aventajado,
otros verdes jardines, otras fuentes,
30 con dueño más hermoso y regalado,

que te haga señor de varias gentes
y de ciudad, que con el ayre puro
compitan sus murallas eminentes,

bien estarás de tu valor seguro,
35 mas no de que hallarás quien más te quiera,
que no es vencer un alma hazer un muro.

¡Ay, Rugero crüel, a Dios pluguiera
que no me vieras tú para matarme,
o nunca yo para morir te viera!

40 pues aunque yo pudiesse ya forçarme
a pedirte que buelvas, la memoria
de que pudiste sin razón dexarme

me quita de las manos esta gloria,
que aun no me dexa tu crueldad rogarte,
45 siendo locura y vanidad notoria.

Pero pues ya lo fue primero amarte,
parézcanse a la causa los efetos,
que aun ofendida intento disculparte.

Si fueran tus agravios tan discretos
50 como lo suelen ser de otros amantes
que de sus damas pruevan los sujetos,

creyera yo que tú bolvieras antes.
¡Cómo se engaña mal quien dize (¡ay triste!)
que soys todos los hombres semejantes!

55 Pues nunca tú para bolver te fuiste
ni me probarás tú, que, al fin, Rugero,
como hombre que aborrece, me creyste.

Apenas yo te dixe: "Bien te quiero",

quando tú lo afirmavas, enemigo,
60 y estoy para pensar que fue primero.
        ¡O quánto de aquel tiempo me castigo!
ni puedo encarecer lo que me pesa
que tuviesse tal crédito contigo.
        ¡Dichosa aquella dama que no cesa
65 de reyrse de Alcina entre tus braços,
cuya risa tu boca adora y besa,
        pues se pudo olvidar de los abraços
(¡hai duro labrador!) de aquesta hiedra,
que has echo agora sin razón pedaços!
70   ¡dichosa, que en tus ramas crece y medra!
mas guárdese muy bien del nuevo roble,
corteza verde, coraçón de piedra.
        ¡Que pudiesse llorar un hombre noble,
pintando su passión por tal estilo
75 que más que su beldad rindiesse al doble!
        ¿Qué más suelen dezir del cocodrilo
quando con falsas lágrimas engaña
los peregrinos del egypcio Nilo?
        De las tuyas mi fee se desengaña,
80 y de que las beví suspiro y lloro.
        ¡O quánto un hombre tierno mueve y daña!
        Esse tu rostro (que aun ingrato adoro),
hermoso y lleno de tu falso llanto,
veneno parecía en vaso de oro.
85   Con estos pensamientos me levanto,
y con estas memorias también duermo,
si puedo yo dezir que duermo tanto.
        Suele soñar mi coraçón enfermo
la pura fuente en secos arenales,
90 y fresca yerva en campo inculto y yermo,
        que bien puedo llamar mis sueños tales,
pues hecho nuevos lazos te imagino
de los braços que agora huyendo sales.
        Despierto, y con saber que desatino,
95 la ya desierta cama abraço y tiento,
y algún lugar de tus regalos dino,
        mas no sé yo que el oro al avariento
le huya más ligero de las manos,
quando el sueño engañó su pensamiento,
100   ni a Tántalo crüeles e inhumanos
los frutos verdes y el christal corriente,

que de mis ojos van los sueños vanos.
   Crece el dolor y crece el accidente,
la falta es nueva, y fresca la memoria
105 del bien que se ausentó, y el mal presente.
   Mas ¿para qué me canso en tanta historia?
¿o para qué tan tiernamente escrivo
mi vencimiento humilde y tu vitoria?
   ¿Amorosa soy yo con un esquivo?
110 ¿con un crüel piadosa? ¿Y cómo infame
sigo la sombra vil de un fugitivo?
   No quiero yo que aquesto amor se llame,
llámese ya vengança, pues es justo,
y en vez de tinta, sangre se derrame.
115   No piense el vil Rugero que a su gusto
ha de gozar, dexándome, de aquella
que tiene por vitoria mi disgusto,
   que aunque se precia de discreta y bella,
tus ojos, tus oydos son testigos
120 que puede Alcina competir con ella.
   Mas no lo han de juzgar mis enemigos,
ni me baliera la sentencia agena,
mientras de mi contrario son amigos.
   Rugero, aquí te aguarda una cadena,
125 que a mí me a de librar y aprisionarte,
viva te he de seguir, y muerta en pena.
   Y si ruegos de amantes tienen parte
en la piedad del cielo enternecida,
mil vezes, no una vez, he de matarte,
130   que assí como te quiten una vida,
le rogaré que te la dé de nuevo,
para que buelva a ser nueva homicida,
   y tantas vidas a quitar me atrevo
quantas el mismo cielo darte puede:
135 tal esperança en mis agravios llevo.
   Y téngala también de que no quede
sin castigo Melisa, y semejante
a la trayción que a la de Troya excede.
   También miente si dize que Atalante
140 me hizo a mí con sus hechizos bella,
que todo es invención de Bradamante.
   Yo soy más moça y más honrada que ella,
pues se precia de dama siempre armada,
y quiere entre soldados ser donzella.

145 Quítese los penachos y celada,
descubra los cabellos y la frente,
y el rosicler entre la nieve helada,
 que entonces tú verás, y claramente,
la villana y robusta semejança,
150 poco de su caballo diferente.
 Mejor que yo sabrá jugar la lança,
mas regalarte no, ni entretenerte,
tú sabes si es verdad mi confiança.
 Creo que yerro en dessear tu muerte,
155 pues de mi fealdad y vejez huyes,
creyendo tú que soy de aquella suerte.
 ¿Cómo, Rugero mío, tú no arguyes
de quien te quiso hurtar el falso engaño,
y en mi primero onor me restituyes?
160 Buelve, señor, a ver el desengaño,
buelve a reconocer tu casa y huerta,
joyas, collares, mesa, estufa y baño,
 buelve a dar vida a mi esperança muerta,
buelve a alegrar aquesta casa triste,
165 ya por tu ausencia estéril y desierta.
 Cien olmos altos, que ya el tiempo viste,
las escritas cortezas van creciendo
con mi nombre, que en ellas escriviste.
 Llámante aquestas fuentes, que corriendo
170 entre menudas guijas me recuerdan
del tiempo que a su son te vi durmiendo.
 No es possible, mi bien, sino que pierdan
algún bien estas plantas, pues que todas
mudas me hablan, y de ti se acuerdan.
175 ¿A qué nuevos regalos te acomodas?
¿quién te engaña, señor, que preso quedes
tan tierno niño en desiguales bodas?
 Ven luego, ven, e yremos con las redes
a caçar en el monte jabalíes
180 que con tu jabalina matar puedes,
 que quiero yo que en mi favor te fíes
mejor que en el de Venus aquel niño
convertido en morados alhelíes.
 Pensando estoy que a los sabuesos riño,
185 siguiendo el corço, el osso, el ciervo, el gamo,
y que contigo todo el monte ciño.
 También podremos yr con el reclamo

a cautivar las simples avecillas,
qual yo lo estoy, porque te adoro y amo.
190   Aquí tengo un collar y dos manillas,
y de rubíes y esmeraldas llenos
ricos jaezes y bordadas sillas,
      de plata pura guarnición y frenos,
estriveras moriscas y acicates
195 de historias tuyas echas, quando menos.
      Verás, quando los calces o los ates,
mil vezes tu retrato con el mío,
y que te ruego yo que no me mates.
      Daréte una marlota, que yo fío
200 que el Mar del Sur no a visto perlas tantas
ni llega tal riqueza al Norte frío.
      Ya sabes tú también si te levantas
de mi messa, Rugero, satisfecho,
que alguna vez me as dicho que te espantas
205   que el ave de Phenicia, a su despecho,
del que apenas ay uno entiende, as visto
hazerte adereçada buen provecho.
      De ricas telas nuevamente visto
cama en que duermas, mesa donde comas,
210 que de nuevo te sirvo y te conquisto.
      ¡Qué pabos, qué perdizes, qué palomas,
qué francolines, qué faysanes crío!
      ¡qué vinos te daré llenos de aromas!
y ¡qué alma te daré, Rugero mío!

137 *Rimas* Meliso.

Se escribió esta epístola de Alcina siguiendo el modelo de las *Heroidas*. Se observan en ella evidentes reminiscencias ovidianas. Los versos 19-24 se inspiran en las primeras líneas de la epístola que manda Dido a Eneas (*Heroidas,* VII, 5-8), la inquietud de Alcina (v. 95) recuerda la angustia de Ariana abandonada (*Heroidas,* X, 9-12). Puede ser que el detalle del nombre de Alcina grabado en la corteza de los árboles (v. 167-170) se haya tomado de la quinta *Heroida* (v. 21-23), pero no lo afirmaremos, por ser muy frecuente el tema en la poesía, especialmente en la poesía pastoril. En cambio es indudable que el verso 188 se inspira en Garcilaso (*Égloga II,* v. 201).

El sentido y el tono de esta epístola son más interesantes que su forma. Lope de Vega se hace en este texto defensor de Alcina, a quien presenta como una mujer enamorada. Este enfoque es original, y creemos que único, en la literatura española de la época. Que sepamos, todos los poetas que hablan de Alcina a fines del siglo XVI sólo se fijan en su carácter de maga engañosa. Un romance del manuscrito 2856 de la Biblioteca Nacional (fol. 133 r°) alude a "la hechicera Alcina", otro (*Berzebú os lleve, adorantes*) declara:

> Acuérdome que adoré
> un impussible de estremos,
> una Alcina, una Medea,
> un mortal despeñadero.

> (*Romancerillos de Pise*, en *R. H.*, LXV,
> 1925, p. 160-263, núm. 101.)

Pedro de Padilla habla en un *Discurso en tercetos* de una "falsa y aparente Alcina" (*Romancero*, 1583, fol. 200 r°), se arrepiente Carlos Boyl por haber querido a "una Alcina, cruel encantadora" (*Quise una fiera Circe y vil tarasca*, *Actas de la Academia de los Nocturnos*, sesión 75, reproducido por Foulché-Delbosc, *Romancerillos de Pise*, núm. 39). En forma más clara que los demás poetas, insiste Andrés Rey de Artieda sobre el sentido moral del episodio en un soneto que titula *Al engaño que reciben los enamorados*:

> Junto a una hermosa fuente clara y fría
> que el jardín riega donde Alzina mora,
> al parecer más bella que la Aurora
> y que la luz del más sereno día,
>   Rugiero, a quien el grifo alado guía,
> viéndola con sus damas a deshora,
> ríndese luego, humíllase y adora
> las verdes plantas que ella misma cría.
>   Allí la tarde, la mañana y fiesta,
> con lágrymas las tiernas flores baña
> que adornan la hermosíssima floresta.
>   Mirad quán fácilmente nos engaña

una muger, pues entendemos désta
que apenas tiene ceja ni pestaña.

(*Discursos, epístolas y epigramas de Artemidoro*, p. 195.)

Aparece Alcina a estos poetas como el símbolo del pecado de lujuria y de los yerros a que conduce el hombre. También es para ellos, sin duda, la cortesana cuyos encantos detienen a Rugero apartándole del camino de la gloria y de la unión con Bradamante. Y es que Pedro de Padilla y Rey de Artieda tienen por cierta, como muchos contemporáneos suyos, la interpretación épica y moral del *Orlando Furioso* que hemos definido en otra ocasión como característica del siglo XVI hasta los años 1580 (véase nuestro estudio *L'Arioste en Espagne*, Primera parte).

Pero a Lope de Vega le seduce la sensualidad del episodio. En el personaje de Alcina ve la mujer, y no la maga. Bradamante y Alcina no representan el Bien y el Mal, son sencillamente rivales. Más, se permite Alcina hacer escarnio de la hija de Aimón (v. 139-150). Tales versos le hubieran sonado a blasfemia a Pedro de Padilla. Este tono burlón, que confina con lo burlesco, es revelador de la opinión que tiene Lope del *Orlando Furioso*. Se niega a considerarlo como una epopeya moral, ve en el poema una obra que desarrolla con arte refinado los grandes temas de la pasión amorosa.

44

RUGERO Y ANGÉLICA

Ramillete de Flores. Quinta parte de Flor de romances. Pedro de Flores. Lisboa, 1593, fol. 261 v°-263 r°.
Sexta parte de Flor de romances nuevos. Pedro de Flores. Toledo, 1594, fol. 143 r°-144 r°.
Romancero General 1600, 1604, 1614. Sexta parte.

En una desierta isla,
tendida en la fría arena,
a un duro tronco amarrada

está Angélica la bella,
5   que unos cossarios la tienen
para manjar de una fiera

que abita en el mar furioso
y tiene el sustento en tierra,
y sólo de carne humana
10 su fiero cuerpo sustenta,
quando el valiente Rugero
por aquella parte allega,
el qual como assí la vido,
ni sabe si duerme o sueña,
15 que está atónito de ver
tan acabada belleza,
y estándola assí mirando,
un rüydo grande suena,
y es que la bestia marina
20 viene a comer la donzella.
Rugero trae un escudo
obrado por tal manera
que quitándole un cendal
su gran luz la vista ciega,
25 y porque su claridad
a la donzella no empezca,
sacó un anillo encantado
de estraña virtud y fuerça,
que ningún encantamento
30 no le daña a quien le lleva,
y assí le puso al momento

en la blanca mano y bella,
y aviéndola desatado
del tronco donde está puesta,
35 se apercibe a la batalla
con la temerosa fiera.
Angélica reconoce
que el anillo que le diera
era suyo, y le fue hurtado
40 por un ladrón en su tierra,
y como la que bien sabe
su extraña virtud y fuerça,
mudó al momento el anillo
del dedo a la boca bella,
45 y luego desaparece
como a la boca le llega,
y assí se va por el campo
sin que Rugero la vea,
y saliendo con victoria
50 de aquella lid tan sangrienta
se buelve muy descuydado
a buscar la dama bella,
y como reconoció
el engaño en que cayera,
55 assí a lamentar su suerte
comiença desta manera:

"Ingrata dama, ¿y este bien me as dado
agora por engaño manifiesto,
pues el anillo rico me has llevado?
60 ¿Qué era dártelo en don, tomando el resto?
Toma el escudo y el cavallo alado,
y a mí te doy sin otro presupuesto,
sólo muestra la faz que me escondes,
ingrata, que oyes dura y no respondes".

14 *RG 1600, 1604, 1614* no sabe si.... — 17 *RG 1600, 1604, 1614* y estando assí mirando. — 30 *Ramillete de Flores, RG 1604*: a quien la lleva. Damos al verso la forma correcta que ofrecen los otros textos. — 32 *Sexta parte* en la blanca mano bella. *RG 1600, 1604, 1614* en la mano blanca y bella. — 38 *RG 1600, 1604, 1614* la diera. — 55 *Sexta parte* assí lamentar su suerte [*sic*]. — 57 *RG 1604, 1614* ingrata dama, si este bien me has dado. — 59 *Ramillete de Flores*: me as llenado. Todos los otros textos dan la lección

correcta. — 61 *RG 1600, 1604* el cavallo al lado. — 63 *RG 1604, 1614* la faz que aquí me escondes.

Este romance resume un episodio conocido del *Orlando Furioso* (X, 92-99, 107-111 y XI, 3-8). La octava final es adaptación de una estancia italiana (*O. F.*, XI, 8).

4 5

RUGERO Y ANGÉLICA

Ms 3915 de la Biblioteca Nacional, fol. 74 vº-75 rº y 175 vº.

Rompiendo los aires banos
en el ipogrifo fiero,
buela por cima del mar
el balïente Rrujero.
5 No lleba el dorado arnés,
que lo dejó al escudero,
sola la lança en la mano
lleba por ser más ligero.
Detubo el curso beloz
10 a un acento lastimero
de la reina del Catai
que está en el trançe postrero,
esperando ser comida
de un mostruo ter[r]ible y fiero,

15 metidas sus blancas manos
en dura prisión de acero.
y aunque se siente morir,
le es dolor más lastimero
el ber como está desnuda
20 delante del caballero.
Quiso ablar y no pudo,
que la bergüença primero
selló sus hermosos labios
el imbencible guerrero [*sic*].
25 Mas al fin sus tristes ojos,
de perlas fértil minero,
descubren su pena triste
al imbencible guerrero.

4 *Texto 1* el baleroso Rugeros. — 6 *Texto 1* que lo dexó a su escudero. — 7 Corregido según el texto 1. *Texto 2*: sola lança en la mano. — 10 *Texto 1* a un asiento lastimero [*sic*]. — 11 *Texto 1* de Catai. — 14 *Texto 1* orrible y fiero. — 15 *Texto 1* las blancas manos. — 18 *Texto 1* dolor más berdadero. — 19 *Texto 1* berse como está desnuda. — 24 Error del copista (véase el v. 28). La lección del texto 1: el suçeso venidero, no parece más satisfactoria. — 25 *Texto 1* sus tiernos ojos. — 26 *Texto 1* de piedras fértil minero [*sic*]. — 28 *Texto 1* la pena.

12

Ofrece sucesivamente el manuscrito 3915 dos versiones de este romance artificioso, en que la rima sustituye la asonancia. Editamos el segundo texto que nos parece, con unas imperfecciones evidentes, menos defectuoso que el primero.

El cuadro que esboza el romance se inspira en algunas octavas del *Orlando Furioso* (X, 92-99).

4 6

ENGAÑO DE RUGERO

Ms 7149 de la Biblioteca Nacional, p. 807-808.

De ricas armas armado
que de oro brillando estaban,
con mil plumas en el yelmo
azules, verdes y blancas,
5 coloradas, pardas, negras,
amarillas y leonadas,
y medallas de oro fino,
que es Bradamante su dama,
en un caballo feroz
10 que a correr el viento pasa,
picándole va la espuela
con ímpetu y furia brava
el valeroso Rujero,
que dos águilas de plata
15 labradas lleva en su escudo.
Tras Bradamante picaba,
vio a Ricardeto su hermano,

y que es su dama pensaba,
que le parecía mucho
20 en el aire y en la gracia.
Y que no le habla viendo
más que antes lo extrañaba:
estaba muy pensativo
con cólera, enojo y saña.
25 Mas Ricardo y otros dos
que eran sus hermanos andan
hacia Francia muy apriesa,
que en peligro Carlo estaba.
Rujero va tras los tres
30 con el rostro vuelto en brasa,
y llegando ya a París
de su engaño se apartaba,
vuelve a buscar a su diosa,
la cual encantada estaba.

21 *Ms 7149* y que no la halla viendo. La corrección que proponemos se inspira en el texto que es fuente del romance.

El manuscrito 7149 de la Biblioteca Nacional es una copia del siglo XIX, que proviene de la biblioteca de Usoz del Río. No hemos visto el texto de este romance en ninguna colección antigua. Sin embargo es indudable que se escribió a fines del siglo XVI, ya que deriva de un episodio del *Libro de Orlando determinado,* poema de Martín de Bolea y Castro, publicado en Zaragoza y Lérida en 1578, y muy pronto olvidado.

En el canto X del *Orlando determinado,* Rugero deja a Bradamante y persigue a Sacripante. La aventura queda pendiente hasta el canto XIII en que volvemos a encontrar a Rugero muy pesaroso:

Grande rato Rugero lo ha seguido,
perdiólo en una selva que hay umbrosa.
¡O quánto que ha quedado arrepentido
de aver dexado a Bradamante hermosa!
5 Sintió a una vanda en esto gran rüydo
y vio cabe una fuente deleytosa
echado sin celada un cavallero,
al qual arremetió luego Rugero.
Paréscele que mira a Bradamante
10 y assí con amorosa voz la llama,
y aunque su nombre calla el fiel amante,
tampoco dize el nombre de la dama.
El otro cavallero en un instante
el cavallo desata de una rama,
15 enlaza el yelmo y pónese a cavallo,
y Rugero también pica el cavallo.
El qual con mansedumbre y gallardía
saludó al cavallero cortésmente,
el otro con retorno respondía,
20 aunque es el responder bien differente.
Admírasc Rugero y no creya
que se pueda engañar en lo presente,
pues era Bradamante en el aspecto
y encubierto estrangero en el effecto.
25 Rugero al cavallero atento mira
diziendo: "Bradamante es en el gesto,
mas póneme en cuydado y más me admira
cómo las armas se mudó tan presto,
y cómo de mi vista se retira.
30 Las propias armas traygo ¡ay Dios! ¿qué es esto?
y aunque viniera de armas encubierto
amor, si le hay, me huviera descubierto".
El otro cavallero atento estava
viendo como lo mira el buen Rugero,

35 que de pies a cabeça lo mirava,
y assí le dize con semblante fiero
que si de su persona algo mandava.
Rugero le responde: "Cavallero,
mirava si soys vos un cierto amigo
40 que poco rato atrás habló conmigo".
    Replica y dize el otro: "Juraría
que jamás os he visto yo ni hablado,
aquí veréys si os tuve compañía,
assí que la opinión os ha engañado".
45 A Rugero la voz más parescía
de aquella por quien viene lastimado,
no entiende por qué fines se le encubra,
ni sabe si al guerrero se descubra.
    Dos compañeros dél a esto han venido
50 a donde está parlando con Rugero,
y cada qual por sí fue conocido
del encubierto amigo y cavallero,
el cual se ha de Rugero despedido
y de los dos se torna compañero.
55 Rugero quedó solo y pensativo,
no sabe si está loco, muerto o vivo.
    El primer cavallero es Ricardeto,
hermano de la bella Bradamante,
que le parece tanto y tan perfeto
60 es en todo y por todo a su semblante
que no avrá diferencia de un aspeto
al otro aunque los dos estén delante.
El otro era su hermano el buen Alardo,
hermano es el tercero que es Ricardo.
65   Endreçan para Francia su camino,
Rugero solo queda embelesado,
cuydoso, triste, atónito y mohino,
confuso, porque piensa lo ha engañado.
Dixo en su pecho: "Al fin yo determino
70 seguirlos para estar desengañado".
Pero mientras camina, en otra parte
me están llamando Orlando y Durandarte.

(*Orlando determinado*, XIII, fol. 148 vº-
149 vº.)

Las octavas de Bolea y Castro aclaran el sentido de este enigmático romance. El último verso: *la cual encantada estaba,* alude a una maquinación de Malgesí que en el poema tomará la forma de Rugero, se mostrará a Bradamante y fingirá no conocerla, para que le persiga la heroína y vuelva así a París donde los cristianos sitiados por las tropas de Agramante necesitan su ayuda (*Orlando determinado,* XIV, fol. 157 v° - 159 r°).

47

ESPERA BRADAMANTE ANSIOSA

Pedro de Padilla, *Romancero,* 1583, fol. 165 v°-168 v°.

La hermosa Bradamante
en Montalván atendía
a su querido Rugero,
a quien más que a sí quería.
5 Veynte días era el plazo
que dio para su venida,
y a la dama valerosa
mil años se le hazían
como al hombre que está preso
10 y libertad pretendía,
qualquiera breve tardança
de su bien le desconfía.
Quisiera, como los osos,
passar el tiempo dormida,
15 hasta que la despertara
Rugero con su venida,
mas este ni otro remedio
su triste dolor no alivia,
porque ni duerme las noches
20 ni descansava los días,
que en el temeroso pecho

cien mil cosas rebolvía.
Del lecho se levantava
y las ventanas abría
25 por ver si la bella esposa
de Titán aparecía,
y en una torre muy alta,
en viendo la luz, subía,
por ver si al que tanto amava
30 desde allí descubriría,
y en viendo algún cavallero,
que es su Rugero ymagina,
y si viene a pie sospecha
que es mensagero que embía.
35 Mas cuando vio que passava
el plazo que puesto avía,
se començó a lamentar
y tan gran llanto hazía
que las infernales Furias
40 a piedad mover podía,
y amargamente llorando,
estas palabras dezía:

"¿Es fuerça que por fuerça me convenga
buscar al que me huye y se me esconde,
45 y que a quien me desprecia humilde venga,

y que llame al que nunca me responde?
¿Sufrirse ha que el coraçón me tenga
quien a mi gusto en nada corresponde,
y espera que del cielo le descienda
50 diosa que el coraçón de amor le encienda?
   No quiere, con saber lo que le quiero,
tenerme por amante ni por sierva,
y su favor, con ver que por él muero,
para después de muerta lo reserva.
55 Y porque mi tormento lastimero
su boluntad no mude tan proterva,
huye mis quejas fiero y desdeñoso
como el áspid al canto sonoroso.
   Détenle, ciego Dios, que libertado
60 siempre me huye y nunca se quïeta,
o buélveme en aquel dichoso estado,
en que ni a ti ni a otro era sujeta.
Mas ¡ay! que es esperar desatinado
que cosa en mi remedio se entremeta,
65 pues tú te agradas de los males míos
y de ver en mis ojos sendos ríos.
   ¿De quién podré, cuytada, lamentarme,
sino de aqueste yrracional desseo,
que hasta el cielo quiso levantarme,
70 donde abrasadas ya sus alas veo?
Y aunque cayga, no pienso libertarme
del infernal tormento que posseo,
porque serán al punto renovadas
y mis penas de nuevo començadas.
75   La quexa del desseo es escusada,
de mí la podré dar que le abrí el seno,
y de razón el alma despojada,
le aprovó por suabe, dulce y bueno.
Mas a perderme soy por él llevada,
80 porque no tiene ni consiente freno,
y sé muy cierto que me lleva a muerte,
porque el mal esperado sea más fuerte.
   Mas, ¿por qué devo yo de mí dolerme?
¿Qué error, si no es amarte, he cometido?
85 ¿O quién tomó a su cargo deffenderme
si no es un femenil flaco sentido?
¿O cómo pudo no satisfazerme
la rara perfección que me ha rendido,

el semblante real, la cortesía,
90 que fuera aborrecer la luz del día?
Llevóme mi destino, y conmovida
fuy de gente a quien fe se le devía.
Suma felicidad me fue offrecida,
devido premio a la voluntad mía.
95 Y si la persuasión era fingida
que del falso Merlín se me hazía,
dél puedo y devo con razón quexarme,
mas de amar a Ruger no he de apartarme.
De Merlín y Melisa juntamente
100 serán mis quexas y lamento eterno,
que mostraron el fruto descendiente
de mí, con los ministros del infierno,
para que esta esperança falsamente
me rindiese, y la causa no discierno,
105 si no es que acaso estavan imbidiosos
de la seguridad de mis reposos".

Quando la cansada lengua
de quexarse enmudecía,
puso fin la gentil dama
110 al lamento que hazía,
y para que no acabase
en aquel trance la vida,
le començó a dar favor
la esperança que tenía,
115 fundada en la fe y palabra
que Ruger dado le avía.
Y con esto se entretuvo
hasta que saliendo un día
de Montalván para ver
120 si a Rugero encontraría,
vio que del campo africano
un cavallero venía,
al qual pregunta la dama
si de Rugero sabía.
125 Y él por agradarla en esto
dize que le conocía,
y que mató a Mandricardo
con gran riesgo de su vida,
y que estuvo más de un mes
130 su persona mal herida,
y que una hermosa dama,
que se llamaba Marfisa,
nunca dexava su lado,
y en el campo se dezía
135 que luego en estando sano
con ella se casaría.
Juzguen los que de amor saben
el dolor que sentiría
la triste de Bradamante
140 de aquellas nuevas que oya.
Y rebolviendo el cavallo,
con el pecho ardiendo en yra,
para Montalván se buelve,
a donde se determina
145 de partir al campo luego
y dar la muerte a Marfisa,
porque de Rugero estava
afficionada y rendida.

2 *Ms 1579* Moltalván. — 4 *Romancero 1583* assí quería. — 6 *Ms 1579* en que dixo que vendría. — 43 *Romancero 1583* esfuerça que. — 58 *Romancero 1583* como él las pide al canto sonoroso [*sic*].

Este romance es adaptación de un fragmento bastante extenso del *Orlando Furioso* (XXXII, 10-31 y 35). Las ocho octavas que presenta traducen las octavas 18-25 de Ariosto. Es evidente que esta vez no utilizó Padilla, como lo hace en otros casos, la traducción de Urrea, sino el texto italiano. Basta cotejar unos versos para probarlo:

Orlando Furioso, XXXII, 19, 1-2, 7-8

> Sa questo altier ch'io l'amo e ch'io l'adoro,
> né mi vuol per amante né per serva
> ... ...
> da me s'asconde come aspide suole,
> che, per star empio, il canto udir non vuole.

Traducción de Jerónimo de Urrea

> Sabe este altivo que le adoro y amo,
> ni me quiere por suya ni estimarme
> ... ...
> huye de mí por siempre estar más duro,
> qual huye la culebra del conjuro.

Texto de Padilla, v. 51-52, 57-58

> No quiere, con saber lo que le quiero,
> tenerme por amante ni por sierva
> ... ...
> huye mis quejas fiero y desdeñoso
> como el áspid al canto sonoroso.

El manuscrito 1579 de la Biblioteca Real sólo incluye los seis primeros versos de este romance (fol. 38 r°).

4 8

BRADAMANTE EN ARLES

Pedro de Padilla, *Romancero*, 1583, fol. 168 vº-172 vº.
Ms 1579 de la Biblioteca Real, fol. 31 rº-32 vº.

La hermosa Bradamante,
celosa y desesperada,
de Montalván su castillo
se salía una mañana.
5 En busca va de Rugero
por hazerse dél vengada,
y dar el pago a Marfisa
de aver sido tan osada,
y yendo con su cuydado
10 afligida y congoxada,
de Marfisa y de Rugero
un hombre nuevas le dava,
que con el rey Agramante
en Arles el par estava.
15 Y después de aver vencido
a Rodamonte en batalla,
por querer vedarle el passo
de una puente que guardava,
y ganádole un cavallo
20 que Frontino se llamava,
con Flordelís se venía,
y en Arles siendo llegada,
el cavallo que traya
a Rugero le embiava,
25 y con la que se le lleva
ansí le desafiava:
que un cavallero estrangero,
que cerca de la puente estava,
dize que sus armas tome
30 y haga con él batalla,
y que le provará en ella
que no cumple su palabra.
Rugero quedó confuso

quando oyó tal embaxada,
35 creyó que era Rodamonte
con quien enojado estava.
Mas Bradamante no espera,
que el cuerno luego tocava,
con el qual dava a entender
40 que allí batalla esperava;
y a Marsilio y Agramante
esta nueva les fue dada,
y Serpentin de la Strella
ante ellos se arrodillava,
45 suplicando que le dexen
cumplir aquella demanda.
Los reyes se la conceden
y a los muros se paravan,
y vieron al que salía
50 de otra suerte que pensava,
porque del primer encuentro,
solo el cavallo dexava,
el qual dio luego a huyr
quando se vio sin la carga.
55 Bradamante le alcançó,
y al moro se le tornava,
y dixo: "Dile a tu rey
que yo a ti no te buscava".
Y estando el Rey espantado,
60 mirando lo que passava,
Grandonio salió el segundo,
el más sobervio de España,
y al que en el campo le espera
con gran yra amenaçava.
65 Succedióle de otra suerte
al moro que imaginava,

porque dexando el cavallo,
por aquel campo rodava,
y Bradamante le toma
70 y al moro le presentava,
el qual se bolvió corrido
a donde su rey estava.
Ferraguto fue el postrero
que encendido en yra y saña,
75 de todas armas armado,
al campo se presentava.
Bradamante le pregunta
quién era, y él lo declara,
y en tanto que lo hazía
80 a Bradamante mirava,
y viendo rostro tan bello,
el alma le enamorava.
Después, tomando del campo
lo que a cada qual bastava,
85 parte el uno para el otro,
y Ferraguto quedava
como los dos compañeros
en la refriega passada.
Preguntóle el Rey quién era
90 el que assí los maltratava,
y él dixo que de Reynaldo
a un hermano semejava.
Entendió luego Rugero
que era la que tanto amava,
95 y apriesa las armas pide,
y Marfisa que allí estava,
porque Rugero no uviesse
la honrra desta batalla,
salió prestamente al campo
100 porque siempre estava armada.
Bradamante le pregunta,
quando la vio tan bizarra,

quién era, y ella lo dize,
porque jamás lo negava,
105 y con esta información
buelve Bradamante ayrada,
creyendo de aquel encuentro
quedar libre y descargada
del tormento y pesadumbre
110 y celo que ésta le dava;
y assí, del golpe primero,
le fue forçoso a la dama
dexar sin dueño el cavallo,
cosa harto desusada.
115 Quando se vido en el suelo,
puso mano por la espada
y a Bradamante arremete
qual vívora emponçoñada,
mas Bradamante la hiere
120 de otra segunda lançada,
y en el arena la tiende
offendida y maltratada.
Rugero estava mirando
este succeso y temblava,
125 porque conoce a Marfisa
fuerte, valerosa y brava.
Mas la gente de ambas partes
que la batalla mirava,
entre las dos se pusieron
130 y a entrambas las apartavan,
y una fiera escaramuça
con esto se començava,
a la qual salió Rugero,
a quien Bradamante aguarda,
135 y el donayre que traya
y el apostura mirava,
y puestos en él los ojos,
desta manera hablava:

"¿Cómo que tanta gloria goze aquella
140 que yo acabar no pude? ¡O dura cosa!
¡Ay Dios! no sea verdad, mi clara estrella,
que si no a mí, tú tengas otra esposa.
Más que morir raviando y con querella
desseo morir aquí de mí piadosa,

145 que al fin, si te perdiere, el justo infierno
conmigo te pondrá para in eterno.
Si tú me matas, quédasme deviendo
la muerte y la vengança, y esto es cierto,
que ley divina manda, aconteciendo,
150 que quien matare a otro, que él sea muerto.
Mas no se yguala el daño, porque entiendo
que mueres tú a razón, yo muero a tuerto;
y un alma mataré, mi matadora,
mas tú la que te ama y te adora.
155 ¿Por qué no eres, mano, di, atrevida
de abrir con hierro a mi enemigo el pecho,
que tantas vezes muerto me ha la vida,
quedando de hazello satisfecho?
¿Sufrir puedes me mate, ya vencida,
160 sin piedad de verme en tanto estrecho?
Toma contra el ingrato esfuerço fuerte,
venga mil vidas mías con su muerte".

Y en diziendo estas razones
con el cavallo arrancava:
165 "Guárdate, traydor Rugero",
dize con boz alterada,
y en ella le ha conocido
Rugero, y assí aguardava.
Y quando la vio venir,
170 su lança luego enrristrava,
mas no la lleva tendida
porque teme lastimalla;
y aunque Bradamante viene
furiosa y desatinada,
175 llegando a dar el encuentro
no pudo sufrille el alma
offender assí la cosa
que en el mundo más amava,
y el encuentro sin effeto
180 de entrambos a dos passava,
y la gentil Bradamante
con la mano le señala
que se saliesse con ella
a un valle que cerca estava,

185 a donde una sepoltura,
de mármol blanco labrada,
estava entre unos cipreses,
junto de una fuente clara.
Y entre los dos vio Marfisa
190 el concierto que passava,
y fue allá y con Bradamante
tuvo una fiera batalla;
y con Rugero después
que no consintió acaballa;
195 y estándose combatiendo,
del sepulcro que allí estava,
salió una boz que les dixo
a los dos que peleavan:
"No es justo que más se offendan
200 oy el hermano y hermana",
y allí les declaró luego
el caso como passava.
Y ansí quedó Bradamante
del temor asegurada,
205 y Rugero muy contento
con la hermana que ganava.

4 *Ms 1579* se partiera una mañana. — 9 Los versos 9-10 no se leen en el manuscrito 1579 que ofrece en su lugar los versos siguientes:

> que de Rrujero estuviese
> rendida y aficionada.
> Llevávala el pensamiento
> tan triste y tan congoxada
> que el rostro del duro suelo
> nunca jamás levantava

14,22 *Romancero 1583* Arlen. *Ms 1579* Arles. — 26 *Ms 1579* lo desafiava. — 28 *Ms 1579* cerca del puente. — 37 *Ms 1579* Bradamante más no espera. — 39 *Ms 1579* por el qual. — 41 *Ms 1579* a Marsilio y Agramante. — 43 *Ms 1579* de la Estrella. — 55 *Ms 1579* Bradamante fue tras él. — 59 *Ms 1579* el rei estava espantado. — 73 *Ms 1579* Ferraguto fue el tercero. — 86 *Ms 1579* quedara. — 91 *Ms 1579* él dixo que de Reinaldo. — 92 Después de este verso, el texto del manuscrito 1579 presenta dos versos que desaparecieron en la redacción definitiva:

> y que a Rrugero quería
> y otro ninguno buscava

93 *Ms 1579* entendió Rugero luego. — 98-99 *Ms 1579* la gloria desta batalla / salió al canpo prestamente. — 105 *Ms 1579* sin aguardar más razones. — 107 *Ms 1579* pensando de aquel enquentro. — 111 *Ms 1579* y assí del primer enquentro. — 122 *Ms 1579* de los golpes maltratada. — 128 Después de este verso figuran en el manuscrito 1579 dos versos que no se leen en la redacción definitiva:

> para poder socorrer
> la parte que le tocava

140 *Ms 1579* acabar no puedo. — 144-145 *Ms 1579* deseo morir por mí de mí piadosa / que si yo así te pierdo el justo infierno. — 146 *Ms 1579* en eterno. — 151 *Ms 1579* yo boi biendo. — 153-154 *Ms 1579* un alma mataré, mi matadora / mas tú, cruel, quien te ama y quien te adora. — 159 *Ms 1579* pucdcs sufrir me mate. — 172-173 *Ms 1579* que teme de lastimalla / y aunque venía Bradamante. — 177-178 *Ms 1579* de ofender al que la tiene / rendida y aprisionada. — 181 *Ms 1579* y la bella Bradamante. — 186 *Ms 1579* de blanco mármol obrada. — 188-189 *Ms 1579* a una fuente muy cercana / entre los dos vio Marfisa. — 191-192 *Ms 1579* y fue allá y tuvo con ella / una sangrienta batalla.

Despúes de aludir brevemente a los acontecimientos narrados en la composición precedente y recordar el combate de Bradamante y Rodamonte (*O. F.*, XXXV, 47-52), resume este largo romance una serie de octavas del *Orlando Furioso* (XXXV, 59-80, XXXVI, 11-68). Los versos 139-162 son traducidos de las octavas 32-34 del canto XXXVI, pero a ratos se inspiran en un texto intermediario. Es cierto que al escribir este trozo se inspiró Padilla en la traducción de Jerónimo de Urrea, en la cual se leen con forma exactamente idéntica los versos 141-143, 147-149 y 161-162 de la composición que nos interesa.

4 9

ESPERA BRADAMANTE ANSIOSA

Flor de varios romances nuevos. Tercera parte. Felipe Mey. Valencia, 1593, fol. 143 v°-145 r°.

Suelta las riendas al llanto,
celoso el pecho y ayrado,
la hermosa Bradamante,
llena de angustia y cuydado.
5 Llora de Ruger la ausencia,
pensando averla olvidado,
arranca un suspiro y otro
que encendiera un pecho elado,
mesa sus rubios cabellos
10 en que el amor a enlazado,
ganándole sus despojos,
aljava, flechas y arco.
Rebuelve en el pensamiento
de vestir arnez trançado
15 para buscar su Rugero
a quien ya la palma a dado.
"¿Qué es de ti? ¿dó estás, Ru-
[gero,
mi bien, mi dulce cuydado?"
Llámale de fe marrano,
20 de razón y amores falto.

No puede acabar consigo
que un amor tan arraygado
se le bolviesse al revés
de lo que siempre a mostrado.
25 "¡Ay! bellos ojos, luzeros
que alumbravan mi cuydado,
¿quién pudo tanto con vos
que a Bradamante eys dexado?
Buelve, buelve, dulce prenda,
30 cumple el término aplazado
antes que la muerte orrenda
me prive de executallo,
pueda amor de tantos años
más que un ora de regalo,
35 no dexes, Ruger, morir
a quien el pecho as robado,
mueva tu amor a piedad
este rostro delicado,
que en lágrimas de sus ojos
40 le verás estar bañado.
Quien hizo naturaleza

en todo tan estremado,
no es bien que se diga dél
que [a] la palabra a faltado".
45   Llora, solloça y suspira,
llama siniestro a su hado,
embía al cielo sus quexas,
a la fuente, río y prado,
buelve con doblada furia,
50 con furor único y raro
llama su dulce Rugero:
"Ruger, buelve", y va [a] abraçallo,
anda aquí y allí rabiosa,
para allí buelve a llamarlo,
55 quando el eco le responde,
piensa que Ruger le a hablado,
"No soy Bradamante, dize,
de quien fuiste enamorado,
no te abscondas, no soy ésta,
60 porque en ti me e transformado.
Piensas que caminas solo,
caminas acompañado
de mi triste coraçón
que en el tuyo se a forjado.
65   Buelve essos ojuelos bellos,
verás mi pecho abrasado,
no tardes, dichoso moro,

porque el tardarte es pesado.
Aplica a este mal remedio,
70 mira quán mal me a tratado,
sólo, Rugero, en ti está,
que en otro no ay remediallo".
Entre estas celosas quexas
buelve y dize: "¡A, esforçado
75 pecho de la sangre illustre
de Claramonte y Mongrano!
¿Tan presto, di, te olvidaste
de quién eras? ¿de tu estado?
¿Ansina, sin más respecto,
80 te entregaste a un moro elado?
No llores más, tente, basta,
no afloxes la rienda tanto,
toma tu lança de oro,
salta en tu cavallo alado".
85   Y con furia desmedida
en un retrete se a entrado,
ármase el peto y la cofia,
espaldas y arnés trançado.
Ansí parte Bradamante
90 buscar su Ruger amado,
rebolviendo al mundo todo
sin descansar su cuydado.

18 *Flor* cnydado [*sic*]. — 46 *Flor* sn hado [*sic*]. — 58 *Flor* enemorado. —
77 *Flor* tan presto de ti olvidaste.

Algunas octavas del *Orlando Furioso* (XXXII, 35-48) le brindaban
al poeta un asunto que trató con mucha libertad. En el caballo de Astolfo
(*O. F.,* XXXII, 48, 1) vio una alusión al hipógrifo (v. 84), cuando se
trata de Rabicano.

También se lee el verso *suelta las riendas al llanto* en un romance
de Adonis y Venus que creemos inédito (*Por una fresca arboleda | de
muchos sauzes cercada,* Ms 4072 de la Biblioteca Nacional, fol. 18 rº).

50

BRADAMANTE SALE PARA ARLES

Ms 125 de la Biblioteca Universitaria de Barcelona, fol. 134 vº-135 rº.

Romancero de Barcelona, en *R. H.*, XXIX, 1913, p. 121-194, núm. 148.

Ya sale de Montalván,
de su dolor perseguida,
la famosa Bradamante,
flor de la cavallería.
5 De armas azules armada
con tres bandas amarillas,
muchas plumas en el yelmo,
su señal lleva tendida,
que era un dios de Amor pin-
10 y en el escudo traya   [tado,
un mote y letra que dize:
"Vayan a perder la vida".

Vase al campo de Agramante
do Rugero rezidía,
15 un valiente cavallero
a quien ella tanto quería.
Celos la llevan a vello,
que dellos es perseguida,
porque Rugero es su gloria
20 y Rugero su alma y vida,
y con este presupuesto
y çelosa fantasía,
va tan furiosa que lança
fuego por el yelmo y vista.

5 *Ms 125* de armas hazules hiva armada [*sic*]. — 21 *Ms 125* y con esto presupuesto. — 22 *Ms 125* fantesía. — 23 *Ms 125* que llansa.

Como el autor del romance precedente, el de *Ya sale de Montalván* demuestra innegable originalidad. Sólo aparece en sus versos una lejana reminiscencia del *Orlando Furioso*: acepta, cuando describe los arreos de la heroína, el simbolismo de los colores que le sugiere el poema italiano (XXXII, 47). Pero al color de hoja seca escogido por Ariosto, prefiere el azul, indicio acostumbrado de los celos en las obras españolas del Siglo de Oro (v. 5). Se inicia la acción con mucha vivacidad en el primer verso, que es de un tipo corriente en el romancero (véanse más arriba los comentarios que damos al núm. 41).

5 1

CELOS DE BRADAMANTE

Pliego suelto impreso en Valencia a fines del siglo XVI y reproducido por Foulché-Delbosc (*Les Romancerillos de la Bibliothèque Ambrosienne,* en *R. H.,* XLV, 1919, p. 510-624, núm. 97).

Sangrientas las hebras de oro,
se sale de la batalla
la hermosa Bradamante,
flor de los doze de Francia.
5 Sale del furor de Marte
y de entre Belona ayrada,
con prueva de su valor,
aunque herida, vengada.
No le admira el ver de sí
10 rota la gente affricana,
lauro de quien ya su frente
mil vezes vio coronada,
admírale ver que al tiempo
que con vencedora espada
15 por el campo de Agramante
vence la enemiga esquadra,
de un ciego niño desnudo
no le valiesse algún arma

que reparasse las flechas
20 que el temido arco dispara.
Contempla de su Rugero
la noble y cortés vengança,
y en esta contemplación
de nuevo dolor desmaya.
25 Llorando cabe una fuente,
el yelmo se desenlaza,
descubriendo un nuevo cielo
de beldad tan extremada,
un sol que, lloviendo sangre,
30 sobre nieve esparze grana,
dos estrellas hechas fuentes
con dos auroras que manan.
Las blancas perlas descubre
do los dos rubís se apartan,
35 y hazia las silvestres Diosas
descubre el dolor del alma.

33 *Pliego* descubren.

Imagina el autor de este romance que Bradamante se retira del combate después de atropellar bajo las murallas de Arles las tropas de Agramante (por lo que toca a las hazañas de la heroína en esta jornada, véase *Orlando Furioso,* XXXVI, 38-39). La escena es original.

5 2

RUGERO ENTRA EN PARÍS

Flor de varios romances nuevos. Tercera parte. Pedro de Moncayo.
Madrid, 1593, fol. 115 vº-116 rº.
Flor de varios romances nuevos. Tercera parte. Felipe Mey. Valencia,
1593, fol. 207.
Romancero General 1600, 1604, 1614. Tercera parte.

En un cavallo ruano
de huello y pisar ayroso,
fuerte, vistoso y galano,
entra en París el famoso
5 Rugero a hazerse christiano,
  y como el bravo guerrero
se uviesse puesto aquel día
bizarro en traje estrangero,
toda la corte dezía:
10 "¡Quán gallardo entra Rugero!"
  Entra el moro acompañado
désse que Roldán se llama
con otros de grande estado,
paladines de gran fama
15 lleva Rugero a su lado.

  Alegres y satisfechos,
y sus personas gallardas,
van a palacio derechos
adonde el Rey los aguarda
... ...
20   Estava con gran decoro
el Carlos representando
su magestad y tesoro,
a cuyo faraute hablando
de rodillas dixo el moro:
25   "Buen Carlos, dame la mano,
que aunque no te lo he servido,
yo soy Rugero el pagano
que a tus cortes he venido
para bolverme christiano".

5 *Flor Moncayo, Flor Mey* Rugero hazerse christiano. *RG 1600, 1604,
1614* Rugero a hazerse christiano. — 16-19 Texto de las *Flores* y del *RG
1600. RG 1604, 1614* alegres y satisfechos / y sus personas honrando / van
a palacio derechos / donde el Rey está aguardando. Es incompleta la quin-
tilla en todos los textos. — 21 *RG 1600, 1604, 1614* don Carlos.

El autor de esta breve composición en quintillas se inspira muy libremente en la descripción de la entrada triunfal de Roldán y sus amigos
en París (*O. F.*, XLIV, 29-34). Rehace la escena en tal forma que Rugero
eclipsa a todos sus compañeros, lo que no era el caso en las octavas
de Ariosto. Además no tiene en cuenta el hecho de que según el *Orlando
Furioso* (XLI, 59) el héroe se ha bautizado ya cuando entra en París,
sin duda por estimar que ha de revestir el bautismo de Rugero un carácter público y solemne que no le había dado Ariosto.

13

53

BRADAMANTE JURA FIDELIDAD A RUGERO

Alonso Núñez de Reinoso, *Stancias de Rugier, nuevamente glosadas* (*Historia de los amores de Clareo y Florisea, y de los trabajos de Ysea. Con otras obras en verso parte al estilo Español y parte al Italiano*, 1552. Libro segundo, p. 129-134).

> *Rugier, qual siempre fui, tal ser yo quiero,*
> *hasta la muerte y más, si ser pudiere,*
> *o sea amor manso o cruel guerrero,*
> *o la fortuna dé lo que quisiere,*
> 5 *que peñasco muy firme ser yo espero,*
> *al qual la mar con fieros vientos hiere,*
> *con bonança jamás o con tempestad,*
> *no mudaré querer ni mi voluntad.*
> *Escoplo de plomo se ha de ver*
> 10 *ymagen en diamante hazer muy prima*
> *antes que mudarme jamás de querer*
> *a Rugier que a querello mi fe [se] anima,*
> *y los ríos atrás también correr*
> *antes que en mí mudança imprima,*
> 15 *ni por malos ni buenos movimientos*
> *ya no se mudarán mis pensamientos.*

COMIENZA LA GLOSA

> La bella Bradamante que, herida,
> está casi sin sentido con furor
> en pensamientos continos metida,
> 20 en penas y sospiros con gran dolor
> llorando ausente su muy triste vida,
> escrive a su Rugier con puro amor,
> diziendo con pesar muy verdadero:
> *"Rugier, qual siempre fui, tal ser yo quiero.*
> 25   La fe que te di tengo con firmeza,
> comigo bive el contino cuydado,
> que sufro por ti siempre con tristeza,
> el mismo dolor passo sin mudado

ser jamás por fortuna ni grandeza,
30 que ni por reinos ni por gran estado
dexará mi alma de querer como quiere,
hasta la muerte y más, si ser pudiere.
Jamás igualará a mi querer
amor ninguno de ningún nasçido,
35 las cosas todas mudarán su ser
antes que dé mi amor punto perdido,
ni mudança ninguna he de tener
para contigo si tengo sentido,
moriré por ti como agora muero,
40 *o sea amor manso o cruel guerrero.*
Agora vista real vestidura,
aora vestida con sayal me viesse,
aora fortuna en la mayor altura
a tu leal Bradamante la pusiesse
45 con alteza tan grande que ventura
de sola ella embidia resçibiesse,
con todo querré, o suerte consintiere,
o la fortuna dé lo que quisiere.
Si tus cabellos roxos se bolviessen
50 todos blancos por los sobrados años,
y tus ojos claros se obscureçiessen
tales que en el mirar fuessen estraños,
y batalla campal contra mí hiziessen
causando por quererte bravos daños,
55 no mudaría mi querer entero,
que peñasco muy firme ser yo espero.
Tendré en te amar más duro coraçón
que la tigre nasçida con braveza,
ni que el más bravo y más feroz león
60 quando demuestra mayor fortaleza,
que todas las cosas que nasçidas son
podrán mudarse, mas no mi firmeza,
pues que ser peñasco ventura quiere
al qual la mar con fieros vientos hyere.
65   En mi sospiros penas son los vientos [*sic*]
que al alma hieren muy continuamente,
y son de tanta fuerça sus tormentos
que por mucho que digo, más se siente,
lo qual más anima mis pensamientos
70 y que quiera más ventura consiente,
no dexaré querer ni tu soledad,

jamás con bonança o con tempestad.
    Agora sea la mayor señora
del mundo todo desierto y poblado,
75 agora quiçás tan baxa pastora
que rija por los campos mi ganado,
agora desde donde Phebo mora
hasta donde se pone tenga estado,
en fin con bien, mal ni con adversidad
80 *no mudaré querer ni mi voluntad.*
    Quando a los campos voy a ver bolar
las garças que siguen los caçadores,
tus cuidados no puedo allí olvidar,
y junto con ellos continos temores
85 que no dexan punto jamás descansar
a mí que sufro mortales dolores,
a mí que antes que mude querer
escoplo de plomo se ha de ver,
    escoplo de plomo con lima formar
90 en bivas peñas alguna figura,
y antes al çielo veremos harar
y dar estrellas la tierra muy dura
y ardientes llamas antes dar la mar
que contigo mudar mi fe segura,
95 y antes hemos de ver pinzel o lima
ymagen en diamante hazer muy prima.
    A ti el poder mío tengo dado,
el alma, lo que soy y la firme fe[e],
tal que ninguno por César jurado
100 soy çierta que más firme no la posse[e]
ni que más tenga seguro su estado,
ni igual amor entre la gente se ve[e],
que qualquier mudança se podrá ver
antes que mudarme jamás de querer.
105   Mientras que Phebo diere resplandor
por las verdes campiñas, montes, prados,
por superbas çiudades de gran valor,
por campos de la guerra ensangrentados,
siempre me turará mi firme amor
110 sufrido con la fe de mis cuidados,
queriendo por más que fortuna oprima
a Rugier que a querello mi fe se anima.
    Veremos los corderos siempre andar
entre los lobos por campos pasçiendo,

115 y por sierras altas las naos navegar,
las claras aguas los fuegos temiendo,
y Latona phebal también caminar
quatro cavallos su carro rigiendo,
y todas las cosas contra natura ser,
120 *y los ríos atrás también bolver.*
    Huirán los tristes de las claras fuentes
y los pastores con sed afligidos
a los ríos dexarán y a sus corrientes
antes que yo con todos mis sentidos
125 dexar de querer mis males presentes,
todos mis bienes alegres perdidos,
y perderé la vida que lastima
antes que en mí mudança imprima.
    No tienes que temer que en forma nueva
130 se pueda mudar nunca el coraçón,
ni reyno ni riqueza que lo mueva,
ni todas cosas quantas nasçidas son,
que el fuerte amor no sola una prueva
ha fecho, mas muchas con justa razón,
135 no me mudando sus golpes sangrientos
ni por malos ni buenos movimientos.
    El marfil blanco, la piedra muy dura
pueden con fuerças ya desmenuzarse,
pero no que otra ninguna figura
140 pueda en tan duras piedras reformarse,
mi coraçón que sigue la natura
con ellas todas puede compararse,
pues con más males ni descontentos,
[*ya*] *no se mudarán mis pensamientos".*

52 *Stancias* tales quien. — 102 *Stancias* entre la gentes. — 116 *Stancias* los
fuegos teniendo.

Las dos primeras octavas de Núñez de Reinoso son traducidas del
Orlando Furioso (XLIV, 61-62). Las dieciséis estancias que siguen
glosan las octavas precedentes, aunque no en forma perfectamente regular, ya que en dos ocasiones los versos del texto glosado no coinciden
exactamente con los que se leen más abajo (v. 72 y 120). No se limita
la imitación ariostesca a las dos primeras octavas: otros versos de esta

composición ofrecen evidentes reminiscencias del *Orlando Furioso* (compárense v. 29-31 y *O. F.,* XLIV, 64; v. 97-104 y *O. F.,* XLIV, 63; v. 137-144 y *O. F.,* XLIV, 66). Los versos de Núñez de Reinoso son a la vez la glosa de un corto fragmento del poema italiano y un intento de reelaboración ampliada de las famosas octavas en que Bradamonte le jura fidelidad a Rugero. Esta variación sobre un tema ariostesco repite con fruición el procedimiento retórico de los *argumenta ab impossibili.* Núñez de Reinoso se queda muy por debajo de la fluidez y del arte del poeta italiano y estos desgraciados versos nada añaden a su gloria. Esta composición interesa únicamente por ser un indicio más del favor que gozaron estas octavas en la España del siglo XVI.

A estas octavas se les había puesto música en Italia, y es muy verosímil que se cantaron en España. Se leen efectivamente en el *Libro de música de vihuela, intitulado Silva de sirenas* de Enríquez de Valderrábano (Valladolid, 1547, libro II, fol. XXIV) los dos primeros versos de un "soneto" al que se había puesto música. En estos versos

> Rugier, qual sempre fui, tal esser voglio
> fin a la morte, e più, se più si puote

se reconoce el principio de la octava 61 del canto XLIV del *Orlando Furioso.* Los que llama erróneamente Enríquez de Valderrábano versos de soneto son en realidad versos de estas octavas de Ariosto. El hecho de que se cantaban habrá contribuido a su popularidad, atestiguada por otros textos de la misma época.

5 4

UNA PROMESA DE FIDELIDAD

Ms 1132 de la Biblioteca Nacional, fol. 56 vº-57 vº.

> Qual fui, señora, siempre ansí ser quiero
> asta que muera y más, si más ser puede,
> firme tengo de estar y verdadero,

por bien o mal que la fortuna ruede.
5 La fe me hallarán y amor entero
dentro del corazón asta que quede
hecho zeniza el cuerpo desdichado
que fue siempre de ti tan mal tratado.
   De plomo se verá buril o lima
10 hazer varias figuras en diamante
antes que golpe dc fortuna oprima,
rompa ira de amor fe tan constante,
y se verá tornar contra la cima
de los Alpes el turbio río sonante,
15 que por nuevo acidente ni tormento
de ti pueda partir mi pensamiento.
   A ti sola, señora, tengo dado
el señorío de mí quanto dar pude.
No puedo, aunque quisiese, ser trocado,
20 ni quiero yo, aunque pueda, que se mude
aquella fe y amor que tan sellado
dentro en mi alma está, lo qual no dude
su merced, sino tenga por muy cierto
que siempre seré suyo, bivo o muerto.
25   No tienes de temer que en forma nueva
pueda mi corazón ser entallado,
ni que la imajen tuya se remueva
que en él tan esculpida siempre a estado.
   Que el corazón no tengo, [he] echo prueva,
30 de zera, y el amor lo a bien provado
que al imprimir tu imajen cada día
mil golpes dava y apenas podía.
   Marfil o jema y toda piedra dura
que mejor del entalle se defiende
35 romper podrá, mas no que otra figura
prenda que aquella que una vez ya prende,
que mi corazón es de la natura
del duro mármol que al hierro contiende:
primero podrá Amor despedazalle
40 que hermosura de otra en él se halle.

1 *Ms 1132* qual fue.

Quizás sean estas octavas obra de Pedro de Guzmán. Reproducen
o adaptan las octavas 61-63 y 65-66 del canto XLIV del *Orlando Fu-*

rioso. El poeta hizo suyas las afirmaciones de Bradamante. Tal adaptación
no es caso aislado en la literatura española del siglo XVI; aparece otra,
más original, en el canto XLIII del *Carlo famoso* de Luis Zapata. Acaba
Barbarroja de intimar a Francisco Sarmiento, defensor de Castilnovo,
la orden de rendir la plaza, y contesta el español afirmando su fidelidad
a Carlos Quinto en seis octavas imitadas del mismo fragmento de Ariosto
(*O. F.*, XLIV, 61-66):

> Señor, qual siempre fui, leal ser quiero
> hasta la muerte y más, si más se puede
> ... ...

> (*Carlo famoso*, XLIII, Valencia, 1566, fol.
> 235 c d.)

55

BRADAMANTE JURA FIDELIDAD A RUGERO

Pedro de Padilla, *Romancero*, 1583, fol. 117 rº-179 rº.
Ms 1579 de la Biblioteca Real, fol. 36 rº-37 vº.

> Llorando desconsolada
> Bradamante estava un día,
> el alma de amor y miedo
> por momentos combatida,
> 5 de Rugero enamorada
> y en Montalván retrayda,
> porque de León Augusto,
> Amón su padre quería
> que a su pesar fuera esposa.
> 10 Y así estava prometida,
> aunque muy lexos andavan
> de lo que ella pretendía,
> que dada su fe a Rugero
> antes de aquello tenía,
> 15 y los tratos que passavan
> como entendió que él sabría,
> y que era fuerça sentir
> lo mismo que ella sentía,
> para que se asegurase
> 20 y entendiese que no avría
> en su amor jamás mudança,
> sino que siempre estaría
> con la suerte de firmeza
> que en otro tiempo solía,
> 25 quiso escreville una carta
> por la qual ansí dezía:

> "Ruger, qual siempre fui, siempre ser quiero
> hasta la muerte y más, si más pudiere;
> o séame amor benigno o muy sebero,

30 o lléveme fortuna do quisiere,
   firme estaré, qual duro risco fiero,
   a quien el agua y viento ayrado hiere,
   y nunca por tormenta o por bonança
   en mi fe se verá jamás mudança.
35   Primero se harán varias figuras
   con un buril de plomo en el diamante,
   que golpes de fortuna o desventuras
   muden mi coraçón y fe constante,
   y antes verán del Alpe a las alturas
40 bolver el río turbio y resonante,
   que accidentes o nuevos movimientos
   puedan mudar tan ricos pensamientos.
    El dominio, Ruger, te tengo dado,
   y por ventura es más que nadie crea,
45 porque yo sé que a príncipe jurado
   nunca se ha dado fe que tanta sea,
   y que en la tierra tan seguro estado
   ni rey ni emperador ay que possea,
   porque no es menester muro ni foso,
50 ni estar de otro ninguno temeroso.
    Que sin tener a sueldo otra persona,
   asalto no vendrá que no risista,
   que si riqueza a otras inficiona,
   podrá hazer muy poco en mi conquista;
55 ni linage, ni alteza de corona,
   que suele al vulgo perturvar la vista,
   ni belleza, que un ánimo ligero
   muda, quebrantará tan firme fuero.
    No tenéys que temer que forma nueva
60 pueda en mi coraçón ser entallada,
   porque la ymagen vuestra no hay quien mueva
   del alma, do está al vivo dibuxada;
   de que no soy de cera he echo prueva,
   siendo por vos de amor importunada,
65 donde mostró el poder de su grandeza
   para sólo escalar mi fortaleza.
    Marfil, piedra preciosa, fuerte y dura,
   que mejor del entalle se defiende,
   aunque se rompa, nunca otra figura
70 sino la que ha tenido comprehende;
   yo tengo el coraçón de essa hechura,
   que en vuestra offensa nada no le offende,

y antes podrá partirse de la vida
que en él otra belleza sea esculpida".

75 Después de escrita la carta,
    a Rugero se la embía
    con una su camarera
    de quien el secreto fía.
    Y posponiendo el respeto
80 que a sus padres les devía,
    se fue para Carlomagno
    y una merced le pedía,
    en presencia de los grandes
    que en el gran palacio avía,
85 y el Emperador responde
    que lo que quisiere pida,
    que sin que faltase un punto
    todo se le otorgaría,
    y la dama valerosa
90 estas palabras dezía:
    "Poderoso Emperador,

la merced que yo querría,
es que si he de ser casada,
para que contenta viva,
95 del que por muger me quiera
primero he de ser vencida,
y el que ansí no me ganare
de llevarme se despida".
Carlo luego le promete
100 que assí se lo cumpliría,
y a sus padres se lo manda
como la dama quería,
y assí cesó por entonces
lo que León pretendía,
105 y la gentil Bradamante
con más contento vivía,
viendo que para su intento
mejor medio se offrecía.

19 *Ms 1579* asigurase. — 21 *Romancero 1583* en aquella su mudança. Seguimos para este verso el texto del manuscrito 1579. — 24 A continuación ofrece el manuscrito 1579 cuatro versos que desaparecieron en la redacción definitiva: y que el temor de su padre / ni el inperio que traya / su marido en casamiento / al caso poco haría. — 31 *Romancero 1583* que al duro risco fiero. *Ms 1579* qual risco duro y fiero. — 38 *Ms 1579* muden mi coraçón de fe constante. — 42 *Ms 1579* puedan mudar jamás mis pensamientos. — 44 *Ms 1579* que por ventura. — 45 *Ms 1579* y sé que a nuevo príncipe jurado. — 49 *Ms 1579* porque no es menester cava ni foso. — 52 *Ms 1579* resista. — 57-58 *Romancero 1583* ni bellezer. *Ms 1579* ni belleza que un ánimo lijero / muda, quebrantará sin vos mi fuero. — 67 *Ms 1579* preçiosa, fuerte, dura. — 75 *Ms 1579* después de escrita esta carta. — 80 *Ms 1579* que a sus padres se devía. — 108 *Ms 1579* más buen medio.

También se inspira este romance en el canto XLIV del *Orlando Furioso* (oct. 59-71). Las seis octavas son traducidas del poema italiano (XLIV, 61-66). No parece que Pedro de Padilla haya utilizado aquí la versión de Urrea. Quizás sea reminiscencia, consciente o no, el primer verso del romance. Aparece en efecto en una composición conocida del siglo XV, escrita en honor de Santa Magdalena:

Al señor crucificado
Redentor
yo le vi resucitado
sin dolor.
Llorando desconsolada,
mis ojos tornados fuentes,
yo salí de mi posada
al albor resplandeciente
... ...

(Barbieri, *Cancionero*, núm. 294.)

5 6

RUGERO VENCE A LOS GRIEGOS

Pedro de Padilla, *Tesoro de varias poesías*, 1580, fol. 405 rº-407 rº.

A Grecia parte Rugero,
el gallardo enamorado,
temerosa el alma y triste,
aunque tan furioso y bravo
5 que de todo el mundo junto
hiziera muy poco caso.
El que le lleva es Frontino,
su muy ligero cavallo,
la divisa y el escudo
10 todo lo lleva mudado,
que el águila blanca trucca
en un unicornio blanco,
para no ser conocido
de los que fuesse encontrado.
15 En busca va de León,
resuelto y determinado
de no dexarle con vida
adonde le aya hallado.
Y era porque a Bradamante
20 pidió para ser casado,
y aunque ella no le quería,
y Rugero asegurado

está que no ha de quebrarle
la palabra que le ha dado,
25 con todo no le consiente
Amor estar sosegado,
porque quien ama de veras
de nonada es recatado.
Andando por sus jornadas
30 un día llegó a Belgrado,
y vio el exército griego,
donde estava su contrario,
en una batalla esquiva
con los bulgaros travado,
35 en la qual yvan los griegos
ya vencedores del campo.
Mas el valiente guerrero,
por medio dellos entrando,
en poco tiempo les hizo
40 que perdiesen lo ganado
y se retirasen todos
recibiendo mucho daño.
A León busca Rugero,
pero nunca le ha hallado,

45 porque de un pequeño monte
la batalla está mirando,
y era tan buen cavallero
que con ver el gran estrago
que en sus vasallos hazía
50 el de el unicornio blanco,
viéndole tan valeroso
le está muy aficionado.
La batalla fenecida,
y el Griego ya retirado,
55 los bulgaros a Rugero
llegan a besar la mano,
y piden que su rey sea,
porque el otro avía faltado.
Aceta Rugero el reyno,
60 pero dize que en su mano
cetro no verán primero
que a León aya quitado
juntos el reyno y la vida,
porque le tiene agraviado,
65 y que por aquello sólo
mil millas ha caminado.
Y en diziendo estas razones
dio de espuelas al cavallo
y va tras León Augusto,
70 que entendió luego alcançallo.

Pero no le ha sucedido
lo que lleva imaginado,
porque el exército griego
se avía tanto adelantado
75 que antes que lo descubriese
la noche se avía cerrado,
y sin apearse un punto,
toda ella caminando,
al tiempo que el sol salía
80 se vio a una ciudad cercano,
donde para reposar
en una posada ha entrado.
Mas fue luego conocido
en entrando de un soldado
85 que se halló con los griegos
en el recuentro pasado,
y al señor de la ciudad
se fue muy alborotado,
y le contó como avía
90 a una posada llegado
un hombre que avía vencido
del Emperador el campo,
y que si allí le prendiese,
pues estava descuydado,
95 al Emperador haría
servicio muy señalado

19 *Tesoro* y era porque ha Bradamante. — 39 *Tesoro* y en poco tiempo les hizo. — 79 *Tesoro* y al tiempo que el sol salía.

Esta composición, titulada por su autor *Romance de Rugero y León Augusto, traduzido del Ariosto,* resume brevemente extenso fragmento del *Orlando Furioso* (XLIV, 76-104; XLV, 7). Ofrece el texto del *Tesoro* evidentes negligencias o erratas. Adoptamos para el verso 39 la corrección de Durán (núm. 426), en cambio proponemos para los versos 78-79 una lectura distinta de la que sugiere él (*toda ella ha caminado | y al tiempo que el sol salía*).

5 7

PRISIÓN DE RUGERO. QUEJAS DE BRADAMANTE

Pedro de Padilla, *Tesoro de varias poesías,* 1580, fol. 407 rº-409 rº.

Quando con mayor sosiego
toda la gente dormía,
y el silencio y la tiniebla
todo el mundo poseya,
5 prenden al fuerte Rugero,
flor de la cavallería,
que con descuydo y cansancio
y seguridad dormía.
Y quando salió del mar
10 dando Phebo luz al día,
un correo despachava
el que preso le tenía,
diziendo al Emperador
lo que sucedido avía,
15 que uviera de enloquecer
con la sobra de alegría.
León también se holgava,
y era porque pretendía
hazerle su gran amigo,
20 y con él le parecía
que a Carlomano y sus doze
no podrá tener embidia.
Pero diferentemente
trata desto una su tía,
25 que al Emperador su hermano
de rodillas le pedía
que a Rugero le entregase

para quitarle la vida,
porque la quitó a su hijo
30 Rugero el pasado día.
Otorgó el Emperador
todo quanto le pedía,
y quando llegó Rugero
se le entregan, y ella avía
35 mandádole adereçar
aposento para un día,
porque no pensava más
un hora darle de vida,
en lo hondo de una torre
40 donde el sol jamás se vía.
¡O si Bradamante aquello
supiera que él padescía,
o entendiera esta prisión
la valerosa Marfisa,
45 cómo arriscaran las dos,
por libertalle la vida!
Entrambas están con pena,
mas Bradamante moría,
y en el alma temerosa
50 cien mil cosas rebolvía,
y de celos y sospechas
viéndose tan combatida,
del Amor y de Rugero
quexándose ansí dezía:

55 "El amor que en el alma me ha esculpido,
Ruger, tu forma tan gallarda y bella,
tu ingenio y tu valor enrriquezido,
y virtud, que ninguna ay como ella,
es causa de que tenga yo entendido
60 que impossible será dueña o doncella

verte que no se encienda y busque arte
de quitarte de mí para goçarte.
        Si yo tu pensamiento ver pudiera
en mí como está el rostro dibuxado,
65 estoy asegurada que le viera
como lo tengo siempre imaginado,
y que el temor celoso no offendiera
cada momento el coraçón cuytado,
antes de confiança combatido,
70 quedara muerto, no sólo vencido.
        Yo semejante soy al avariento
que do tiene el thesoro sepultado
vive, y ausente dél no está contento,
y siempre teme que le sea quitado.
75 Yo, Ruger, esto mismo agora siento
que el temor la esperança me ha turbado,
y aunque le juzgo vano y mentiroso,
perturba el alma, el gusto y el reposo.
        Mas luego al punto aviendo aparecido
80 a mis ojos tu rostro sin segundo
que, sin saber yo dél, está escondido
no sé en qué parte, mi Ruger, del mundo,
este falso temor será metido
de la esperança cierta en el profundo.
85 ¡Ay! torna a mí, Ruger, torna y concierta
la esperança del miedo casi muerta.
        Como al poner del sol mayor se haze
la sombra, del temor vano clausura,
y quando a salir buelve se deshaze
90 y el temor de lo obscuro se asegura,
así a mí sin Ruger nada me aplaze,
temo, y viéndole, más temor no dura.
        ¡Ay! torna a mí, Ruger, torna primero
que el miedo dé a esperança el fin postrero.
95   Si el sol se aparta y dexa breve el día,
en la tierra no queda hermosura,
braman los vientos, cae la nieve fría,
ni flor ni hoja muestra su frescura,
así en el punto que se me desvía,
100 Rugero, el resplandor de tu figura,
hazen en mí temores con engaño
duro invierno mil vezes en el año.
        ¡Ay! torna, claro sol, con suerte buena

la deseada y dulce primavera,
105 quita el yelo y la nieve y reserena
los nublos tristes antes que yo muera".
Qual Progne se lamenta o Philomena
Bradamante a Ruger desta manera,
el bello rostro en lágrimas bañado,
110 creyendo que esté de otra enamorado.

Los octosílabos de este romance resumen un fragmento bastante extenso del *Orlando Furioso* (XLV, 8-21, 28-31), las octavas son traducidas de siete estancias del mismo canto (XLV, 32-36, 38-39). Este hermoso trozo del poema italiano, que adapta torpemente Padilla, ya había impresionado la fina sensibilidad de Garcilaso (véase sobre este punto nuestro estudio *L'Arioste en Espagne,* p. 66-67).

58

LEÓN SACA A RUGERO DE LA CÁRCEL. RUGERO SE DISPONE A PELEAR CON BRADAMANTE

Pedro de Padilla, *Tesoro de varias poesías,* 1580, fol. 409 v°-411 v°.

De sospechas ofendida,
se quexa desta manera
la hermosa Bradamante.
¿Qué hiziera si supiera
5 quán cerca estava Rugero
a la hora postrimera?
que otro día en la mañana
está ordenado que muera,
si la bondad soberana
10 de Dios no le socorriera
con remedio no pensado
y que nadie lo creyera.
Y fue que León Augusto,
que darle muerte deviera,
15 para poder libertalle

a la media noche espera,
pidiendo al que le guardava
que aquella cárcel abriera,
porque hablar quiere al preso
20 en cosas que dél oyera.
Huelga dello el que le guarda,
y a León Augusto espera
que con un solo criado
de su aposento saliera,
25 y en bolviendo el carcelero
el rostro, que no deviera,
le privaron de la vida
sin que valerse pudiera,
y adonde Rugero estava
30 bajan, que tal lugar era,

Bien diferente de aquello
tiene la dama el cuydado,
45 que la espada adereçava
para más presto acaballo,
creyendo que era León
con quien entra en estacado.
Y en oyendo la señal
50 que de la batalla han dado,
para Rugero arremete
como el rayo acelerado,
y comiénçale a herir
por uno y por otro lado,
55 mirando con atención
donde le hará más daño.
Rugero se le defiende
con andar muy avisado
en rebatille los golpes
60 sin tener otro cuydado,
y ansí pasó todo el día
hasta que el sol ha dexado
de luz y de hermosura
todo el mundo despojado.
65 Los que la batalla vían
de un parecer han quedado,
en que par tan valeroso

estará muy bien casado,
creyendo fuese León
70 el que han visto peleando.
Acabada la batalla,
Rugero disimulado
se sale del campo luego,
que el yelmo no se ha quitado,
75 y sobre un rozín pequeño
para León se ha tornado,
que tiernamente le abraça,
allí de nuevo obligando
a su servicio la vida,
80 la autoridad y el estado.
Agradécele Rugero
cumplimiento tan honrrado
y le pide su licencia,
fingiéndose muy cansado.
85 Al punto de media noche,
sin llevar ningún criado,
casi fuera de sentido,
sale sobre su cavallo
y por selvas y campañas
90 sin cesar ha caminado,
y sin levantar los ojos
de sí se va lamentando:

"¿De quién, dize, ¡ay de mí! devo quexarme
que mi bien en un punto me he quitado?
95 Si estoy determinado de vengarme,
con mi muerte podré quedar vengado.
Ninguno sino yo pudo agraviarme,
yo de mí mismo soy el agraviado,
y ansí tengo de ser de mí offendido,
100 pues que solo la culpa he cometido.
    Y quando uviera hecho solamente
a mí solo la offensa, bien pudiera
perdonarme, aunque muy difícilmente,
antes quiero dezir que no lo hiziera.
105 Pero si a Bradamante juntamente
hago la injuria ygual, bien es que muera,
porque, quando yo a mí me perdonase,
no es bien que sin vengança ella quedase.

Para sólo vengarla devo y quiero
110 agora aquí morir, y esto no siento,
porque a mi mal esquivo y dolor fiero
sin muerte remedialle es vano intento.
Por no aver muerto antes desespero,
que a Bradamante diera descontento.
115 ¡Dichoso si muriera aquella hora
que me tuvo en prisión la cruel Theodora!
Si yo acabara della atormentado
como su crueldad lo dispensara,
de Bradamante fuera perdonado,
120 y con justa razón me perdonara.
Mas quando sepa que a León he amado
más que la quise a ella, cosa es clara
que hará bien si con desdén esquivo
me aborreciere siempre muerto o vivo".

40 *Tesoro 1580* el ernés [*sic*]. *Tesoro 1587* el arnés. — 56 *Tesoro 1580* la
hará [*sic*]. *Tesoro 1587* le hará. — 83 *Tesoro 1580, 1587*: y de la vida licencia. Adoptamos la corrección que sugiere Durán (núm. 430). — 94 *Tesoro
1580, 1587* me ha quitado [*sic*].

Resumen los octosílabos de este romance las octavas 64-86 del
canto XLV del *Orlando Furioso*. No se interesó Padilla por el combate
de Rugero y Bradamante que cuenta en dieciséis versos cuando le dedicaba
Ariosto diez octavas (*O. F.*, XLV, 71-80). En cambio se alarga en la
descripción de las ansias de Rugero (v. 11-32), que Ariosto había evocado
anteriormente (XLV, 57-60). Las octavas son traducidas, palabra por
palabra a veces, del *Orlando Furioso* (XLV, 87-90).

60

BRADAMANTE DESESPERADA

Pedro de Padilla, *Tesoro de varias poesías*, 1580, fol. 414 vº-415 vº.

Si Rugero se congoja   la hermosa Bradamante
y el alma tiene angustiada,   estava desesperada,

5 porque si no es con Rugero
jura de no ser casada,
y de faltar de lo puesto
estava determinada,
con su padre y sus parientes
10 aunque quede enemistada,
y aunque la corte de Carlo
fuese por ella afrentada.

Y quando medio faltase
para que otra cosa haga,
15 jura que se dará muerte
con veneno o con su espada,
porque mejor le parece
del vivir verse apartada
que un hora estar sin Rugero
20 a quien desta suerte habla:

"Ruger, ¿cómo es possible que no entiendas
tú solo lo que todos han sabido
y que a los dos con tu tardança offendas,
si no estás muerto o en prisión metido?
25 Este traydor León todas las prendas
metió para llevarme que ha podido,
y con su fuerça toda intentaría
que no llegases antes do él venía.

Yo procuré de Carlos que a ninguno
30 menos fuerte que yo fuese entregada,
por entender que fueses tú aquel uno
que en campo me venciese estando armada.
Sin ti yo no estimava otro ninguno,
mas ya de mi locura estoy pagada,
35 pues éste, que jamás ha hecho empresa
en su vida de honor, me tiene presa.

Mas aunque presa estoy porque no pudo
mi fuerça de la suya deffenderme,
en su poder sé cierto y no lo dudo
40 que, aunque Carlo se offenda, no ha de verme.
Llamaránme inconstante porque mudo
la ley de que pensava socorrerme,
mas no soy en mudarme la primera,
ni he de ser en el mundo la postrera.

45 Baste que en bien amar soy más constante
y más firme que el risco más fundado,
y que en esto de todas me adelante
quantas son y serán y ayan passado.
Que en el resto me llamen inconstante,
50 no me curo, pues desto avré ganado
guardar la fe a quien tanto yo he querido
y sin mi gusto no tomar marido."

Se inspiran los octosílabos de este romance en las octavas 95-96 del canto XLV del *Orlando Furioso*: las consideraciones que presentaba la octava 96 de Ariosto más bien son reproducidas que resumidas. Las octavas de Padilla traducen cuatro estrofas del poema italiano (XLV, 98-101).

61

GENEROSIDAD DE LEÓN.
BODAS DE RUGERO Y BRADAMANTE

Pedro de Padilla, *Tesoro de varias poesías,* 1580, fol. 415 vº-417 rº.

Estava la triste dama
casi fuera de sentido,
y para entretener algo
un remedio le ha ocurrido,
5 y fue que Marfisa diga
que de consentir no es dino
que teniendo Bradamante
a Rugero por marido,
otro ninguno quisiese
10 serle en esto preferido.
Turbóse el Emperador
cuando tal demanda vido,
y llaman a Bradamante,
la qual aviendo venido,
15 no respondiendo, consiente
en lo que Marfisa ha dicho,
la qual al Emperador
una merced ha pedido,
y fue que León Augusto,
20 siendo Rugero venido,
hiziese con él batalla,
pues no estava difinido
quál de los dos Bradamante
ha de tomar por marido.
25 Y ansí se quedó aquel día

el negocio diferido,
y León se fue a su tienda,
porque acetar no ha querido
de improviso esta batalla
30 sin aver antes sabido
el de el unicornio blanco
adónde fuese partido.
Mándale luego buscar
y él a buscarle ha salido,
35 y con la sabia Melisa
topó en medio del camino,
la qual con semblante triste,
muy lastimada, le dixo:
"Si el valor y cortesía
40 ay en vos que yo imagino,
os suplico que vengáys
sin deteneros conmigo,
para que demos la vida
al hombre más bien nacido
45 y de mayor valentía
que en nuestro tiempo se vido,
que sólo por ser cortés
y mostrarse agradecido,
ha llegado a tal estremo
50 que ya no deve estar vivo."

León de aquellas palabras
turbación ha recebido,
porque le dio el coraçón
que devía de ser amigo.
55 Halláronle, que en tres días
bocado no avía comido,
de todas armas armado,
sobre la tierra tendido,
por cabecera el escudo,
60 y el aliento tan perdido
que aquel día no escapara
si no fuera socorrido.
León con dulces palabras
muy de veras le ha pedido
65 que le diga la ocasión
que a tal punto le ha traydo,
y viéndose el buen Rugero
de sus ruegos convencido,
el caso como passava
70 en breve suma le dixo.
No quiso quedar León
desta cortesía vencido,

y dize que a Bradamante,
que de todo causa ha sido,
75 por muger ya no la quiere,
aunque tanto la ha querido.
Y díxole tantas cosas
que Rugero convencido
uvo de corresponder
80 con lo que le avía pedido,
y diole Melisa luego
lo que tenía prevenido,
y a la corte se bolvieron
adonde fue recebido
85 Rugero con mucha fiesta,
y el negocio fenecido.
Y ansí casó Bradamante
con quien avía pretendido,
y León bolvió a su tierra,
90 quedando muy gran amigo
de Carlo Magno y sus doze,
y en mucha estima tenido
por el valor y nobleza
que en él avían conocido.

Este romance es el último del ciclo que dedicó Padilla a los amores de Bradamante y Rugero. Resume a grandes rasgos extensos fragmentos del *Orlando Furioso* (XLV, 102-117 y XLVI, 20-73).

6 2

COMBATE DE BRADAMANTE Y RUGERO

Romancero historiado, Lucas Rodríguez, 1582, fol. 140 r°-141 v°.

La hermosa Bradamante
muy descontenta vivía,
porque sus padres pretenden
casarla (que no quería)

5 con hijo de Emperador
que en Constantinopla avía:
León Augusto ha por nombre,
de linage y gran valía.

Siempre vive descontenta,
10 de contino pensativa,
porque ella a Rugero amava
y más que a sí lo quería.
Imaginado ha un remedio
avisado a maravilla.
15 De su aposento se sale
y para palacio yva,
a pies del Emperador
desta manera dezía:
"Muy poderoso señor,
20 esta tu sierva suplica
un don le concedas luego
que mucho le convenía,
y es que qualquier cavallero
que por su muger me pida
25 me vença primero en campo
en batalla todo un día."
Holgóse el Emperador
de lo que ella le pedía,
luego le señala campo
30 para hazer la conquista.
León que estava presente
no sabe ya que se diga,
de un cabo le cerca amor,
por otro honrra le obliga.

35 El, que de amor mucho siente,
y sus effectos sabía,
llegado se avie a Rugero,
humilmente le suplica
por él haga la batalla,
40 pues tanto le convenía:
"Acuérdate, buen Rugero,
que yo fuy parte algún día
que recibiesses contento
y no perdiesses la vida."
45 Muy presto se va a armar,
y de León la divisa,
porque allí pensassen todos
que es León quién combatía.
Ya venía Bradamante
50 mostrando gran gallardía.
Vanse el uno para el otro
con esfuerço y osadía,
y lo que Rugero haze
y en lo que más entendía
55 era en rebatir los golpes
que Bradamante le tira,
que aunque herirle quisiesse
con su espada, no podía,
y entre los dos la batalla
60 fue cruel y muy reñida.

Esta composición, titulada por Lucas Rodríguez *Romance de Bradamante,* difiere sensiblemente de las precedentes. Mientras se limitaba Padilla a resumir o traducir el texto del poema italiano, el autor de este romance logra cierta originalidad. Procura condensar la acción suponiendo que León y Rugero ya se encuentran en París cuando le otorga Carlomagno a Bradamante el favor de pertenecer sólo al guerrero que la venza en la estacada. No pasaban así las cosas en las octavas de Ariosto (véase *O. F.,* XLV, 53). Por otra parte quiso el poeta imitar el estilo de los romances viejos: es manifiesto este esfuerzo en la conclusión del romance que deja suspensa la acción, y también en el empleo de una fórmula tradicional como *a maravilla* (v. 14. Véase por ejemplo el ro-

mance de Abenamar —*Cancionero de romances,* fol. 182 v° - 183 v°—
en el cual vuelve dos veces la fórmula).

6 3 a

COMBATE DE BRADAMANTE Y RUGERO

Cancionero Classense 263, fol. 49 v°-50 r°.

Con armas linpias y dobles
de azul y blanco gravadas,
y un escudo en campo verde
con dos águilas de plata,
5 en un cavallo overo
que de loçano no para,
va ar[r]astrando por el suelo
los viriles de escarlata [*sic*],
por los muros de París
10 el buen Rugero asomado
va a combatir para Agusto
con Bradamante su dama.
En el pecho de su esposo
rompió con furia la lança,

15 Rugero faltó al enquentro
adrede por no daña[l]la.
Diéranse bravos enquentros,
Rugero bien se repara,
y ansí duró la contienda
20 asta que el sol declinava,
y al fin venció por Agusto
y la palma le fue dada
del contento y de la gloria
que con su sangre repara,
25 y Rugero muy cansado
de la batalla pasada,
sin ayuda de los suyos
en su tienda se desarma.

2 *Ms 263* gravados [*sic*]. — 21 *Ms 263* por la gusto [*sic*].

6 3 b

RUGERO SALE AL PALENQUE
PARA COMBATIR CON BRADAMANTE

Ms 3915 de la Biblioteca Nacional, fol. 63 v°.

Las armas rricas y dobles
de azul y blanco gravadas,
y un escudo en campo berde

con dos ág[u]ilas de plata,
5 plumas blancas en el hielmo
que con dos puntas rrematan

con sintas de argentería
que las garçotas enlazan,
lança con pulidos hierros,
10 con una banda morada
y en el medio dél escripto
lleba el nombre de su dama,
    muy gallardo y muy apuesto

y la visera calada,
15 se sale el fuerte Rrugero
a la batalla aplazada.
    Por los muros de París
el buen Rrugero asomava
a combatir para [A]gusto
20 con Bradamante su dama.

2 *Ms 3915* de azul y blancas gravadas [*sic*]. — 9 *Ms 3915* lança con pulidos de hierros [*sic*]. — 18 *Ms 3915* Rrugeros.

El autor de *Con armas linpias y dobles* supone conocida del lector la situación de Rugero y Bradamante. Por eso no se detiene en aclaraciones preliminares: así gana el romance en brevedad. Al poeta que escribe *Las armas rricas y dobles* le seduce la descripción de Rugero que ha esbozado el autor precedente. Se desinteresa del drama sentimental y del combate, y sólo se dedica a darnos una estampa colorida del caballero que va a entrar en la estacada. Se puede comparar este retrato de Rugero con el que presenta *De ricas armas armado* (núm. 46).

6 4

RUGERO TRIUNFA DE RODAMONTE

Pedro de Padilla, *Romancero*, 1583, fol. 179 vº-181 vº.
Ms 1579 de la Biblioteca Real, fol. 35.

En el solemne combite,
siendo Rugero casado,
que hizo el Emperador
valeroso Carlomagno
5 para celebrar la fiesta,
aviéndose ya sentado
con todos los principales
cavalleros de su estado,
veen salir de la floresta
10 un gran cavallero armado,

que llegándose a las mesas
con semblante denodado,
sin abaxar la cabeça
ni apearse del cavallo,
15 y sin hazer reberencia
a los que le están mirando,
muestra tenellos en poco,
dexándolos admirados
de ver que tanta licencia
20 solo un hombre aya tomado.

Los manjares dexan todos
y lo que estavan tratando
para poder escuchar
hombre tan determinado,
25 que nunca habló palabra
hasta ser cerca de Carlo.
Y quando junto se vido,
en alta boz ha hablado:
"Yo soy Rodomonte, dize,
30 rey de Sarza coronado,
que a batalla desafío
a ti, Rugero malvado,
y antes que la noche venga,
has de conocer forçado
35 que traydor falto de fe
contra tu rey has estado,
y por esto no mereces
entre buenos ser honrrado.
Tu falsedad bien se muestra
40 en el tornarte christiano,
que aunque negarlo quisieses,
no te dexarán negallo.
Y porque mejor se entienda,
vengo en el campo a provallo,
45 y si tú no lo acetares,
salgan tres o salgan quatro
y todos quantos quisieren
en tu nombre a sustentallo".
Y después de averlo dicho,
50 respuesta quedó aguardando.
Lebantóse el buen Rugero,
licencia avida de Carlo,
y dize al moro que miente
quien traydor quiera llamarlo,
55 y que a deffender su causa
él estava adereçado.
Luego las armas traxeron
que al tártaro avía ganado,
y Bradamante y Marfisa
60 en un punto le han armado.
Los dos famosos guerreros

entran en el estacado
y rotas ambas las lanças,
las espadas han tomado.
65 Dio Rodomonte a Rugero
un golpe desatinado
que le tuvo sin sentido
para caer del cavallo,
diole segundo y tercero,
70 con que el espada ha quebrado,
y quedóle desarmada
a Rodomonte la mano,
y assí arremetió a Rugero
que estava desacordado,
75 y por el cuello lo ciñe
con el poderoso braço
y con tal fuerça lo afierra
que con él en tierra ha dado.
Rugero, muy vergonçoso
80 de lo que le avía passado,
a Rodomonte se llega,
y el moro con el cavallo
por una parte o por otra
procurava derrivallo,
85 mas Rugero se defiende
y arremetió por un lado,
y asiendo el braço derecho
en tierra le ha derrivado.
Rodomonte que se vido
90 desta suerte maltratado,
cierra con Rugero luego
y a las manos han llegado,
y desta suerte anduvieron
qual encima, qual debaxo,
95 y al fin quedó Rodomonte
de los dos el mal librado.
Sacó Rugero el puñal
y a la frente endereçando,
con dos o tres puñaladas
100 de la vida lo ha privado,
y aquel alma desdeñosa
baxó al reyno del espanto,

y el cuerpo quedó en la tierra
tendido, frío y elado,

105 y Rugero vitorioso,
y el pueblo regucijado.

18 *Ms 1579* dexándolos espantados. — 21 *Ms 1579* los manjares todos dexan. — 30 *Romancero 1583* Rey de Sarja. *Ms 1579* Rey de Sarza. — 32 *Romancero 1583* a tu Rugero. *Ms 1579* a ti, Rugero. — 33 *Ms 1579* y antes que el sol se ponga. — 36 *Ms 1579* a tu rei ayas estado. — 43 *Ms 1579* y porque más se parezca. — 50 *Ms 1579* quedó respuesta esperando. — 53 *Ms 1579* y dijo. — 55 *Romancero 1583* ha deffender. — 58 *Ms 1579* avía quitado. — 90 *Ms 1579* de tal suerte maltratado.

Resume secamente este romance extenso fragmento del *Orlando Furioso* (XLVI, 101-140), con la excepción del desafío de Rodamonte, adaptado con bastante fidelidad (v. 29-48; *O. F.*, XLVI, 105-106).

RUGERO TRIUNFA DE RODAMONTE

6 5 a

Ms 3915 de la Biblioteca Nacional, fol. 173 r°.
Ms 2856 de la Biblioteca Nacional, fol. 48 r°-49 r°.

Reproducimos el texto del manuscrito 3915 que nos parece mejor que el del manuscrito 2856. Corregimos algunos versos alterados por el copista.

Rotas las sangrientas armas
y el cuerpo ia dessangrado,
despedasçado el escudo,
con el estoque quebrado,
5   está el fuerte Rrodomonte
de vida y alma pribado
por el bençedor Rugeros
que la victoria a alcançado.
Matóle porque a la mesa
10 estando junto al rrey Carlo
y la hermosa Bradamante,
con quien estava casado,

entró Rrodomonte altivo,
su antiguo balor mostrando,
15 feros, gallardo y furioso,
mostrando de despreciallo,
de negras armas bestido,
negro el escudo y caballo,
aunque con la blanca espuma
20 paresçe el freno argentado,
y sin açer reverençia
a la persona de Carlos,
dijo con soberbia bos
contra Rrugero el gallardo:

25   "Yo soi el rrei de Argel, traidor Rrugero,
que en este campo y en cruel batalla
probar tu gran traición con muerte espero,
que mal podrás, christiano ia, negarla.
Y si por miedo tuio algún g[u]errero
30 la quisiere tomar, quiero aceptarla,
que por tener a mi onor respecto
a treinta en campo en tu lugar accepto".

Ruger de bergüença lleno,   35 y tomando dél licencia
ante el Rrei se a arrodillado   desta suerte le a ablado:

"Tú mientes i quien dice que io e sido
traidor al Rrey ni le falté un momento,
y ansí como a cobarde y fementido
40 castigaré tu loco atrevimiento.
Toma en tu defensa aquel partido
que dices, por poner más escarmiento,
que a locos como a ti solo mi nombre
espanto ponga y con temor asombre".

45   Esto dijo y de los doze   Carlos le siñe la espada,
piesça por piesça fue armado   Roldán le diera el caballo.
del arnés de Montescinos   Así se presentó al moro,
que ganara a Mandricardo,   y quedó qual e contado,
Bradamante la coraça   55 rrotas las sangrientas armas,
50 le pone medio temblando,   con el estoque quebrado.

5 *Ms 2856* Rodamonte. — 6 *Ms 2856* de vida y fuerça pribado. — 7 *Ms 2856* Rugiero. — 9 *Ms 2856* en la mesa. — 10 *Ms 2856* Carlos. — 11 *Ms 2856* y a la vella Bradamante. — 13 *Ms 2856* llegó soþervio y altivo. — 15-17 *Ms 2856* feroz, gallardo y brioso / de todas armas armado / negras son todas las armas. — 19 *Ms 2856* de la blanca espuma. — 23 *Ms 2856* dize. — 24 *Ms 2856* vuelto a Rrugiero gallardo. — 25 *Ms 2856* Rugiero. — 27 *Ms 3915* probar tu gran traición probar espero [*sic*]. *Ms 2856* probar tu trayción con muerte quiero. — 28 *Ms 3915* que mal podrás ia christiano ia negarla [*sic*]. *Ms 2856* que mal podrás, christiano ya, ganalla [*sic*]. — 30-32 *Ms 2856* la quiere offrecer, quiero acetalla / y por tener a mi verdad respecto / el campo a treinta en tu demanda acepto. — 33 *Ms 2856* Rugier. — 35-36 *Ms 2856* y tomándole licencia / esta rrespuesta le a dado. — 38 *Ms 2856* ni que falté un momento. — 39 *Ms 2856* cobarde desmentido. — 41-42 *Ms 2856* y doblo en tu defensa aquel partido / que offreces por hazer tal escarmiento. — 44 *Ms 2856* cordura ponga. — 47-48 *Ms 2856* del arnés de Etor el fuerte / que

le ganó a Mandricardo. — 52-54 *Ms 2856* Roldán le da su cavallo / con que se presentó al moro / y dexó qual e contado.

Hace tiempo ya que Serrano y Sanz llamó la atención sobre este texto (*Un Cancionero de la Biblioteca Nacional,* en *R. A. B. M.,* IV, 1900, p. 577-598, núm. 23). Esta versión del romance es la más larga de las que conocemos, también será la más antigua. Se inspira en las octavas 101 y 104-110 del canto XLVI del *Orlando Furioso.* Sabe el autor desprenderse de una imitación mecánica y demuestra un talento original. Verdad es que entorpecen el texto dos octavos mediocres; hay que notar sin embargo que no son traducidas del *Orlando Furioso.* En cambio imagina el poeta comenzar su romance con la descripción del cadáver de Roda-monte, cuadro de un realismo sobrio que contrasta de la manera más expresiva con la arrogante llegada del rey de Argel, narrada en los versos que siguen. A esta feliz idea se debe el éxito de la composición: las mismas evocaciones, el mismo contraste se darán en todas las versiones del romance, hasta en las más breves.

Se introduce de manera sorprendente el nombre de Montesinos en el texto del manuscrito 3915 (v. 47): sin duda hay que ver en este rasgo el deseo de hispanizar discretamente el mundo carolingio de Ariosto.

6 5 b

Ms 3168 de la Biblioteca Nacional, fol. 25 r°.

    Rotas las sangrientas armas
y el cuerpo ia dessangrado,
desenbraçado el escudo,
con el estoque quebrado,
5 está el fiero Rodamonte
de fuerça y vida pribado
por el vencedor Rugero
que la victoria a alcançado.
    Matóle porque a la mesa
10 estando con el rei Carlos
y la hermosa Bradamante,
con quien estaba casado,

    entró Rodamonte altibo,
su antiguo balor mostrando,
15 feroz, guallardo y brioso,
con muestra de despreciarlo,
las armas verdes grabadas,
negro el escudo y caballo,
aunque con la blanca espuma
20 parece el freno argentado,
y sin tener reverencia
a la persona de Carlos,
con alta y soberbia voz
dice a Rugero el guallardo:

25   "Io soi el rei de Argel, traidor Rugero,
que en este campo i en cruel batalla
probar tu gran traiçión con muerte espero,
que mal podrás, christiano ia, negualla.
I si por miedo tuio algún guerrero
30 la quisiera ofrecer, venguo a acepta[lla],
i por tener a mi valor respecto
a treinta en tu demanda el campo acepto".

Esta versión es mucho más breve que la precedente: conserva sin embargo una de las dos octavas del texto primitivo. Con el arreglo se alteró un detalle: las armas de Rodamonte son ahora de color verde (v. 17). La modificación, debida quizás a un afán colorista, nos parece infeliz.

6 5   c

Flor de varios romances nuevos. Tercera parte. Felipe Mey. Valencia, 1593, fol. 136 v°-137 r°.

Rotas las sangr[i]entas armas,
el cuerpo ya desangrado,
despedaçado el escudo,
con el estoque quebrado,
5   sale el fuerte Rodamonte
de vida y alma privado
con el vencedor Rugero
que la victoria a alcançado.
Matólo porque a la mesa
10 estando junto al rey Carlos
con la bella Bradamante,
con quien estava casado,
armado de negras armas,
negro el escudo y cavallo,
15 aunque con la blanca espuma
parece el freno argentado,
y sin hazer reverencia
a la persona de Carlos,
inclinado el perro moro
20 a Rugero assí a hablado:

"Yo soy el rey de Argel, traydor Rugero,
que en este campo y cruel batalla
provar tu gran traición por muerte espero,
que mal podrás, cristiano ya, negalla.
25 Y si por miedo tuy[o] algún guerrero
se quisiere ofrecer, quiero aceptalla,
y por tener en mi verdad respeto
al campo tres de ti pido y aceto".

24 *Flor* que mal podars [*sic*]. — 25 *Flor* algún guererro [*sic*].

Desaparecen en este texto los versos 13-16 de las versiones anteriores. Con este arreglo el romance no gana en claridad. Desgraciadamente reprodujo Durán este texto, inferior al que incluye la *Flor* de 1589, introduciendo en él además unos errores debidos a una lectura apresurada (núm. 433).

6 5 d

Flor de varios romances nuevos y canciones. Pedro de Moncayo. Huesca, 1589, fol. 2.

Rotas las sangrientas armas
y el cuerpo ya desangrado,
despedaçado el escudo,
con el estoque quebrado,
5 está el fiero Rodamonte
de fuerças y vida privado
por el vencedor Rugero
que la victoria ha alcançado.
Matóle porque en la mesa
10 estando junto al rey Carlos
y a la bella Bradamante,
con quien estava casado,
llegó Rodamonte altivo,
su antiguo valor mostrando,
15 feroz, gallardo y brioso,
con muestras de despreciallo,
armado de negras armas,
negro el escudo y cavallo,
aunque de la blanca espuma
20 parece el freno argentado,
y sin hazer reverencia
a la persona de Carlos,
se indignó allí contra todos,
buelto a Rugero gallardo.

2 *Flor* y al cuerpo [*sic*]. — 16 *Flor* con muestras de despreciado.

Además de las distintas versiones que poseemos de él, dos hechos demuestran el éxito de este romance. Se observa primero que el verso *Rotas las sangrientas armas* aparece al principio de un romance inédito de la batalla de Roncesvalles (Ms 3168 de la Biblioteca Nacional, fol. 20 rº). Pero sobre todo conservamos una versión a lo divino de este romance de Rugero y Rodamonte: figura entre las obras de Juan de Salinas.

6 5 e

Juan de Salinas, *Poesías*. "Bibliófilos Andaluces". Segunda serie, VI, Sevilla, 1869, vol. II, p. 239-240.

Rotas las soberbias armas,
sangriento el pecho tirano,
quebrantado el fiero orgullo,
el cuello altivo domado,
5   está el tenebroso Rey
de fuerza y vida privado
por el Príncipe de gloria
que la victoria ha alcanzado.
Matóle porque en el Huerto
10 su primer vasallo estando

con la bella compañera
que el cielo en suerte le ha dado,
entró el traidor enemigo,
su antiguo rencor mostrando,
15 urdiendo trazas diversas
y ardides para engañarlo,
en figura de serpiente
toda enroscada en un árbol,
aunque al parecer el rostro
20 hermoso, afable y humano.

DIÁLOGO DE BRADAMANTE Y RUGERO

6 6 a

Ms 17.556 de la Biblioteca Nacional, fol. 90 vᵒ-91 rᵒ.
Ms 996 de la Biblioteca Real, fol. 144 vᵒ-145 vᵒ.

Reproducimos el texto del manuscrito 17.556 de la Biblioteca Nacional.

Rendidas armas y vida
queda Rrodamonte el bravo,
y el bitoriosso Rugero
lleva el rrey Sobrino, y Carlo.
5   "¡Viva Rruger! ¡Rruger viva!"
ba la gente apellidando,
entre el rregocijo viene
Danés, Oliber y Orlando.
Biene Astolfo, y Rricardeto,
10 Baldovinos y Rricardo,
y los dos, tío y sobrino,
Malgesís y don Rreynaldos.

Entre aquestos paladines
que a Rruger sacan del campo,
15 va la gallarda Marfissa
con el cuerpo bien armado,
que aunque no dudó el suçesso,
al fin como hera su hermano,
fue al palenque aperçebida,
20 el alma puesta en cuydado.
A los corredores sale,
quando entran en palaçio,
la contenta Bradamante,
vivas colores mostrando.

25 Adelántase de todos
    y a su Rruger va mirando,
    antes que llegue le abraça,
    los braços al ayre hechando.
        Quan[do] los cuerpos se juntan
30 y se enlaçan con los braços,
    no se hablan aunque quieren,
    con el contento turbados.
        En los ojos se rregalan,
    rrostro con rrostro llegando,
35 mas sosegándose un poco,
    Bradamante se a esforçado,
        y dícele: "Mi Rrugero,
    descanso de mi cuydado,
    en deuda me estáys, señor,
40 del pasado sobresalto.
        Que el pecho que en amor arde
    contino está reçelando,
    y en los mayores peligros
    son los temores doblados.
45   Quando en la batalla os vía
    con tan sobervio contrario,

    en mi ventura temía
    y fiaba en vuestro braço.
        Dos mil vidas diera juntas
50 por ser yo el desafiado,
    que en menos las estimara
    que en vos el más fáçil daño".
        "Si Rrodamonte supiera,
    Rrugero le ha rreplicado,
55 que estávades en mi alma,
    no biniera tan osado.
        Con dos contrarios pelea
    quien tiene conmigo campo,
    y así pudiera llamarse
60 este sarraçino a engaño".
        No se diçen más terneças
    porque no los han dexado,
    que llegó la Enperatriz,
    y por otra parte Carlos.
65   Suenan dulçes ynstrumentos
    y los paladines francos
    corren lanças y tornean
    en la plaça de palaçio.

29 *Ms 996* se juntaron.— 55 *Ms 996* que estábades en alma [*sic*].

La escena que describe esta composición no tiene equivalente exacto en el *Orlando Furioso*, aunque se ha inspirado sin duda el poeta en las ansias que, según Ariosto, siente Bradamante antes de que empiece el combate de Rugero y Rodamonte (*O. F.*, XLVI, 113-114). Debió de gustar el romance, pues incluye la *Flor* de 1597 una versión bastante distinta y algo más breve, versión que reprodujo el *Romancero General*.

6 6 b

Flor de varios romances. Novena parte. Luis de Medina. Madrid, 1957, fol. 124 rº-125 vº.
Romancero General 1600, 1604, 1614. Novena parte.

Rendidas armas y vida
de Rodamonte el bravo,
y[a] el victorioso **Rugero**
va entre el rey Sobrino y Carlos.
5 "¡Viva Ruger! ¡Ruger viva!"
va la gente pregonando
y entre el regozijo vienen
Danés, Oliver y Orlando.
Viene Astolfo, y Ricardeto,
10 Valdovinos y Ricardo,
y los dos, tío y sobrino,
Malgesí y don Reynaldos.
Entre aquestos paladines
que a Ruger sacan del campo,
15 ¡quán gallarda va Marfisa
con el cuerpo bien armado!
que aunque no dudó el sucesso,
al fin como era su hermano,
sacó el cuerpo apercebido
20 y la alma puesta en cuydado.
A los corredores sale,
quando entravan en palacio,
la contenta Bradamante,
vivas colores mudando.
25 Adelántase de todos
y a su Rugero mirando,
antes que llegue le abraça,
los braços al ayre echando.
Quando los cuerpos se juntan
30 y se enlazan con los lazos,
no se hablan aunque quieren,
con el contento turbados.

Con los ojos se regalan,
rostro con rostro juntando,
35 y sossegándose un poco,
Bradamante se ha esforçado,
y dízele: "Mi Rugero,
descanso de mi cuydado,
en deuda me estáys, señor,
40 del sobresalto passado.
Quando en la batalla os vía
con tan sobervio contrario,
temía de mi ventura
y fiava en vuestro braço.
45 Dos mil vidas diera juntas
por ser el desafïado,
y en menos las estimara
que en vos el más fácil daño".
"Si Rodamonte supiera,
50 Rugero la ha replicado,
que estávades en mi alma,
no viniera tan osado.
Con dos contrarios pelea
quien tiene conmigo campo,
55 y assí llamarse pudiera
aquel Sarracino a engaño".
No se dizen más ternezas
porque no los han dexado,
que llega la Emperatriz,
60 y por otra parte Carlos.
Suenan dulces instrumentos
y los paladines francos
juegan cañas y tornean
en la plaça de palacio.

2 *Flor, R. G. 1600* que Rodamonte el bravo. *R. G. 1604, 1614* de Rodamonte el bravo. — 9 *R. G. 1600, 1604* viene Alfonso.

AMORES DE RUGERO Y BRADAMANTE

67 a

Baile impreso en Lope de Vega, *Octava parte de sus Comedias*: con *Loas, Entremeses y Bayles*. Barcelona, Sebastián de Cormellas, 1617. Reproducido por E. Cotarelo y Mori, *Colección de Entremeses, Loas, Bailes, Jácaras y Mojigangas*, núm. 204.

Reinando en Francia
Carlos el primero,
así con Bradamante,
vencido de su amor,
5 danzó Rugero:

"Reverencia os hace el alma,
gloria de mi pensamiento,
por ídolo de su altar,
por imagen de su templo.
10 Por vos, francesa gallarda,
la fe verdadera tengo,
y de caballero moro
soy cristiano caballero.
Con vuestro padre a la mesa
15 entre los doce me asiento,
que a los Nueve de la Fama
quitaron el nombre eterno.
Por vos del moro español
gané tan altos trofeos
20 que en San Dionís de sus lunas
treinta pendones he puesto.
Licencia ha dado el amor
de que pueda un caballero
en un sarao a su dama
25 decille su pensamiento.
Si quisiéredes, señora,
que por el servicio vuestro
en la plaza de París
se celebrase un torneo,

30 yo seré el mantenedor,
y sustentaré que puedo
tener el cielo en mis brazos
después que fuisteis mi cielo.
Quien ama tiene licencia,
35 en público y en secreto,
de decir a su señora
locos encarecimientos.
Salga el paladín Roldán,
Durandarte y Oliveros,
40 Baldovinos y Reinaldos,
que a ninguno tengo miedo.
Dadme vos vuestros colores
y veréis qué galán entro,
como no me deis azul
45 porque significa celos.
Hombre que sin celos ama,
o no quiere bien o es necio,
porque la desconfianza
es hija de los discretos.
50 Y si en batallas de burlas
sólo ser galán es premio,
a las de veras remito
las fuerzas de mis deseos,

y las flordelises de oro
55 que os dio por armas el cielo,

    Cuando esto le dijo
Rugero a su dama,
60 al arma tocaron
trompetas y cajas,
que con las banderas
secretas y bajas,
entró Agramante
65 corriendo ligero.
La sala se altera,
los doce de fama
dejar quieren fiestas,
pedir quieren armas.
70 Rugero en preguntas
y dulces respuestas,

las pondré en Jerusalén
tan altas como Gofredo".

    así se despide
y dice a su dama:
"Al arma han tocado".
75 "Mirad que es engaño".
"Salir es forzoso".
"Yo quedo perdida".
"Dadme una mano".
"Victoria y su palma".
80 "Adiós, Bradamante".
"Adiós, mi Rugero".
La sala quedó
sin un caballero,
Rugero sin vida,
85 su esposa sin alma.

25 *Octava parte* su pensamiento dezille [*sic*].

También editó este texto Adolfo de Castro y Rossi (*Discurso acerca de las costumbres públicas y privadas de los españoles en el siglo XVII fundado en el estudio de las comedias de Calderón*, en *Memorias premiadas por la Real Academia de Ciencias Morales y Políticas*, VI, Madrid, 1881, p. 66-68), en forma algo distinta. Lo toma el autor, según afirmación suya, de una edición de *Nunca mucho costó poco y Los pechos privilegiados* de Ruiz de Alarcón. No hemos podido ver ninguna edición de esta comedia a continuación de la cual se reproduzca este baile. Por eso copiamos el texto que tomó E. Cotarelo de la *Octava parte de comedias* de Lope, texto superior, de todas formas, al que da Adolfo de Castro. Esta calidad es relativa y el texto que proponemos es sin duda defectuoso.

Indican brevemente los últimos versos del baile la muerte trágica de Rugero (véase núm. 68). Pero sólo se esboza el tema y al autor de *Reinando en Francia* sólo le interesa la expresión refinada de una pasión triunfante. Las declaraciones galantes que pone en labios de Rugero fueron muy apreciadas por los escritores del siglo XVII, y en particular por los dramaturgos, que las reprodujeron, adaptaron o parodiaron muchas veces. Damos a continuación una lista, más completa que la de Cotarelo, de estas imitaciones y arreglos:

A.—Calderón, *El jardín de Falerina*, jornada I (*B. A. E.*, IX, p. 297 b - 298 b). Reproduce, con algunas variantes, los versos 6-13, 22-33 y 42-49 de este texto. Véase Cotarelo, I, p. CCXLVIII-CCXLIX.

El castillo de Lindabridis, jornada III (*B. A. E.*, IX p. 268 c - 269 c). Reproduce, con algunas variantes, los versos 6-11 y 22-29 de este texto.

El pintor de su deshonra, jornada II (*B. A. E.*, XIV, p. 78 a). Reproduce, con algunas variantes, los versos 6-9 y 22-25 de este texto. Véase Cotarelo, I, p. CCLIX.

Otras reminiscencias, más breves, de este baile, aparecen en las comedias de Calderón. Véase E. H. Templin, *Unos versos de Lope de Vega*, en *R. F. E.*, XIX, 1932, p. 292-293 y Edward M. Wilson - Jack Sage, *Poesías líricas en las obras dramáticas de Calderón. Citas y glosas* (London, 1964), p. 108.

B.—Vélez de Guevara, *El rey naciendo mujer*, jornada I (s. l. n. a., Biblioteca Nacional de Madrid, T 19073)

> Reynando en Francia Carlos hermoso,
> hijo heroyco de Carlos el tercero,
> a un festín principio dio el primero
> en el palacio de París famoso:
> "Las reverencias, madamas,
> os hazen los pensamientos,
> como vasallos que son
> de tan hermosos luzeros.
> Las almas hazen lo mismo,
> que no es razón que los cuerpos
> por dueños sólo os conozcan,
> siendo de las almas dueño,
> que un rey de Francia bizarro
> será el vasallo primero
> que a vuestras deidades jure
> omenajes de deseos".

La Corte del Demonio, jornada II ("Colección de comedias de los mejores ingenios de España", XXVIII, Madrid, 1667, p. 466)

Reverencia os hazen, soles
del sol y cielos del cielo,
los coraçones amantes,
con almas y pensamientos.
Por vuestros divinos ojos
tienen rayos los luzeros
que desde el açul zafiro
al tope están con los vuestros.
Si quisiéssedes, señoras,
y por competir con ellos,
en el palacio del Alva
se celebrasse un torneo,
será el sol mantenedor
y sustentará a reflexos
que sois más bellas auroras
que reconoce su imperio.

C.—Varios entremeses y una loa del siglo XVII muestran reminiscencias de estos versos. Véase Cotarelo, I, p. CCXLIX y E. H. Templin, *Unos versos de Lope de Vega.*

D.—Salas Barbadillo cita los versos

Hombre que sin celos ama
o no quiere bien o es necio,
porque la desconfianza
es madre de los discretos

en *El necio bien afortunado* ("Bibliófilos Españoles", XXXI, p. 253).

Entre los ejemplos que propone de "encarecimientos condicionales, fingidos y ayudados" (*Agudeza y arte de ingenio,* Discurso XXI), Gracián cita los versos

Yo seré el mantenedor,
y defenderé que puedo
tener el Cielo en mis manos
después que vos sois mi cielo

(*Obras completas,* Madrid, Aguilar, 1960, p. 331 b.)

E.—Esta composición conocidísima fue parodiada y empleada en tono burlesco por Cervantes en *La elección de los alcaldes de Daganzo* (véase Cotarelo, I, p. CCXLVII) y por el autor de la *Comedia nueva en chanza El Comendador de Ocaña,* que pone en boca de Peribáñez cuando se dirige al Comendador los versos

> Reverencia os haçe el alma,
> dueño de mi pensamiento

(jornada I, p. 64 a.)

(Véase el texto de esta comedia publicado por Miguel Artigas en el *Boletín de la Biblioteca Menéndez y Pelayo,* VIII, 1926, p. 59-83.)

F.—Por fin dos manuscritos (Ms. 2.244 de la Biblioteca Nacional de Madrid, Ms 166 de la Biblioteca Universitaria de Barcelona) incluyen arreglos a lo divino de estos versos. Fue reproducido el primero en el libro de E. M. Wilson y J. Sage (*Poesías líricas en las obras dramáticas de Calderón,* p. 110), damos a continuación el texto del segundo.

67 b

Ms 166 de la Biblioteca Universitaria de Barcelona, fol. 12 v°.

Reverencia os haze el alma,
gloria de mi pensamiento,
porque sois el bien que adora,
y de su imagen el templo.
5　Por vos, dulce Jesús mío,
la fe verdadera tengo,
que para veros la fe
es de cristal esse velo [*sic*].
Por vos en pan mi esperança
10　oy gana santos trofeos,
que sobre angélicos muros
sus estandartes a puesto.
Con vuestro Padre a la mesa
entre los doze me assiento,

15　que eternizáis su fama,
comiendo el legal Cordero.
Bien sé que queréis, Señor,
que yo por el amor vuestro
en la mesa del altar
20　haga tan altos empleos.
Licençia me da el amor,
en público y en secreto,
por más que estéis disfraçado,
que diga que sois mi dueño.
25　Dadme de vuestros colores
y veréis qué galán entro,
aunque me deis el azul
que glorifica mis zelos.

El que sin temores ama
30 confunde el entendimiento,
porque acá las confianças
son armas de los discretos.
   Yo seré el mantenedor
desta justa, que bien puedo
35 aiuntarme a vuestro amor
después que sois mi sustento.
   Salgan para hazerme guerra
mis enemigos deseos,

que con armas y favor
40 venceré a los más sobervios.
   En la plaça del altar,
entre los grandes del çielo,
haré mi cuerpo de guardia,
guardando mi humilde puesto.
45 Las flores de lises de oro
que ostenta el amor eterno,
rendiré a vuestras plantas
más altas que el mismo çielo.

Fuera de este baile, dos composiciones en octavas celebran el amor de Bradamante y Rugero. Se titula la primera *En el carro de la Muerte. A la Muerte de la Reyna Doña Ysavel* (Ms Esp. 372 de la Biblioteca Nacional de París, fol. 223 y sig.). Esta pieza de circunstancias se escribió sin duda con la ocasión de las exequias de Isabel de Valois, por lo tanto habría que fecharla de 1568. Aparecen el paladino y la hija de Aimón en un largo séquito en el cual desfilan sucesivamente Acis y Galatea, Píramo y Tisbe, Hero y Leandro, Febo y Dafne, Fedra y Teseo, Aquiles y Polixena, Tristán e Iseo, César y Cleopatra, Jasón y Medea, Eneas y Dido, y otras muchas parejas famosas:

Este es el fortíssimo Rugero,
al que encantó en la roca el viejo Atlante,
y ésta por quien (quedando prisionero)
alcançó livertad su charo amante.
No os engañe y penséys ser cavallero
la varonil y vella Bradamante,
que quanto la veys fuerte y velicosa,
tanto es gallarda, bella y amorosa.

(Ms Esp. 372, fol. 229.)

Aparece la misma octava, con algunas variantes, en una pieza de tono comparable, cuya fecha desconocemos, titulada *Máscara del triunfo del honesto amor* (Ms 1580 de la Biblioteca Real, fol. 45 y sig.), en la cual también figura una serie de parejas históricas o legendarias:

Este [es] el famosísimo Rugero,
a quien encantó en la roca el viejo Athlante,
y ésta por quien, quedando prisionero,
alcançó libertad el caro amante.
No engañe en pensar que es cavallero
la baronil y bella Bradamante,
que es tan fuerte, guerrera y belicosa
quanto apuesta, gallarda y ermosa.

(Ms 1580, fol. 46 v°.)

68

LLANTO DE BRADAMANTE

Ms 3168 de la Biblioteca Nacional, fol. 10 r°.

Sobre el laguo sanguinoso
que por dos partes brotaba
del cuerpo de don Rugero
Bradamante se quejaba.
5 Apresura la cor[r]iente
del humor que destilaba
por los alcaduces llenos
de las mejillas de plata.
Juntándose las dos fuentes
10 que de tales pechos manan,
bienen a ser tan conformes
que en nada no discrepaban.
Lágrimas sangre parecen,
pues en sangre se bañaban,
15 la sangre pierde su ser
i en lágrimas se tornaba.

Viendo tan raros efectos,
con la conguoja sobrada
sembrando rubias madejas,
20 ansí se queja la dama:
"Fortuna, no estás contenta
de quitarme mi esperança,
sino que quies que se pierda
por mí sin mereçer nada.
25 Para doblar el dolor,
doblas, tirana, la causa,
mas si un descuido grave
con gran cuidado se pagua,
io carguaré tantos de ellos
30 acá dentro en mi morada
que por no caber en ella
despidan de guolpe el alma".

Puede ser que este romance se inspire en uno de los poemas que continúan la acción del *Orlando Furioso*. Lo que podemos afirmar es que no deriva de las obras de Pescatore (*Morte di Ruggiero*, Vinegia, 1558, y *Vendetta di Ruggiero*, Vinegia, 1557).

III

ANGÉLICA Y MEDORO

Las tres primeras composiciones de esta sección tienen por asunto algunos episodios reveladores del amor loco que inspira Angélica a tantos valientes. Las demás se relacionan con la pasión de Angélica por Medoro, con su origen, sus causas y sus consecuencias, con su plenitud en fin.

La aventura de la princesa y del moro inspiró de manera constante a los poetas del Siglo de Oro, desde Pedro de Guzmán hasta López de Zárate. Con todo es evidente que se trató más a menudo después de 1580 que en los años anteriores. La curva que describe el tema es exactamente inversa de la que se podría trazar para esquematizar el éxito de los amores de Rugero y Bradamante en el romancero: cuando el primer motivo va a llegar a su apogeo, está declinando el segundo.

Conviene añadir a estas observaciones sobre la frecuencia unas divergencias de perspectiva. No sienten ni Pedro de Guzmán ni los poetas del *Romancero historiado* ninguna simpatía hacia Medoro, el humilde soldado que la caprichosa Angélica prefiere a Roldán. Esta pasión es para ellos escandalosa, y no sorprende el hecho. Por los mismos años, otros escritores dejan asomar más claramente su opinión: Garrido de Villena en su *Roncesvalles* (1555) y Agustín Alonso en las *Hazañas de Bernardo* (1585). Se proponen ambos autores castigar tanta inconciencia, tanta ingratitud, tanta maldad. Garrido entrega Angélica a unos corsarios, Agustín Alonso la abandona a la venganza del implacable Malgesí (véase sobre el particular nuestro estudio *L'Arioste en Espagne*, p. 119-120, 193-194). Nuestros romancistas demuestran mayor indulgencia, o más galantería. Pero los hay que no se sonríen de una unión por extremo desigual: uno al menos hace que perezca el joven africano a manos de su glorioso rival, manifiestan otros marcada simpatía al paladino, mientras que un poeta del *Romancero historiado* procura discretamente presentar a Medoro como caballero.

Acaso sorprenden estas reacciones. Pero consta que persisten, en algunos casos, hasta el siglo XVII, tan apegado como el anterior a las jerarquías sociales y más sensible que él al decoro definido por la *Poética*. Expresa tal sentimiento en forma perfectamente clara Suárez de Figueroa (núm. 89), y el autor de *Quien habló pagó*, cuando evoca la aventura de Angélica y Medoro y pone a la heroína de la obra en una situación comparable a la de la princesa del Catay, se guarda de hacer del herido desconocido un personaje de humilde extracción (véase Tirso de Molina, *Obras dramáticas completas*, ed. Blanca de los Ríos, Aguilar, 1946, I, p. 1365-1368). Sería ofender un conformismo que respeta la comedia. El desconocido será conde de Urgel: así no se atenta a las leyes del decoro. De la misma manera, la historia de Porcia y Tancredo, tan parecida a la de Angélica y Medoro, si hemos de creer a Castillo Solórzano, se aparta de ella en el mismo punto esencial: Tancredo es hijo del marqués de Monferrate (*Los amantes andaluzes, historia entretenida, prosas y versos*. Barcelona, S. de Cormellas, 1633, fol. 109-110).

Concluiremos que el episodio imaginado por Ariosto suscita todavía a fines del siglo XVI y a principios del siglo XVII cierto malestar en algunos escritores. Pero se le admite en la poesía española, en la que grandes poetas le acogen y legitiman. Su misma originalidad hace que Lope de Vega vea en él admirable ejemplo de pasión amorosa, acaso explica la afición que sintió por él Góngora. El tema va a sobrevivir a estos autores y se nutrirá por muchos años de los versos de *En un pastoral albergue*. Va a degenerar, como es natural, a consecuencia del desgaste de la edad y bajo los golpes de las alusiones burlescas. Con todo habrá llegado en la literatura del Siglo de Oro a un exquisito equilibrio, cuando unos poetas se olvidaron de Roldán y de su furor celoso para tratar únicamente del encuentro y la felicidad de los dos amantes, puro motivo de belleza que ya había seducido a Francisco de Aldana, el precursor.

6 9

ANGÉLICA Y SACRIPANTE

Pedro de Padilla, *Romancero*, 1583, fol. 151 vº-155 vº.
Ms 1579 de la Biblioteca Real, fol. 26 rº-28 rº.

De la espantosa batalla,
tan sangrienta y tan reñida,
en que la gente christiana
fue de Agramante vencida,
5 sale Angélica la bella,
que en premio fue prometida
al que de parte de Carlo
mostrase más valentía.
Huyendo va temerosa
10 sin saber dó pararía,
turbada de verse sola
do no espera compañía.
Por un bosque se ha metido,
y por donde ella venía
15 vio venir un cavallero,
al qual luego conocía.
Don Reynaldos era éste,
a quien ella aborrecía
tanto que la misma muerte
20 que viéndole luego uía [sic].
El conoció desde lexos
aquella por quien moría,
el angélico semblante,
el donayre y loçanía,
25 que embuelto en red amorosa
el coraçón le tenía.
A grandes bozes la llama
y que aguarde le pedía,
y ella rebolvió el cavallo

30 y a rrienda suelta partía.
Ni la espesura del monte
ni el buen camino atendía,
por do el cavallo la lleva
sin color temblando yva,
35 y por fuera de camino
hasta una fuente venía,
donde halló un fuerte moro
que Ferragut se dezía.
Y viéndola ansí venir
40 gritando, despaborida,
aunque el yelmo le faltava,
a Reynaldo arremetía,
quando conoció la dama
a quien offender quería,
45 y entre los dos se comiença
la batalla muy reñida.
Y en tanto que cada qual
por ganalla combatía,
la dama, que se vio libre
50 de lo que tanto temía,
dexólos en la refriega
y en el bosque se metía;
y en él anduvo essa noche
y la mitad de otro día,
55 y después a un bosque llega
donde dos fuentes avía,
que de cada una dellas
un fresco arroyo salía,

y las aguas murmurando
60 hazen sabrosa armonía.
　　Del trabaxo fatigada,
　　allí reposar quería,
　　quitó el freno a su cavallo,
　　y en las flores descendía,
65 dexándole que paciesse
　　de la verde yerva fría,
　　y en una mata sombrosa
　　que al sol la entrada impedía,
　　y con sombra deleytosa
70 gracioso alvergue hazía,
　　que de yervas adornado,
　　que llamava parecía
　　a descansar a qualquiera
　　con el calor que hazía,
75 entróse la dama en ella
　　y a reposar se ponía.

　　Y sin aver mucho rato
　　que con gran sabor dormía,
　　passos delante de sí
80 se le antojava que oya,
　　y muy quedo se levanta
　　para mirar quién sería,
　　y vio que es un cavallero
　　a quien no reconocía,
85 y que en la orilla del río
　　del cavallo descendía,
　　y mirando el agua clara
　　de suerte se suspendía
　　que trocado en piedra dura
90 que estuviesse parecía,
　　y con un tierno suspiro
　　desde a poco en sí bolvía,
　　y començó a lamentarse,
　　y estas palabras dezía:

95 　　"¡Ay! pensamiento triste y afligido,
　　por cuya causa ardiendo estoy elado,
　　¿qué haré? pues tan tarde soy venido
　　que alguno el dulce fruto abrá gozado.
　　Ver y hablar apenas yo he podido,
100 y otro saldrá del triunfo coronado,
　　pues ¿por qué ha de tornar esta alma loca
　　si della flor ni fruto no me toca?
　　　Semejante es la virgen a la rosa
　　que en la materna y natural espina,
105 mientras con soledad vive, reposa,
　　que ganado y pastor no se avecina.
　　El ayre, el agua, el alva deleytosa,
　　la tierra, el cielo a su favor se inclina,
　　huelga el galán y dama enamorada
110 de tener seno y frente della ornada.
　　　Mas en el punto, siéndole quitado
　　el propio asiento de su tronco verde,
　　todo el bien que del cielo le fue dado,
　　de belleza, valor y gracia, pierde.
115 La virgen que con todo su cuydado
　　es bien que de su dulce flor se acuerde,

dexándola coger, no es estimada
de aquellos de quien antes era amada.
   Podránla despreciar, que a mí me mata,
120 aunque de sí aya hecho gran largueza.
¡Ay! fortuna cruel, fortuna ingrata,
triunfan los otros, muero yo en pobreza.
¿Cómo es posible a mí no serme grata
por quien dexo el descanso y la riqueza?
125 Acabará la vida que sostengo,
mas no el amor y fe que yo le tengo".

   Angélica le mirava
y sus querellas oya,
y vio que era Sacripante,
130 el gran rey de Circasía,
y aunque a ninguna piedad
el verle ansí la movía,
porque de sí ymaginava
que nadie la merecía,
135 determinó de llevalle
por amparo y compañía;
y salió de adonde estava,
y al Circaso aparecía
como quando sale el sol
140 que todos los nublos quita.
El Rey, con mayor contento
que nadie dezir sabría,
lleno el pecho de ternezas,
sobresalto y alegría,
145 a su diosa entre los braços
sin sentido recebía;
y ella le dio tanta quenta
del discurso de su vida,
y díxole que Roldán,
150 quando con ella venía,
la aguardó como valiente,
mas que otra cosa no avía.
El Rey dio crédito luego
a quanto le refería
155 (que amor haze que se crea,
de la persona querida,
qualquier disculpa que sea,

aunque parezca fingida),
y entre sí consigo mismo
160 este discurso hazía:
"Si Orlando dexó por necio
de gozar tu gallardía,
yo no lo pienso hazer,
que gran necedad sería".
165 Y para dar el asalto
mientras que se apercebía,
cerca de donde él estava
un grande rumor se oya,
y subiendo en su cavallo
170 para ver lo que sería,
vio asomar un cavallero
que armado en blanco venía,
y pequeño pendoncillo
que por cimera traya,
175 y en su postura mostrava
tener mucha valentía.
Sacripante sale al passo
y a bozes lo desafía,
no paró el otro en razones
180 y al contrario arremetía,
y a su cavallo y a él
por el suelo los ponía,
y sin hablarle palabra
a rienda suelta partía.
185 No le siguió Sacripante
porque una pierna tenía
debaxo de su cavallo
y moverse no podía,

levantóse él más corrido
190 que ymaginarse podría,
ayudándole la dama,
que a levantarle acudía.
Y ellos estando en aquesto,
un mensagero venía
195 que en busca del que passó
andava todo aquel día,
y dél pudieron saber
que la que passado avía
Bradamante se llamava,

200 por fama bien conocida.
Quedó el moro pensativo
sin saber lo que haría,
y corrido y disgustado,
en su cavallo subía,
205 con Angélica a las ancas,
a quien cosa no dezía.
Y assí perdió la ocasión
del gusto que pretendía,
que nunca más se la dio
210 ventura en toda la vida.

1-2 *Ms 1579* de la batalla espantosa / tan sangrienta, tan reñida. — 20 *Ms 1579* en viéndole luego uía. — 24 *Ms 1579* el donaire y gallardía. — 29 *Ms 1579* ella rrebolvió el cavallo. — 38 *Romancero 1583* Ferragust [*sic*]. *Ms 1579* Ferragut. — 39 *Ms 1579* y en viéndola asy venir. — 53 *Ms 1579* por él anduvo essa noche. — 55 *Ms 1579* en el qual a un bosque llega. — 65-66 *Ms 1579* y dexóle que paciese / de la yerva que allí avía. — 71 *Ms 1579* y la fresca y verde yerva. — 72 *Romancero 1583* que llama se parecía [*sic*]. *Ms 1579* que llamava pareçía. — 77 *Ms 1579* y sin aver mucho tiempo. — 83-85 *Ms 1579* vio venir un cavallero / pero no le conoçía / y vio que çerca del río. — 91 *Ms 1579* suspirando enternecido. — 105-106 *Ms 1579* mientras entera y sola allí reposa / que ganado o pastor... — 110 *Ms 1579* tener el seno y frente della ornada. — 112 *Romancero 1583* el propio ascento [*sic*]. *Ms 1579* el propio asiento. — 114 *Ms 1579* de valor y belleza y gracia pierde. — 117 *Ms 1579* si la dexa cojer, no es estimada. — 126 *Romancero 1583* el amor y ser. *Ms 1579* el amor y fe. — 128 *Ms 1579* y con atençión le oía. — 132 *Ms 1579* el velle tal la movía. — 140 *Ms 1579* que los nublos esparcía. — 142 *Ms 1579* que lengua deçir sabría. — 143 *Ms 1579* terneça. — 145 *Ms 1579* sus brazos. — 147 *Ms 1579* ella le dio larga quenta. — 151 *Ms 1579* la guardó. — 154 *Ms 1579* a todo quanto decía. — 164 Después de este verso se leen en el manuscrito 1579 los versos siguientes que no figuran en la redacción definitiva:

yo quiero cojer la rosa
que despúes perder podría,
que aunque Anjélica se muestre

al principio desabrida,
remontada y desdeñosa,
ella amansará otro día.

165 *Ms 1579* y para aquel dulce asalto. — 168-171 *Ms 1579* un grande rrumor oía / y subiendo en su caballo / púsose el yelmo y salía / para ver lo que sería / y vio que era un caballero. — 173 *Ms 1579* y un pequeño pendoncillo. — 179 Después de este verso se leen en el manuscrito 1579 dos versos que no figuran en la redacción definitiva:

que no menos que él valía,
la lanza puso en el ristre

182 *Ms 1579* en el suelo. — 190 *Ms 1579* que se vio en toda su vida.—
192 *Ms 1579* que a consolalle acudía. — 199-200 Texto diferente y algo más
largo en el manuscrito 1579:

la hermosa Bradamante
de su nombre se decía,
ermana de don Reinaldos
y de fama bien conoçida

205 *Romancero 1583* con Angélica alabanças [*sic*]. *Ms 1579* con Anjélica
a las ancas.

La materia de este largo romance está tomada de una serie de octavas
que representa más de la mitad del canto I del *Orlando Furioso* (oct. 8-17,
35-45, 49-71). A veces Padilla resume secamente: es el caso del combate
de Bradamante y Sacripante; otras veces sigue de cerca el texto italiano
(compárense por ejemplo v. 21-26 y *O. F.*, I, 12, 6-8). Las quejas de
Sacripante (v. 95-126) son traducidas de las octavas 41-44 de Ariosto.

70

RODAMONTE ENAMORADO DE ANGÉLICA

Ms 1587 de la Biblioteca Real, fol. 168 vº-169 vº.

Puesto en silençio y olvido
el bravo rrigor de Marte,
de la furia y saña ausente
que le cupo tanta parte,
5 está el fiero Rodamonte
sin que de mi mal se arte [*sic*].
La espada, yelmo y escudo
sin orden suelta y rreparte,
diziendo: "Angélica fiera,

10 porque de mi mal se harte
aquese pecho cruel
y puedas ya contentarte,
oye mi boz sin ser mía,
no a de llegar a cansarte,
15 que no es posible que pueda
menos que contento darte.
Llegue aquí tu sufrimiento,
pues el mío llegó [a] amarte,

que ymaxinando que estás
20 adonde pueda mirarte,
cantarya aquestas endechas
más con dolor que con arte:
   E n d e c h a s
Para que concluya
y al dolor me entregue,
25 no ay mal que no llegue
ni bien que no huya.
  Y aquesto confirme
es bien, pues me siento
mudable al contento
30 y al padeçer firme.

  Para bien querer
qualquiera me esfuerça,
y no hallo fuerça
si e de aborreçer.
35 Un tiempo que bio
plazer ni alegría [*sic*],
apenas bi el día
quando anocheçió.
  Rrcmcdio ymportante
40 no le abrá xamás,
pues es por demás
que el bien se adelante.

3 *Ms 1587* hizaña [*sic*]. — 12 *Ms 1587* ya puedes ya contentarte [*sic*].

Un copista negligente alteró el texto de este romance: el verso 6 que no tiene sentido, reproduce parte del verso 10. Aunque fuera de forma correcta, esta composición muy artificiosa, entorpecida por sus rimas en *arte,* no sería de las mejores. Tiene con todo el interés de destacar un tema original del romancero español: el amor de Rodamonte por Angélica. El rey de Argel desesperado se va despojando de sus armas, como lo hacía Roldán. También Lope de Vega prestó a Rodamonte una desesperación inspirada en la del paladino francés (*Los celos de Rodamonte,* jornada III, *Acad.,* XIII, p. 400-401), pero, en esta comedia, se debe el furor celoso de Rodamonte a la traición de Doralice. El autor de *Puesto en silençio y olvido* demuestra mayor independencia en su tratamiento de los temas ariostescos.

7 1

MUERTE DE UN ENAMORADO

Romancero historiado, Lucas Rodríguez, 1582, fol. 88; 1584, fol. 84 r°-85 r°; 1585, fol. 87 v°-88 v°.
Pliego s. a. impreso por Pedro Malo (*Pliegos poéticos de la Biblioteca Nacional,* "Joyas", I, núm. XLIV).

Por una triste espessura,
por un monte muy subido,
vi venir un cavallero,
de polvo y sangre teñido,
5 dando muy crueles bozes
y con llanto dolorido.
Con lágrimas riega el suelo
por lo que le ha succedido,
que le quitaron a Angélica
10 en un campo muy florido
dos cavalleros christianos
que en rastro dél han venido,
y viéndose ya privado
del contento que ha tenido,
15 sin su Angélica y su bien,
va loco por el camino.
Desmayado yva el moro
con diez lançadas herido,

pero no se espanta desso
20 ni se dava por vencido,
que en llegando a una verdura,
del cavallo ha decendido
para atarse las heridas,
que mucha sangre ha perdido.
25 Y con el dolor que siente
en el suelo se ha tendido,
y con vozes dolorosas,
triste, ansioso y affligido,
maldezía su ventura
30 y el día en que avie nacido,
pues no se podía vengar
deste mal que le ha venido.
Y estando en esta congoxa,
el gesto descolorido,
35 dando sospiros al ayre,
el alma se le ha salido.

2 *Pliego* en un monte. — 25 *Romancero 1584* y con el dolor que que siente [*sic*]. — 32 Después de este verso incluye el *Romancero* de 1584 los versos siguientes, que no se leen en los otros textos:

de aver perdido su dama
que más que a sí la ha querido,
que aviendo sido del cielo
en esto favorecido,
la perdió por su desgracia
que es lo que más ha sentido.

Durán titula este romance *Sacripante y Angélica* (núm. 407) e indica en una nota que la muerte de Sacripante es asunto del *Orlando Furioso*. Sorprende la afirmación, pues en vano se buscarían en el poema italiano los versos que pudieran inspirar directamente este romance o aludieran a la muerte de Sacripante. El título de la composición en la colección de Lucas Rodríguez es sencillamente *De Angélica,* y no es posible dar más precisiones. Ignoramos la identidad del moro de quien habla este romance, y es que así lo quiso el poeta que imitó felizmente la imprecisión de los romances viejos.

No es posible ver en esta obra el reflejo de un episodio del *Orlando Furioso.* Pero sí debemos ver en ella una variación sobre un tema conocidísimo del romancero, el del caballero desesperado que se lamenta y a veces muere apartado de su dama. Pintan esta situación varios romances; uno de ellos nos parece coincidir más de una vez con *Por una triste espessura.* Pensamos en *Aquexándome el dolor* (*Cancionero de romances,* fol. 256), texto en el cual la muerte del enamorado igualmente tiene por marco un lugar encantador cuyo aspecto risueño hace vivo contraste con la sombría tristeza del personaje. El amor loco que inspiró Angélica a tantos caballeros, moros o cristianos, le sugirió al autor de *Por una triste espessura* la idea de prestar a uno de ellos una muerte desesperada parecida a la que habían evocado ya otros romances. Entre los textos que reunimos en este libro ninguno demuestra de modo más rotundo cómo los temas ariostescos pudieron, en ciertos casos, injertarse en una poesía tradicional y asimilarse perfectamente a la literatura española.

El examen de la forma del romance nos lleva a idénticas conclusiones. El verso *por una triste espessura* es tradicional: se lee en la conocida composición *Por un valle de tristura,* recogida por Timoneda y otros compiladores (*Silva de varios romances,* 1561, fol. 174 vº - 175 rº, *Cancionero llamado Flor de Enamorados,* 1562, fol. 53, *Rosa de Amores,* 1573, fol 9 vº - 10 rº). Acaso se puede decir lo mismo del verso *maldezía su ventura,* que aparece en *Estávase don Reynaldos* (*Cancionero de romances,* fol. 76 rº). No cabe duda de que el autor de *Por una triste espessura* quiso tratar un tema tradicional en un estilo tradicional.

72

VALOR Y LEALTAD DE MEDORO

Ms 996 de la Biblioteca Real, fol. 15 v°-20 r°.

No hera Medoro de aquellos
que en el sarrazino campo
haçían temblar la tierra
al exército de Carlos,
5 que aunque era mozo animoso
no hera de fuerzas dotado,
hera sólo de hermosura,
tal que en ella hera milagro.
Ojos negros tenía el moro,
10 cavello crespo dorado,
blancas y rojas mexillas,
de fino rubí los lavios,
y aliende desta beldad
hera de bondad hornado,
15 llano, agradable, discreto,
agradezido y honrrado,
no porque el alto linaje
le huviese a ello obligado,
que humilmente fue nazido

20 y en humildad fue criado,
mas la fina hidalguía
son las obras del hidalgo.
Tubo Medoro un amigo
que Cloridán fue llamado,
25 joben robusto y lixero
y en la caça exerçitado.
En nombre fueron amigos
y en afición más que hermanos,
y en mala o buena fortuna
30 entrambos avían amado
a Dardinelo su rey
y con él la mar pasado.
Pues savían que hera muerto,
muerto mas no sepultado,
35 no puede sufrir Medoro
la fuerça deste cuydado
y buélbese a Cloridán,
desta manera hablando:

Octavas

"Cloridán, si el ser rei y amigo zierto
40 debe ser de su sierbo agradezido,
quien no quando mejor que a mi rey muerto [*sic*]
que espera de las aves ser comido.
Si como el que me tubo fue amor zierto
lo es el que le tengo y he tenido,
45 pues él asta la muerte me quería,
débole yo querer asta la mía.
Que si la noche huelga de encubrirme,
y la fortuna de favorezerme
y en pago de propósito tan firme

50 a Dardinelo muerto conzede[r]me,
   aunque es al alma más que yel amarga,
   a mis hombros será sabrosa carga.
      Daréle con mis manos sepoltura,
      que es el deseo que en el alma llebo.
55 Mas si fuere contraria la fortuna
   a enpresa a que con tanto amor me atrevo,
   con muerte ayrada o en prisión escura
   no es pusible cumplir con lo que devo [sic].
      Pero a lo menos deste atrevimiento
60 se verá claro mi piadoso yntento".

   Dijo y callando Medoro,
   Cloridán que está escuchando
   su propósito requsa,
   mill causas bastantes dando:
65 "Tu falta de hedad, le dize,
   con ánimo tan sobrado
   no me contenta, Medoro,
   que es llevar la muerte al lado.
   Y si te niega fortuna
70 lo que te ofreçe cuydado,
   dirán que locura fue
   lo que es amor tan sobrado.
   Ya que para defenderle
   de la muerte no hubo manos,
75 ¿qué ba que coman las abes
   lo que an de comer gusanos?"
   Esto Cloridán responde,
   mas biendo que no a bastado,
   él torna a contradezirse
80 con pecho más lebantado:
   "Menos tengo yo, Medoro,
   a Dardinelo olvidado,
   que el azerte compañía
   nazerá de muy buen grado.
85 Sepultar quiero a mi rey,
   pues soy a más obligado.
   Y si mueres en la ympresa,
   quiero morir a tu lado.
   Más baldrá morir por ti
90 de heridas de una mano

   que de dolor de perderte,
   que será dolor doblado".
   Hablando desta manera
   aquellos moros bizarros,
95 toman derecho el camino
   del exérçito christiano.
   Entre carruaxe[s] y armas
   a los nuestros an hallado
   que estavan asta los ojos
100 en el bino sepultados.
   Hera el sueño que durmían
   como [de] hombres sin cuydado,
   porque de los enemigos
   ninguno les a quedado.
105 Con el primero que topan,
   el mago Alférez llamado,
   que aquel año hera benido
   por médico del rey Carlos,
   lleno de philosophía,
110 de astrolojía doctado,
   mas salióle mentiroso
   lo que de sí le a enseñado.
   El mismo con sus estrellas
   se avía prognosticado
115 que en braços de su muger
   moriría a luengos años.
   Mas agora Cloridán
   a confundido su hado
   cortando aquella caveza
120 del mentiroso Leandro [sic].

Luego mata a Palidón
de Moncalier esforçado,
que entre dos cavallos suyos
durmía y no a recordado.
125 Luego toparon a Grillo,
un bevedor afamado,
por cavezera un barril,
y en su pecho trasegado
pensó dormírsele en paz,
130 de un sueño dulçe tocado,
mas el atrevido moro
la caveza le a cortado,
de donde salió a la ora
bino con sangre mezclado.
135 El buen duque de Laberto
estava en estrecho abrazo
con la más hermosa moza
que en França se avía allado,
quando allí llegó Medoro
140 con el puñal en la mano,
pensando que yere a uno
a los dos la muerte a dado.
¡Benturoso amador!
¡Dama de dichoso hado!
145 Como se amaron en bida,
en muerte no se an dejado.
Juntos quedaron los cuerpos
en aquel sangriento campo,
y juntas fueron las almas
150 [a] almorzar con el diablo.
Pasa adelante Medoro,
y tópase dos hermanos,

yjos del conde de Flandes,
balerosos y esforzados.
155 Son muy nobles cavalleros
y armólos el buen rey Carlos,
y al blasón que ellos trayan
añadió el lilio dorado,
porque los bido benir
160 en el conbate pasado
con cada estoque desnudo
asta el puño ensangrentado.
Prometióles tierra en Frisa,
zierto se la hubiera dado,
165 mas con su puñal Medoro
de obligaçión le a sacado.
Otro griego, otro tudesco
dejan muertos en el campo,
que lo más de aquella noche
170 al fresco se avían gozado,
unos ratos con la taza
y otros ratos con el dado.
¡Benturosos si supieran
belar lo que avía quedado!
175 Mas el que fuese adivino
no sería desdichado.
Con esto pasan los dos
entre los muertos buscando
el cuerpo de Dardinelo,
180 el qual por dicha an allado.
Lo que después les avino
sobre sus hombros cargado,
otro lo podrá decir,
que yo siéntome cansado.

158 *Ms 996* anidio [sic].

Este romance es adaptación de las octavas 165-180 del canto XVIII
del *Orlando Furioso*. Nos ha llegado el texto en una forma poco satisfactoria: es incompleta una de las octavas y hay versos que faltan de clari-

dad. Dos rasgos característicos del romance, la adaptación de un extenso fragmento del poema italiano y la torpeza de las octavas, evocan las composiciones del *Romancero* de Padilla. Con todo demuestra cierta originalidad el autor de esta composición: si bien reproduce muchas veces con escrupulosa fidelidad todos los detalles del texto ariostesco, adapta las palabras de Medoro en vez de traducirlas (v. 39-60. Compárese *O. F.*, XVIII, 168-169). Altera ligeramente el orden de los acontecimientos: la muerte de los dos jugadores (v. 167-176; *O. F.*, XVIII, 177) viene después de la del duque de Labretto y de los hijos del conde de Flandes (v. 135-166; *O. F.*, XVIII, 179-180). Le divierten los finales desenvueltos de los cantos de Ariosto que imita en los últimos versos de su obrita. No vacila en emplear una expresión realista muy española (v. 76). Pero esta libertad de tono no degenera en licencia. El poeta es un moralista que discurre sobre la verdadera nobleza (v. 13-22) y arregla en forma reveladora una octava del *Orlando Furioso*: cuando Ariosto prometía la felicidad eterna al duque de Labretto y a su amiga (*O. F.*, XVIII, 179), el romancista español condena los amantes a los tormentos del infierno (v. 147-150).

7 3

AMORES DE ANGÉLICA Y MEDORO.
LOCURA DE ROLDÁN

Pedro de Padilla, *Romancero*, 1583, fol. 173 rº-177 rº.

Con el cuerpo de su rey
yva Medoro cargado
por medio el campo enemigo
para poder enterrallo.
5 Mas queriendo salir dél
fue visto al fin y cercado,
manda el capitán prendello,
mas él, con el peso amado,

como un torno se rebuelve
10 por uno y por otro lado.
Cloridán, su compañero,
viéndole tan maltratado,
puso en el arco una flecha
y un contrario ha derrivado,
15 y otro luego con aquél
porque fuesse acompañado.

Y el capitán que esto vido,
la paciencia le ha faltado,
y arremetió con Medoro,
20 y del cabello dorado
le arrastró por aquel suelo,
pero aviéndole mirado,
quando le vio tan hermoso,
no quiso hazerle daño.
25 Y el desdichado Medoro,
viéndose tan fatigado,
con lágrimas de sus ojos
humilmente le ha rogado
que no le quite la vida
30 hasta que aya sepultado
el cuerpo de su señor
que dél era tan amado.
Y en tanto que esto le pide,
un cavallero villano
35 llegó con poco respeto,
y en el pecho delicado
le dio una mortal herida
y en el suelo le ha dexado,
derramando tanta sangre
40 que vivir fuera escusado
si el cielo no socorriera
con remedio no pensado.
Y fue que Angélica llega
junto al cuerpo desangrado,
45 donde con dorada flecha
la estava Amor esperando,
no pudiendo ya sufrir
coraçón tan libertado.
Quando Angélica le vio
50 tan bello y tan fatigado,
de piedad no acostumbrada
sintió el pecho traspasado,
y aquel hermoso mancebo
para que fuesse curado,
55 por una yerva se aparta
que reconoció en el prado,
y entre las hermosas manos

el çumo della ha sacado,
y la sangre que salía
60 con esto le ha restañado.
Y buscando quien le lleve,
con un pastor ha encontrado
que cerca de allí morava,
y a su casa le ha llevado,
65 y Angélica va con él,
que nunca quiso dexallo,
que ya de amoroso fuego
el pecho siente abrasado,
y no piensa dél partirse
70 hasta que le dexe sano.
Medoro de allí no quiere
partir sin ver enterrado
el cuerpo de su señor
que tan caro le ha costado,
75 y a casa del pastor fueron,
que era en un bosque cercano,
donde fue de la donzella
Medoro muy bien curado.
Ella se destruye y muere,
80 y él va siempre mejorando
y quando sano le vido,
en breve tiempo ha quebrado
el freno de la vergüença,
y favor le ha demandado,
85 con belo de matrimonio
aquel hecho disfraçando,
y en aquella casa humilde
las bodas han celebrado.
Y en este contentamiento
90 un mes o más han passado,
que él de noche ni de día
se le apartava del lado,
y en qualquier árbol sombrío,
después de aver descansado,
95 con la punta de un cuchillo
dexava en él dibuxado
su nombre con varios ñudos,
y el de Angélica enlazando.

Y después de aver tal tiempo
100 gustosamente passado,
para el Catay se partieron,
y a la pastora le ha dado
Angélica un braçalete
que fue primero de Orlando,
105 labrado de oro muy fino
y de perlas adornado.
Y de a poco tiempo el Conde
[a] aquel lugar ha llegado,
y par de una clara fuente
110 recostó el cuerpo cansado,
y levantando los ojos,
en mil partes a hallado,
junto con el de Medoro,
de Angélica el nombre amado.
115 No puede el Conde creer
que lo que está allí cortado
es de Angélica la bella,
sino de otra dibuxado,
porque es ordinario y cierto
120 en un hombre enamorado
jamás dar crédito a cosa
que pueda desengañallo.
Mas con todo, receloso,
de do está se ha levantado,

125 y entrando por una cueva
que allí cerca se ha hallado,
este mote halló escripto
con que fue desengañado:
"Tiernas plantas, aguas dulces,
130 bella cueva, alegre prado,
donde pasó alegre vida,
dulcemente regalado,
con Angélica la bella,
Medoro, su enamorado,
135 eternamente seáys
del alto cielo guardados,
y su favor os defienda
de qualquier offensa y daño."
Después de averlo leydo
140 el Conde quedó elevado,
y con el grave dolor
que de ver esto ha cobrado,
sin que le valiesse esfuerço,
sin sentido se ha quedado,
145 y después que bolvió en sí,
soltando la rienda al llanto,
sin poder hablar palabra
estuvo un rato llorando.
Después començó a quexarse,
150 desta manera hablando:

"Estas no son ya lágrimas que fuera
por estos ojos van con larga vena,
que al principio del ansia lastimera,
se acabaron llorando tanta pena,
155 sino que con la llama esquiva y fiera
sale el vital humor, como lo ordena
Amor, para que acabe el fuego ardiente
el dolor y la vida juntamente.
Ya los que indicio dan de mi tormento
160 no son suspiros, que éstos cesan luego,
haziendo tregua un poco, mas no siento
que ay[a] en mi pecho punto de sosiego.
Mueve con que me abrase amor el viento,
ambas alas batiendo en torno al fuego:
165 milagro es de los suyos éste en suma

que ardiendo en llamas yo no me consuma.
No soy, no soy el que parezco, cierto,
que al Orlando que fue, cubre la tierra,
y su dama ingratíssima le ha muerto,
170 que con falta de fe le ha hecho guerra.
Solo espíritu soy, en esto acierto,
y el infierno de amor en mí se encierra,
y vengo a ser con esta mala andança
exemplo al que en amor pone esperança".

175 Por el bosque aquella noche
anduvo descaminado,
y al tiempo que amanecía
se halló que avía tornado
a donde halló el letrero
180 de Medoro dibuxado.
Y en odio y ravia encendido,
con furor desatinado,
hizo pedaços la piedra
sobre que estava cortado,
185 cortó los árboles todos,
que allí ninguno ha dexado,

y ya sin aliento desto
cayó sobre el verde prado,
y allí se estuvo tres días
190 sin querer comer bocado.
Y al quarto, con furor nuevo,
el seso todo acabado,
aquí se dexava el yelmo,
allí el escudo ha dexado,
195 y de las armas desnudo,
va furioso por el campo,
que esta paga le dio amor
por aver tan bien amado.

130 *Romancero 1583* fue la cueva alegre prado [*sic*].

Resume este romance extensos fragmentos del *Orlando Furioso* (XIX, 6-40, XXIII, 100-114 y 126-133). Los versos 151-174 traducen torpemente las octavas 126-128 del canto XXIII. Merece atención un detalle: en este texto se entera Roldán de su desdicha sin que intervenga en el asunto el pastor que acogió a Angélica y Medoro. Por lo tanto pierde todo interés el hecho de que Angélica regala su brazalete a sus huéspedes. Sin embargo lo menciona Padilla (v. 102-106), únicamente porque relata detenidamente Ariosto este acontecimiento importante en su narración (*O. F.*, XIX, 37-40). El detalle revela el carácter apresurado y casi mecánico del trabajo de Padilla.

74

ANGÉLICA SE ENAMORA DE MEDORO

Romancero historiado, Lucas Rodríguez, 1582, fol. 139 rº-140 rº; 1584, fol. 132 vº-133 vº; 1585, fol. 139 rº-140 rº.

Sobre la desierta arena
Medoro triste yazía,
su cuerpo en sangre bañado,
la cara toda teñida,
5 con tristes ansias diziendo:
"Grande ha sido mi desdicha.
Por ser leal a mi rey
pierdo, cuytado, la vida.
No me pesa tanto desto,
10 que muy bien está perdida,
como de ver que he quedado
muerto en esta arena fría.
Aunque me coman las fieras
en esta sola campiña,
15 no avrá quien de mí se duela,
ni me tenga compañía.
Sintiéronme los christianos,
y lo paga el alma mía.
¡Oh si quisiesse ya Phebo
20 alumbrarme estas heridas!"
Y hablando tristemente
con las ansias que sentía,
vido a Angélica la bella
que de su amor se rendía,
25 y como vio a su Medoro

tendido en la verde orilla,
movida de compassión,
para él derecho se yva,
y del palafrén se apea,
30 desta manera dezía:
"No temas, buen cavallero,
pues pareces de alta guisa,
que a los casos de fortuna
el valor los resistía."
35 Por el campo anda buscando
si halla alguna medicina,
las yervas que son mejores
entre las piedras molía,
ya se las pone al infante
40 en las mayores heridas.
Si el moro tiene dolor,
ella no tiene alegría,
mirando estava a Medoro,
que más que a sí lo quería.
45 Súbelo en su palafrén,
y Angélica a pie camina,
sin sentir jamás cansancio
con su Medoro se yva
triumphando con gran contento
50 de todo el reyno de Ungría.

23 *Romancero 1582, 1585* vido a Angélica. *Romancero 1584* vido Angélica. — 36 *Romancero 1582, 1585* si halla. *Romancero 1584* si hay. — 40 *Romancero 1582, 1585* en las mayores heridas. *Romancero 1584* en las mortales heridas. — 43 *Romancero 1582, 1584* mirando estava a Medoro. *Romancero 1585* mirando estava Medoro.

Este romance se inspira libremente en unas octavas del *Orlando Furioso* (XIX, 16-25). Las razones de Medoro, que no tienen ningún equivalente en los versos de Ariosto, dan a la composición un estilo declamatorio. Sorprende el último verso: acaso haya que sustituir *Hungría* por *India* o *China*. Es de interés notar que el autor intenta presentar a Medoro como caballero (v. 31-32): de admitirlo el lector, los amores del africano con Angélica resultarían conformes al decoro literario y social.

7 5

ANGÉLICA SE ENAMORA DE MEDORO

Tercera parte de Flor de romances, Madrid, 1597 (*Fuentes del Romancero General,* XII, p. 25-26).
Romancero General 1600, 1604, 1614. Tercera parte.

Embuelto en su roxa sangre
Medoro está desmayado,
que el enemigo furioso
por muerto le avía dexado,
5 y el ser leal a su rey
le ha traydo a tal estado,
los ojos bueltos al cielo
y el cuerpo todo temblando,
de color pálido el rostro
10 y el coraçón traspassado,
lleno de heridas mortales
por un lado y otro lado.
Pero al fin con flaco aliento
y el espíritu cansado,
15 dixo: "Rey y señor mío,
perdona, que no te he dado
la sepultura devida
a cuerpo tan esforçado,
mas yo muero por cumplir
20 con lo que estava obligado.
De mi muerte no me pesa,

pues lo permitió mi hado,
pésame de no acabar
lo que avía començado,
25 y de ver que no he podido,
estando tan obligado,
cumplírseme este desseo,
pues muriera consolado.
De todo perdona, Rey,
30 que pues no quiso mi hado
que estuviera a tus obsequias,
bien es muera desgraciado."
Y estando en esta congoxa,
Angélica que ha llegado,
35 que por caminos y sendas
huyendo anda de Orlando,
reparó viendo a Medoro,
y el cuello y rostro ha mirado.
Sintió un no sé qué en el pecho
40 que el coraçón le ha robado,
y assí el coraçón más duro
de los que el cielo ha criado

está rendido y medroso,   45 y con esta novedad
vencido y enamorado,   desta suerte le ha hablado.

15 *Flor* ¡ay, buen Rey y señor mío!. — 25-32 Faltan en el texto de la
Flor. — 36 *Flor, R. G. 1600* anda. *R. G. 1604, 1614* andava. — 37 *Flor,
R. G. 1604, 1614* viendo a Medoro. *R. G. 1600* viendo Medoro.

Presentan los textos de este romance dos versiones distintas, una de
las cuales, la de la *Flor* de 1597, es más breve que la otra. El último verso
muestra que la composición queda trunca y que, en la forma en que la
conocemos, es arreglo abreviado de una obra anterior. Durán (núm. 408)
retocó el verso 46 para darle forma de conclusión. Puede que el autor de
este romance se haya inspirado en el texto que reproducimos con el
núm. 74, pues tienen ambas composiciones idéntico movimiento, de las
quejas de Medoro a la intervención de Angélica, y los versos 5 y 21 de
la segunda recuerdan, respectivamente, los versos 7 y 9 de la primera.

76

ANGÉLICA SE ENAMORA DE MEDORO

Flor de varios romances nuevos y canciones. Pedro de Moncayo. Huesca,
1589, fol. 76 rº-77 rº.

La felicíssima suerte
a tantos reyes negada,
a Medorillo le cupo,
mal herido como estava
5   de una dichosa herida
de mano francesa dada,
bien dichosa, pues ha sido
por Angélica curada,
estraño effecto de amor,
10 que un "¡hay!" rompe una mon-
que es del angélico pecho,   [taña,
y no los de tantas armas.
Humilde y benigna llega

a curar una lançada
15 quien tantas dio a tantos reyes
y más al conde de Brava.
Por sanar el moro pecho
la tierna yerba buscava
quien heridos de la suya
20 tantos tiene por campaña,
con la qual y su desseo
la sangre y vida restaña,
tapando aquellas heridas
con el calor de dos almas.
25   Cíñele el cuerpo la toca
con que Amor sus ojos venda,

cendal que primero tuvo
cubierto el oro de Arabia,
de cuyas hebras traya
30 mil voluntades colgadas.
En tanto que obró el remedio

de suerte que el bien restaura,
baxos los ojos y puestos
en los del moro que amava,
35 brotando gloria por ellos,
desta manera le habla:

"¡Hay coraçón, hay alma, hay vida, hay ojos!
¿cómo podistes con un "¡hay!" tan sólo
llevar de un alma essenta más despojos
40 que lleva Amor de un polo al otro polo?
No de Daphne de oro los manojos
llevaron tras de sí tan ciego a Apolo
como a mí tu herida en la espessura,
que no consiste en oro la ventura".

3 *Flor* Modorillo [*sic*].— 39 *Flor* mis despojos. — 42 *Flor* tan ciego al
Polo [sic].

Este romance es algo desconcertante. Los primeros versos, el verso 3
en particular, con el "Medorillo" que leemos en él, parecen anunciar una
obra de estilo satírico o burlesco. Pero las cuartetas que siguen des-
mienten esta primera impresión. Presentan unos temas poéticos interesantes, por ejemplo la asimilación de la toca de Angélica a la venda
que cubre los ojos de Cupido (v. 25-30), paralelo que evoca un verso
conocido de *En un pastoral albergue* (v. 11). ¿Estará alterado el texto
de este romance? O, más sencillamente, ¿leemos la obra de un poeta
que no siempre supo escoger entre sugestiones diversas y escribió apresuradamente? Nos parece más verosímil la segunda hipótesis, que viene
a confirmar el examen de la octava que termina el romance, octava
hecha de retazos tomados de otros textos. El verso 37 es el estribillo
de una composición que debía de ser muy conocida, ya que se le había
puesto música (¡*Ay corazón marmóreo en pecho armido*! [*sic*]. Véase
A. Restori, *Poesie spagnole appartenute a donna Ginevra Bentivoglio*,
en *Homenaje a Menéndez Pelayo*, Madrid, 1899, II, p. 466-467). El verso 44 tampoco es original: se lee en una de las octavas del romance *La
noble Ximena Gómez* (*Flor de varios romances nuevos. Séptima parte*.
Francisco Enríquez. Madrid, 1595, fol. 144 r° - 145 r°. Véase Durán,

núm. 746) y en una composición que acaso es un arreglo de dichas octavas (*Poesie spagnole del Seicento a cura di G. M. Bertini*, 1946, p. 24).

7 7

ANGÉLICA SE ENAMORA DE MEDORO

Ms 4117 de la Biblioteca Nacional, fol. 116 rº.

Curándole las heridas
que le dieron en la guerra
a su querido Medoro
está Angélica la bella.
5 "¿Quál fue, le dice, la mano
que hirió desta manera
tu bello cuerpo? Sin duda
fue embidia de tu belleza.
Huyendo de Amor venía,
10 mas ya me tiene sujeta,
que Amor al más libre prende
por mostrar mejor sus fuerças.
En un momento me vide
de libre en sus laços presa,
15 que contra fuerças divinas
no bastan humanas fuerças.
¡Ay, Medoro de mis ojos!
¡quién la sangre de sus venas
pudiera hazer que a las tuyas
20 la que les falta les dieran!
Divina Venus, pues sabes
a lo que estos trances llegan,
no permitas que mi Adonis
de estas heridas peresca.
25 ¡Quién supiera las virtudes
que se hallan en las yerbas!
y ¡quién para darte sano
fuera la sabia Medea!
Pero pues todo me falta
30 y una voluntad cincera
me sobra, aquésta recive
por holocausto i ofrenda".
Esto diciendo, Medoro,
como agradecido de ella,
35 sin poderle hablar la mira,
y ella dice: "¡Ay, suerte fiera!
usa piedad comigo, ten clemencia,
Medoro viva y yo siquiera muera".

7 8

ANGÉLICA SE ENAMORA DE MEDORO

Ms 3880 de la Biblioteca Nacional, fol. 72 rº.

Con aquellas blancas manos
que quitaron tantas vidas,
curando Anjélica estaba
de Medoro las heridas.

5 Deteniéndole está el alma,
que hasta la muerte enemiga
respeta las blancas manos
y sus milagros le admiran.
El moro la está mirando
10 con enternecida vista,
y regalando la voz
así le dice y suspira:
"¡Ay, dulce vida mía,
detén el alma que a salir porfía!
15 Si escribí tu amado nombre
en estas cortezas lisas

destos árboles, testigos
de tus glorias y las mías,
agora que está mi sangre
20 sobre mi pecho vertida,
imprime como en diamante
letras en el alma escritas.
Mira bien cómo las tratas,
que si por Medoro olvidas
25 tantos Rujeros y Orlandos,
muerto yo, tu fe confirmas.
¡Ay, dulce vida mía,
detén el alma que [a] salir porfía"!

27 *Ms 3880* Ay vida dulce mía.

Reproducimos el texto de este romance que incluye el manuscrito 3880 de la Biblioteca Nacional. Este manuscrito es copia del siglo XIX. Durán, que da de este romance (núm. 413) una versión levemente distinta de la que ofrecemos, afirma haberlo copiado de un manuscrito del siglo XVI. Por no haber leído esta composición en ninguno de los manuscritos antiguos que hemos examinado, publicamos el texto de esta copia moderna que nos parece en algunos detalles superior al de Durán.

Si diéramos crédito al autor —o a uno de los autores— de *Un pastoral albergue* (jornada II. *Obras de Lope de Vega, Acad.*, XIII, p. 356 a-357 a. Véase sobre el particular el comentario de Menéndez Pelayo, *ibid.*, p. CXIII), tendríamos que atribuir este romance a Lope de Vega. Pero en este caso conviene ser prudente. Únicamente se cantan en la comedia los cuatro primeros versos del texto que reproducimos. Aun cuando admitamos que el autor de *Un pastoral albergue* no haya errado sobre el origen de esta cuarteta, no prueba el hecho que sea de Lope el romance entero. También puede ser que otro poeta se haya apoderado de estos versos del Fénix y los haya continuado a su manera.

Sea lo que sea, no resulta claro el texto que presenta el manuscrito 3880. Las primeras cuartetas hacen sospechar que la escena que le interesa al poeta es el encuentro de Angélica y Medoro contado por Ariosto. La segunda parte del romance nos lleva a preguntarnos si no se debería incluirlo entre las piezas que describen la agonía de Medoro víctima de la venganza de Roldán (véase más abajo, núms. 93-94). No parece cierto el hecho. En la duda, preferimos colocar este texto ambiguo entre las composiciones que no modifican el sentido de los relatos ariostescos.

Sin duda se cantó este romance y gozó de cierta popularidad. Vuelve a aparecer su estribillo, en forma un poco diferente, en una composición escrita en honor de San Ignacio (Ms M. 1371 de la Biblioteca Nacional, p. 2):

> Como suele el blanco zisne,
> viéndose al fin de sus días,
> cantando alegres canciones
> despedirse de la vida:
> "*¡Ay, dulce vida!* *¡Ay, dulce vida mía!*
> *recive el alma* (bis) *que a salir porfía* (ter)".
> Assí estando ya a la muerte,
> quando más su amor ardía,
> Ignacio alegre cantava
> y a Jesús assí decía:
> "*Ay, dulce vida...!*

También se observará el parecido que existe entre el estribillo de *Con aquellas blancas manos* y los últimos versos de un romance sin duda posterior, *Ya cuando se acaba el sol*:

> "¡Ay, dulce vida mía,
> Amarilis del alma! Ausente os lloro,
> quando con más porfía
> el mal se aumenta y la culpa ignoro".

> (*Primavera y Flor de los mejores roman-*
> *ces*. Pedro Arias Pérez, ed. Madrid, 1623.
> "Castalia", p. 192.)

7 9

ANGÉLICA SE ENAMORA DE MEDORO

Ms 4117 de la Biblioteca Nacional, fol. 82 vº.

Del blanco pecho de el felize moro,
con las manos más bellas i queridas
que dieron muertes i quitaron vidas,
perdiendo reinos sin guardar decoro,
5   las rubias hebras del precioso oro
a el amoroso zefiro esparzidas,
las profundas i cárdenas heridas
la reina del Catay cura a Medoro.
  Viendo en el mármol de su pecho ingrato
10 tan nuevamente por amor impreso
quien de su libertad llebó la palma,
  contemplando le dize: "No es buen trato,
aunque es Medoro pena de mi exceso,
sanar el cuerpo que me hiere el alma".

El primer cuarteto de este soneto y los primeros versos de *Con aquellas blancas manos* ofrecen algunas analogías. Acaso conocía el autor del soneto el principio del romance.

8 0

ANGÉLICA SE ENAMORA DE MEDORO

Flor de varios romances. Novena parte. Luis de Medina. Madrid, 1597, fol. 121 rº-122 rº.
Romancero General 1600, 1604, 1614. Novena parte.

Las heridas que a Medoro
dexaron del todo sano
a pesar de Sacripante,
de Agricán y de Reynaldos,
5   cura Angélica la bella
con sus angélicas manos,

buenas para matar vidas
y para sanar llagados.
   Mientras cura el mal ageno,
10 va creciendo el propio daño,
consuelo busca al herido,
faltándole a su cuydado,
   y olvidada de quién era
más que del Conde encantado,
15 dize al nuevo prisionero,
teniéndole en su regazo:
   "Diferentes llagas son,
Medoro, las que ay en mí:
unas te llagan a ti,
20 y otras a mi coraçón.
   Tu daño descúbrese
y assí puede remediarse,
mas el mío no ay curarse,

porque duele y no se ve".
25   Buelve los ojos el moro,
ya de ofendido esforçado,
para agradecer la cura
y sacarla de cuydado,
   que aunque el médico fue tal,
30 fue la cura sobre sano,
pues tan presto descubrió
con esta razón su daño:
   "Heridas del cuerpo fueron
las que, Angélica, curaste,
35 mas apenas las miraste
quando en el alma se hizieron.
   Mira qué tal he quedado,
pues quando mi mal sentí,
herido vivo me vi,
40 y agora muerto curado".

    Imaginó el autor de esta composición un diálogo entre Angélica y Medoro. Los personajes se expresan en redondillas. Esta pieza artificiosa está construida a base de una serie de contrastes: Angélica va a remediar a Medoro después de matar a sus amantes (v. 7-8), la hieren las flechas de Amor en el mismo momento en que cura al joven moro (v. 9-12, 17-24), Medoro, en fin, que seguía vivo a pesar de sus heridas, siente después de asistirle la bella las ansias de nueva muerte (v. 39-40). La primera de estas oposiciones también sedujo a Góngora (*En un pastoral albergue*, v. 16), la segunda, que ampliamente había desarrollado Ariosto (*O. F.*, XIX, 27-29), volvió a aparecer en el soneto *Del blanco pecho de el felize moro* (véase más arriba, núm. 79, v. 12-14).

8 1

ANGÉLICA SE ENAMORA DE MEDORO

Canzoni spagnole a 3 voci di vari autori. Ms 5437 de la Biblioteca Casanatense, fol. 58 vº-61 rº.
Texto reproducido por C. V. Aubrun, *Chansonniers espagnols du XVII*[e]
siècle, en *B. Hi.,* LI, 1949 , p. 285.

      Las eridas de Medoro
      Angélica mira atenta
      i tantas lágrimas vierte
      como sangre vierten ellas.
  5 "Vuestras lágrimas doblan mi pena fiera,
      que eridas del cuerpo no me atormentan".
      Las blancas manos que aplican
      a su remedio la muerte [*sic*],
      a la muerte dar la vida
 10 y aun dexar la vida muerta.
      Medoro, menos rendido
      a su mal que a tal belleza,
      más que el cuerpo herida el alma,
      le dice de esta manera:
 15 "Vuestras lágrimas doblan mi pena fiera,
      que eridas del cuerpo no me atormentan.
      Suspender el sentimiento,
      retiras [*sic*] las manos bellas,
      pues mayor mal remediara
 20 mucho menos diligençia".
      "Si de tan corto serviçio
      veros obligado os pesa,
      sabed que quien más os sirve
      os queda con mayor deuda.
 25 Vuestras lágrimas doblan mi pena fiera,
      que eridas del cuerpo no me atormentan".

Este romance, al que puso música Mateo Romero, nos ha llegado en
forma muy defectuosa. Sin duda se habrá de corregir, como lo sugiere

C. V. Aubrun, el *retiras* del verso 18 en *retirar*. La segunda cuarteta está evidentemente alterada: puede ser que se haya de leer *a su remedio la yerba* (v. 8) y, en los versos 9 y 10, *dan* y *dexan* en vez de *dar* y *dexar*.

A pesar de sus defectos es interesante el texto. Recuerda más de una vez la composición precedente, *Las heridas que a Medoro*: el primer verso es casi exactamente idéntico en ambos casos y el autor de la segunda pieza también desarrolla el contraste entre las heridas de Medoro que pronto van a sanar y los primeros dolores del mal de amor que le aqueja. Pero en *Las eridas de Medoro* predomina el lirismo sobre el preciosismo: al diálogo sucede el dúo.

8 2

LOCURA DE ROLDÁN

Ms 1132 de la Biblioteca Nacional, fol. 66 v°-75 r°.

> La mucha furia que llevó el caballo
> de aquel pagano, no haziendo vía,
> a Orlando hizo no poder halla[l]lo,
> por bien que anduvo, ni rastro ni espía.
> 5 Ribera de un río acordó esperallo,
> do con muchas flores un gran prado avía,
> de diversas colores adornado
> y de fresca arboleda aconpañado.
> Por las frescas ramas agradable era
> 10 su sonbra al ganado y al pastor desnudo,
> quanto más a Orlando aunque no trajera
> puesta coraza, yelmo ni escudo.
> Mas no entrar dentro muy mejor le fuera,
> que halló aposento doloroso y crudo,
> 15 y más que puede dezirse malvado,
> aquel sin ventura día desdichado.
> Bolviéndose y mirando vio que avía
> mil árboles escrito[s] la ribera,
> y ansí como los vio reconozía
> 20 la letra de su diosa verdadera,

porque éste era el lugar donde venía
a holgar con Medor, su gloria entera,
haziendo digno de su hermosura
al que menos merezió tan gran ventura.
25 Anjélica y Medor con cient mil nudos
ya están ligados, y en cient partes vido,
y quantas letras son, tanto[s] son crudos
clavos que el corazón le an partido.
Con pensamientos va tristes y agudos,
30 haziéndose entender que esto no a sido,
dize que es otra Anjélica ésta
que escrito dejó el nonbre en la floresta.
Después dezía: "La letra e conozido
que muchas vezes fue de mí leyda,
35 mas este nonbre debe ser finjido
y a mí lo pone por no ser sentida".
Usando fraudes contra sí a querido
darse esperanza, aunque bien perdida,
el sin ventura y descontento Orlando,
40 que supo por más mal irse engañando.
Quanto apartar procura su sospecha,
tanto la enciende más y la renueva,
como ave que se halla ser estrecha
en red o lazo que, si salir prueva,
45 quanto más haze, menos le aprovecha,
antes más daño de provallo lleva.
Y ansí llegó do el monte se encunbrava
a una fresca fuente que allí estava.
Avía enzima de la fresca entrada
50 con sus torzidos brazos yedra y flores,
y aquí se estavan asta que pasada
era la ora de grandes calores,
sin de cosa del mundo darse nada,
aquellos dos dichosos amadores,
55 el uno por el otro sospirando,
mirándose mil vezes y abrazando.
Orlando llegó aquí de tal manera
con un dolor que el corazón le parte,
si quiere desviallo desespera,
60 que ya no puede reparar con arte.
Halló que avía escrito dentro y fuera

aquí sus nonbres más que en otra parte,
algunos con carbón, otros con yeso,
otros con punta de cuchillo impreso.
65   El triste Conde a pie descendía
y vio a la entrada de aquesta espesura
muchas palabras que de su mano avía
Medor escrito de su gran ventura
recontando la gloria que tenía,
70   aunque era en letra bárbara y escura,
mas después en la nuestra traduzido,
de la sentencia fue tal el sentido:
     "Alegres plantas y yerva espaciosa,
cueva a pastores por abrigo dada,
75   donde tuve en mis brazos la hermosa
Anjélica, que fue en vano amada
de muchos contra quien fue desdeñosa,
y su hermosura sólo a mí otorgada,
no tengo yo con qué reconpensaros
80   un bien tan grande, sino en alabaros
     y desde aquí rogar a qualquier amante,
cavallero o donzella que viniere,
natural de la tierra o vïandante
que aquí fortuna o voluntad trajere,
85   diga: "Benigno el sol te sea y bastante
a yerva y río y árboles que uviere,
y en el coro de las ninphas ordenado
que no meta pastor en ti ganado".
     En algaravía este escrito estava,
90   que la entendía bien enteramente,
porque de muchas lenguas que hablava
ésta sabía muy perfetamente,
por las quales muchas vezes se librava
que se halló entre pagana jente,
95   mas no se alabe si le a aprovechado,
que un daño tiene que lo a descontado.
     Tres, quatro vezes leyó el sin ventura
el triste cuento, procurando en vano
que fuese mentirosa la escritura,
100 mas siempre lo hallava claro y llano,
y en el medio del pecho, desventura
le aprieta el corazón con su fría mano,

y quedó con los ojos y la mente
en la piedra, a la piedra indiferente.
105   Estuvo de perder zerca el sentido
según se avía al dolor dejado.
No puede saber esto quien no a sido
deste grave tormento atormentado.
La cabeza en el pecho le a caydo
110 y ansí estuvo gran rato trasportado,
no pudo aver, de ser el mal tanto,
para quejarse voz, ni umor al llanto.
      Piensa después, algo en sí tornando,
como pudía ser que verdad no fuese,
115 sino que alguno por ir disfamando
el nonbre de su dama lo hiziese,
y por hazerlo ir desesperando
que de zelos y rabia se perdiese,
mas qualquier que a sido a bien imitado
120 la mano della por le dar cuidado.
      Ansí con poca esperanza y vana
al pensamiento pone algún sosiego,
y porque da el sol lugar a su hermana,
fatigando el cavallo llegó luego
125 adonde conozió ser muy zercana
alguna aldea, que vio salir fuego,
oyó perros ladrar, bramar ganado,
llegó a una casa do fue aposentado.
      Apéase y deja a Brilladoro
130 a un sirviente que dél tenga cura,
quítanle las armas y espuelas de oro,
qualquier serville y su plazer procura.
Aquésta era la casa do Medoro
vino herido y uvo tal ventura.
135 Echase Orlando y zena no demanda,
de dolor arto y no de otra vianda.
      Quanto más busca de hallar reposo,
tanto más halla de travajo y pena,
porque de aquel escrito doloroso
140 la casa vio que estava toda llena.
Preguntar quiere y muy temeroso
calla, por no hallar nueva no buena,
parézele mejor ansí dejallo

que buscar cosa con que declarallo.
145 Poco le vale querer engañarse,
que el pastor cuenta sin que se lo pida
el orrible caso y más de espantarse,
con que le abrasa el alma y la vida.
Parézele que tiene de alegrarse
150 en escuchar la istoria dolorida,
y comienza con voz y alma inozente
el triste cuento muy alegremente.
    Como él a ruego de Anjélica bella
trujo a Medoro allí mal herido,
155 y con su propia mano la donzella
en pocos días le tornó guarido,
mas dentro el corazón le quedó a ella
muy mayor llaga que le dio Cupido,
que la enzendió tanto en ardiente fuego
160 que se ardía toda sin hallar sosiego.
    Y sin tener respeto que ella era
hija del mayor Rey que ay en Levante,
de gran amor estrecha se pusiera
a ser mujer de un tan bajo amante.
165 Hizo para dar cuenta más entera
traer un brazalete allí delante
de oro y piedras, que se lo avía dado
ella al partir por lo que avía estado.
    Esta conclusión fue la cruda espada
170 con que la cabeza le llevó del cuello,
después que del Amor fue algo cansada
la voluntad de en males desazello.
Zelar procura y tener guardada
su pena, y no es posible ya hazello,
175 que con sospiros y lágrimas sin cuento
conviene dar señal de su tormento.
    Después que pudo alargar ya tanto
su dolor solo, quedando sin jente,
comienza de hazer tan triste llanto
180 que por su rostro iva un río corriente.
Sospira y jime que es de oyr espanto,
siempre sus ojos echos viva fuente.
Parézele de aguijas y espinas la cama,
y aun de rabioso fuego y viva llama.

185 Acuérdasele en medio del tormento
    que en esta misma cama do yazía,
    aquella ingrata sin conozimiento
    mil vezes con Medoro estado avía.
    Salta con tan grande aborrezimiento
190 como villano en el campo algún día
    que salta presto, muy apresurado,
    de ver culebra donde se avía echado.
    Aquella casa y cama y el pastor
    súpitamente en odio ansí le viene
195 que sin esperar luna ni el alvor,
    que poco antes que el día claro viene,
    tomó el cavallo y armas con dolor
    y entra por el bosque que más sonbra tiene,
    y quando le pareze que está lejos,
200 abre la puerta al llanto y a sus quejos.
    De llorar jamás ni de gritar cesava,
    no poniéndose paz noche ni día,
    en la dura tierra al descubierto estava,
    huyendo pueblos siempre y conpañía.
205 Maravíllale lo mucho que llorava
    y dó tal fuente de agua en sí tenía,
    y cómo sospirar puede ya tanto,
    diziéndose a sí mismo ansí en el llanto:
    "No son lágrimas éstas que salidas
210 van de mis ojos con tan larga vena,
    no podrán ser tanto que venzidas
    no queden ellas de dolor, que apena
    será en el medio quando sean venidas
    señales claras de la culpa ajena,
215 porque el umor vital se va gastando
    en lágrimas y va todo acabando.
    Estos que dan señal de mi tormento
    no son sospiros, porque no son tales:
    descansar suelen, mas yo nunca siento
220 en el pecho mío aliviar mis males.
    Amor que arde el corazón, da el viento,
    batiendo con sus alas infernales.
    Amor ¿con qué milagro, di, lo hazes?
    que me ardes vivo y nunca me desazes.
225 Ni so yo aquel que ser solía,

lo que era Orlando ya está so la tierra,
porque le a muerto la que más quería,
que, faltándole fe, le hizo guerra.
Sólo spíritu soy sin conpañía,
230 que con tormento por el mundo yerra,
haziendo con mi sonbra y semejanza
exemplo al que en amor pone esperanza."
Por el bosque andava la noche perdido,
y quando apuntava el día su llama,
235 su desdicha a la fuente lo a traído
donde escribió Medoro la epigrama.
Su injuria ver escrita lo a enzendido
en fuego ansí que dél no quedó drama
que no fuese rabia, ira y dolor,
240 y arrancó su espada con muy gran furor.
Cortó el escrito y bolando al cielo
en menudas piezas las peñas a embiado,
no quedó planta sin venir al suelo
do Anjélica y Medor se an nonbrado,
245 tales quedaron que sonbra ni yelo
no darán [a] pastor más ni a ganado,
y aquella fresca fuente clara y pura
de tanta ira no quedó sigura,
que tantas piedras y ramas echara
250 dentro que la enturbió de tal manera
que no se vio jamás limpia ni clara,
ni ser en el estado que antes era.
Con gran cansanzio y sudor se para,
biendo su fuerza que a sido tan fiera
255 no responder al odio ni a la ira,
cayó en el prado y al cielo sospira.
Aflijido y cansado cayó en tierra,
los ojos fijos puestos en el cielo,
el alma dentro de tan cruda guerra,
260 sin comer ni dormir y sin consuelo.
Tres días estuvo, mientras abre y cierra
el sol, tendido en el duro suelo,
y al quarto día tal furia le a dado
que sus armas todas a despedazado.
265 Acá echa el yelmo y acullá el escudo,
a un cabo las grevas, a otro la coraza.

¡O caso fuerte y sin piedad y crudo!
que aun del vestido se desenbaraza,
y ansí como naçió quedó desnudo,
270 que en todo enzima se lo despedaza,
y comienza luego la mayor locura
que no quedó en memoria ni escritura.
   En tanta rabia y en tanto furor vino
que quedó los sentidos trastornados.
275 De tomar la espada munca tuvo tino,
con que avía echo casos señalados,
aunque llevarla poco le convino,
pues sin ella hizo echos muy nonbrados:
con su gran fuerza contra un pino salta
280 y al primer golpe lo arrancó sin falta.
   Otros arranca de aquella manera
como si juncos o hinojos fuese,
las ayas deja las raízes de fuera,
sin dejar olmo ni fresno que oviese.
285 Todo lo desaze con su fuerza fiera
como cazador de aves que anduviese
de yerva y ortigas el campo desconbrando,
para tender su redes travajando.

21 *Ms 1132* ésta era el lugar [*sic*]. — 85 *Ms 1132* digo: benigno el sol [*sic*]. — 96 *Ms 1132* que lo a descontentado. — 186 *Ms 1132* do jazía. — 212 *Ms 1132* no queden ellas de lor que apena [*sic*]. — 227 *Ms 1132* porque la muerte la que más quería [*sic*].

Estos pésimos versos de Pedro de Guzmán traducen las octavas 100-135 del canto XXIII del *Orlando Furioso*. La octava 106 se adapta en dos estrofas, la octava 113 no se traduce. Esta composición es una de las primeras, la primera acaso, en dar testimonio del interés que suscitó en España el episodio de la locura de Roldán: en ella se observará una auténtica compasión por el paladino (v. 147-148) y un evidente desprecio hacia Medoro (v. 23-24).

83

COMBATE DE ROLDÁN Y MANDRICARDO.
LOCURA DE ROLDÁN

Pliego s. a. de la Biblioteca Nacional, R. 9.465.
Pliegos poéticos de la Biblioteca Nacional, "Joyas", VI, núm. CXIV.

Helo, helo por do viene
el valiente Mandricardo,
armado de todas armas,
en un hermoso cavallo.
5 No lleva espada consigo
ni menos alfange dorado,
juramento tiene hecho
de no llevalle a su lado
sin que cobre a Durindana
10 en batalla peleando.
Andando de un cabo a otro,
por todas partes buscando,
llegado es a una fuente
que estava en medio de un prado,
15 donde vio dos cavalleros
y una dama razonando.
Estos eran don Roldán
y Zerbín el esforzado,
y la dama era Ysabela,
20 que por suerte se han topado.
Al rumor que el moro lleva
hazia [a]trás buelven mirando,
cubriéronse con los yelmos
las sus cabeças entrambos.
25 El moro como los vido,
en hito los ha mirado,
en Roldán más que en Zerbino
los ojos tiene firmados.
Conosciólo luego el moro,
30 que él era el que yva buscando,
con alta y sobervia boz

desta suerte le ha hablado:
"Doze días ha con oy
que te sigo por el rastro,
35 no puedo tomar paciencia
de las nuevas que me han dado,
que por Francia y todo el mundo
te hazen tan afamado,
lo qual ha sido gran parte
40 porque yo te ando buscando,
y aunque no me dieran señas
de tus armas y cavallo,
de entre dos mil cavalleros
te uviera yo sacado,
45 porque tu aspecto sin dubda
te haze más señalado."
Aunque todo esto dize
el valiente Mandricardo,
no piensa que es don Roldán
50 aquel con quien está hablando.
Respondió entonces el Conde
con semblante reposado:
"Cierto, no puede dezirse
que no seas esforçado,
55 porque esse alto desseo
en gran pecho se ha criado,
y si no por más de verme
tantas tierras has andado,
mírame bien a plazer
60 hasta que quedes saciado.
Y porque tu coraçón
quede contento y pagado,

yo quiero quitarme el yelmo
por quitarte de cuydado,
65 y después que bien me ayas
de alto abaxo contemplado,
prueva el segundo desseo
aquí luego en este prado."
Respondió entonces el moro
70 con semblante muy ayrado:
"Sus, que satisfecho estoy,
no perdamos tiempo en vano."
Don Roldán, que muy atento
al moro estava mirando,
75 vio que no llevaba espada
ni maça al arçón colgando.
Dízele: "¿Con qué peleas
cuando la lança has quebrado?"
Mandricardo respondió:
80 "Desso no tengas cuydado,
que aun assí como me vees,
a muchos he maltratado.
Juramento tengo hecho,
y no entiendo de quebrallo,
85 de jamás ceñir espada
si a Durindana no gano,
porque este yelmo y arnés
fue de Héctor el troyano,
y la buena espada falta,
90 no sé cómo la robaron.
Mas sé que la tiene uno
que don Roldán es llamado,
y desta soberbia nasce
ser él tan fiero y gallardo,
95 mas yo le haré, si le topo,
restitüyr lo robado.
También vengaré la muerte
de mi buen padre Agricano,
al qual él mató a trayción
100 y no como hombre esforçado."
No pudo suffrir el Conde
esto que dize el pagano,
a grandes vozes responde,

con el gesto demudado.
105 Dize: "Mientes falsamente
y hablas como marrano,
porque yo soy don Roldán,
esse que tu andas buscando,
y le maté buenamente,
110 cuerpo a cuerpo peleando,
y esta espada es Durindana,
que dizes fue del Troyano,
y la he muy bien ganado,
y aunque cierto ella sea mía,
115 quiero que por gentileza
la combatamos entrambos,
y llévesela en buena hora
quien fuere más esforçado."
Desciñóse a Durindana,
120 de un pino la ha colgado,
apártase uno de otro
por tomar lugar del campo.
Hiérense juntamente
y las lanças han quebrado,
125 rebuelven con muy gran furia,
con lo que les ha quedado
danse tan grandes porradas
que era espanto de mirallos.
Los troços que eran muy recios
130 presto son desmenuzados,
después a grandes puñadas
procuran hazerse daño,
pero el que da mayor golpe
se siente más lastimado.
135 Y viendo que desta suerte
assí trabajan en vano,
el moro, que era valiente,
a don Roldán ha abraçado,
confiándose en sus fuerças
140 luego pensó de ahogarlo.
Cada uno se esforçava
por derribar su contrario.
Alarga el braço Roldán
al cavallo del pagano,

145 échale mano al copete,
para sí rezio ha tirado
y quitóle presto el freno
y en el campo le ha arrojado.
Andando desta manera
150 don Roldán con el pagano,
al cavallo Briador
las cinchas se le han quebrado,
el Conde cayó en el suelo
sin pensar cómo ni quándo,
155 con los pies en los estribos
y él de contino a cavallo,
con tan gran rumor y estruendo
como un saco muy pesado.
Viendo el cavallo del moro
160 como sin freno ha quedado,
con su amo siempre encima
va corriendo por el campo,
cinco o seys millas anduvo,
que jamás pudo tornallo.
165 Don Roldán se levantó
y su silla ha remendado,
torna presto a cavalgar
y siguióle por el rastro,
mas yva con tanta furia
170 el cavallo del pagano
que Roldán perdió el tino
y jamás pudo alcançallo.
A la ribera de un río,
en un muy florido prado,
175 de arboleda muy vicioso,
determinó de esperallo.
¡Oh Roldán, quán mejor fuera
de dentro no aver entrado,
que este día para ti
180 fue muy triste y desdichado!
Entrado por la floresta,
a todas partes mirando,
vio que avía muchos letreros

por los árboles gravados:
185 Angélica y Medor dezía[n],
con cien mil ñudos atados.
Roldán que vio este escripto,
pensativo y alterado,
rebuelve mil pensamientos
190 en su coraçón fatigado.
Dize: "¿Es Angélica ésta
que su nombre aquí ha dexado?
¿o si deve de ser otra
que su letra ha remedado?"
195 Dezía después entre sí:
"¿Qué es esto que estoy pensan-
¿Yo no conozco su letra? [do?
Ella misma es, sin dudallo."
Quanto más quiere apartar
200 su sospechoso cuydado,
tanto más se halla metido
como páxaro en el lazo,
que si procura soltarse,
se halla más enredado.
205 Andando assí el paladino
confuso y muy alterado,
llegó a la cumbre del monte
donde una fuente a hallado,
donde Angélica la bella
210 con Medoro, su amado,
mientras passan los calores,
se solían estar holgando.
Allí halló sus nombres puestos,
Angélica Medoro atados.
215 El triste a pie descendía,
a un árbol ató el cavallo,
a la entrada vio que escripto
Medor avía de su mano
la su muy grande ventura
220 y su tan dichoso hado.
Lo que la letra dezía,
razón es de declarallo:

"Ledas plantas, fresca agua y yerva bella,
cueva umbría de gran frescura ornada,

225 do Angélica gentil, hija donzella
    de Galafrón, de mil en vano amada,
    desnuda entre mis braços gozé della,
    por la comodi[d]ad que aquí me es dada,
    yo, muy pobre Medor, recompensaros
230 no puedo más que cada hora alabaros,
     y suplicar a todo fiel amante,
    a dama, cavallero, cada una
    persona natural o vïandante
    que aquí su voluntad traya o fortuna,
235 que a sombras, fuentes, cuevas, ledo cante
    y diga: "Séaos benigno el sol y luna,
    y el coro de las nimphas os provea
    que pastor ni ganado en vos se vea".

    Roldán, que vio la epigrama,
240 muy bien la ovo notado,
    aunque era en algaravía,
    leyóla muy concertado,
    porque muy bien la entendía,
    y por ella se ha librado
245 de muchos grandes peligros
    siendo en tierra de paganos.
    Mas no cumple alabarse
    que esto le aya aprovechado,
    porque este daño presente
250 todo se lo ha descontado.
    Léelo tres o quatro vezes
    el paladín desdichado,
    procurando entre su mente
    que el letrero fuesse falso,
255 pero quanto más lo lee,
    lo halló mucho más claro.
    El coraçón se le aprieta,
    y todo se ha demudado,
    y assí, perdido el sentido,
260 cayó en tierra desmayado.
    No puede sentir aquesto
    el que dello no ha gustado.
    Después que ya tornó en sí,
    començó a dezir llorando:

265 "Quiçá no es verdadero
    el escripto que he hallado,
    mas alguno lo avrá hecho
    por su nombre yr disfamando
    de mi gran reyna y señora,
270 y a mí ponerme en cuydado.
    Mas aquel que lo ha hecho
    su letra ha imitado".
    Con esta vana esperança
    un poco se ha sossegado,
275 viendo que se haze tarde,
    subió encima del cavallo
    y a una aldea llegó
    a cabo de poco rato.
    Apéase de Briador,
280 y a un moço lo ha dado
    para que curasse dél
    y le diesse buen recaudo.
    Esta es la casa, por suerte,
    do Medor vino llagado,
285 quando Angélica la bella
    lo truxo herido del campo.
    Roldán se acostó en la cama,
    no quiso cenar bocado;
    quanto más busca reposo,
290 más dolor yva hallando.

Toda la casa está llena
del escripto emponçoñado
de Angélica y Medoro
con cien mil ñudos ligados.
295 Calla, y no osó preguntar
a nadie bueno ni malo,
por no saber peores nuevas
de las que avía hallado.
Pero poco le aprovecha
300 querer usar deste engaño,
porque allí vino un pastor
que del todo lo ha turbado,
que contó punto por punto
todo quanto avía passado,
305 cómo Angélica la bella
a Medor avía hallado
muy mal herido en el monte,
y ella con su propria mano
le curó de las heridas,
310 y la sangre ha restañado,
tanto que en muy pocos días
le curó y le tuvo sano,
y que muy mayor herida
a sí misma se ha causado,
315 porque el falso de Cupido
el coraçón le ha llagado.
Quando el pastor esto cuenta,
Roldán está más turbado,
vasqueando por la cama,
320 rebolviendo y rebolcando,
y más quando se acordó,
por malos de sus peccados
que aquélla era la cama
de los dos enamorados,
325 de la qual saltó muy presto
como hombre desesperado.
Vístese y ármase luego,
y muy presto fue a cavallo,
sin esperar que amanezca
330 luego se ha salido al campo.
Lo que quedó de la noche

anduvo desatinado,
mas quando ya el sol salía,
a la fuente ha arribado
335 donde Angélica la bella
se solía estar olgando.
El Conde que allí se vido,
con furor acelerado
echa mano a Durindana,
340 de la vayna la ha sacado,
rompe letreros y piedras,
la pila y caños de mármol,
y con quanta fuerça tuvo
la buena espada ha arrojado.
345 Sálese de allí fur[i]oso
y cae tendido en el campo,
adonde estuvo tres días
sin moverse pie ni mano.
Al quarto se levantó
350 y las armas se ha quitado,
con quanta fuerça tenía
escudo e yelmo a arrojado,
el arnés y la loriga
por el campo lo ha sembrado,
355 después desto los vestidos
todos ha despedaçado,
tan fuera quedó de sí
y tal ravia lo ha apretado
que ni piensa en Durindana
360 ni más della se ha acordado,
assí quedó el paladino
de todo desacordado.
Arremete para un pino
y de rayz lo ha arrancado,
365 assí arrancava nogueras
como tréboles del prado.
Vase por aquellos montes
destruyendo y descepando
quanto delante topava
370 por los pueblos comarcanos,
do topó con un pastor,
y arremete denodado,

y arráncale la cabeça,
como quien coge un durazno.
375 Tomó el cu[e]rpo por la pierna,
rebuélvele muy ayrado,
y sirviéndole de maça,
otros dos tendió en el prado.
Los otros buelven huyendo
380 por presto ponerse en salvo,
el loco no los siguió,
mas bolvió para el ganado.
Los labradores que andavan
por aquellos despoblados
385 dexan rexas, hoces, picos,
y vanse a poner en salvo.
Unos suben en las casas,
otros en los campanarios,
porque olivos ni nogueras
390 no están muy assegurados,
que a coces y puntapiés,
bocados, puños y palos,
abre, rompe y despedaça
buey[e]s, yeguas y cavallos.
395 Los rústicos labradores
de los lugares cercanos
con cuernos y tamborinos
tocan muy apresurados,
y a repique de campanas
400 salen muy alborotados,
con ondas, con assadores,
con hachas, arcos y palos,
deslizando por la sierra
por al loco dar assalto.
405 Como ondas de la mar,
assí van determinados,

mas el loco obra de veynte
despachó en muy poco rato,
porque aunque le den con hierro,
410 era trabajar en vano,
no pueden sacalle sangre,
por quanto estava encantado.
Tórnanse luego a la sierra
poco a poco retirando.
415 Roldán, viéndose assí solo,
a un lugar fue apresurado,
el villanaje las casas
con miedo ha desamparado,
las quales halló vazías,
420 y los pajares y establos.
Halló vïandas guisadas
según pastoril estado;
constriñido de la hambre,
comió de lo que ha hallado,
425 no haziendo differencia
si es cozido, crudo o assado.
Ansí andava por la tierra,
por montes y despoblados,
dando caza a los hombres,
430 tomando co[r]ços y gamos,
y las ciervas muy ligeras,
javalís y osos a manos,
comiendo carnes y pieles
quando hambre le ha acossado,
435 hecho semejante a bestia,
yrracionable tornado.
Del sol, del ayre y del agua
el rostro todo quemado,
estava el pobre Roldán
440 por amor loco tornado.

91 *Pliego* mas de que. Adoptamos la corrección de Durán. — 113-114
Durán invierte el orden de estos dos versos, con lo cual viene a ser regular
la asonancia. Pero es posible que falten versos en el texto. — 165 *Pliego*
don Roldon [*sic*]. — 224 *Pliego* de gran frescura ordenada. — 238 *Pliego* que
pastores ni ganados. — 283 *Pliego* esta es casa. — 310 *Pliego* y la sangre
restañado. Corregimos los versos 224, 283 y 310 en la misma forma que
Durán. — 423 *Pliego* constiriñido [*sic*]. — 440 *Pliego* por amores.

No demuestra el autor de este largo romance ninguna preocupación por la originalidad o la unidad. Resume, y a veces traduce, con monótona fidelidad, extensos fragmentos del *Orlando Furioso* (XXIII, 70-90, 95, 99-124, 129-136, XXIV, 4-13). Las octavas calcan torpemente las estrofas 108-109 del canto XXIII. Empieza esta composición con un verso que hizo famoso el romancero del Cid y de los Infantes de Lara (véase *Cancionero de romances,* fol. 179 rº - 180 vº y 187 rº - 188 rº; *Silva de varios romances,* Barcelona, 1561, fol. 7 rº - 8 vº; Durán, núms. 858, 294 y 666), verso que vuelve a aparecer en una obrita a lo divino (Juan de Salinas, *Poesías,* "Bibliófilos Andaluces", II, p. 98-100) y en numerosas *ensaladas* (*Romances varios de diversos autores,* Pedro Lanuja, Zaragoza, 1640, p. 36-42; *Pliegos poéticos de Praga,* II, núm. 50; *Romancero de la Biblioteca Brancacciana,* en *R. H.,* LXV, 1925, núm. 9).

LOCURA DE ROLDÁN

8 4 a

Romancero historiado, Lucas Rodríguez, 1582, fol. 68 rº-70 rº; 1584, fol. 64 rº-66 vº; 1585, fol. 67 vº-70 rº.

Suspenso y embevecido,
con zeloso sobresalto,
el fiero conde de Brava
tristemente se ha hallado
5 en un prado y sitio umbroso,
al gruesso tronco de un árbol,
porque vido en la corteza
todo su mal estampado,
de cuya triste escultura
10 aquesto entendió el cuytado:
"Medoro, el más venturoso
que en los hombres se ha hallado,
de Angélica dulce y bella
donde el cielo se ha estremado,
15 reyna de la hermosura,

princesa del gran Catayo,
con mil amorosos ñudos
alegremente enlazados,
sin sobresalto y seguro
20 a mi plazer he gozado.
Yo solo he cogido el fruto
que a tantos les fue negado,
y de mísero escudero
me dio el amor tal estado.
25 Prados, plantas, yervas, flores,
gozaos en mi alegre hado,
y tú que aquesto leyeres,
alégrate en mi cuydado,
que aquí lo dexo en memoria
30 para todo enamorado."

De sudor se cubre el Conde,
los huessos le están temblando,
dudoso, confuso y triste,
buelve la rienda al cavallo.
35 "Otra, dize, será aquésta,
y no la que voy buscando,
y si es ella, yo soy cierto
su Medoro afortunado,
que aqueste nombre me ha puesto
40 como a dulce enamorado."
Y assí del bosque se alexa
y acércase a lo poblado,
en una casa se alverga
de un guardador de ganado.
45 Sin cenar se acuesta el Conde,
de grave dolor cercado,
poco reposo ha tenido
porque el huésped le ha informa-
que Angélica y su Medoro   [do
50 en la cama do está echado
gozaron de sus amores,
aviéndose allí casado;
un braçalete le muestra,
que por paga le han dexado.
55 Conoce Orlando las señas
y como hombre endemoniado
salta huyendo del lecho,
en un momento fue armado,
maldiziendo sale el huésped
60 y maldiziendo su hado.
A la espessura se torna,
derecho se viene al árbol,
y con una ansia raviosa
a Durindana ha sacado,
65 y adonde está la escriptura
encamina el fuerte braço.
Hiende, corta, raja y parte,
en mil pieças lo ha tornado,
los ojos pone en el cielo
70 y en Angélica el cuydado.
"¡Ay ingrata! (el Conde dize)

¡Ay amor mal empleado!
¿Estas eran las promessas?
¿Este el hablar dulce y blando?
75 Acordáraste, cruel,
quantas cosas me has mandado,
y a quantos graves peligros
por ti me he determinado,
y quantos estraños hechos
80 ha hecho este fuerte braço.
¿Por qué, traydora, has querido
que muera desesperado?"
Y tan grave dolor siente
en estas cosas pensando
85 que sin sentimiento alguno
se arroja en el verde prado.
Torna en sí despavorido,
de seso y razón privado,
de su cavallo se agena:
90 ¡ved quién dexa tal cavallo!
Aquí va dexando el yelmo,
allí el arnés va dexando,
también dexa a Durindana,
lo que quiere Mandricardo,
95 que la escogiera Cerbino
para que le cueste caro.
No para el cuytado en esto,
que al punto se ha despojado
de vestido y de razón,
100 que es gran compassión mirallo,
y tan furioso se muestra
que ¡ay de aquel que le ha en-
                    [contrado!
A quantos topa da muerte,
todo lo va destroçando,
105 niños, mancebos y viejos,
a ninguno ha perdonado,
no para en la casa el dueño,
ni pastor en su ganado.
Si no se topa con gente,
110 las bestias haze pedaços,
quando no para en la tierra,

por la mar entra nadando.
Al sol, al agua y al frío,
curtido y disfigurado,
115 sin comer, pobre y desnudo,
anda el triste conde Orlando,

hasta que su primo Astolfo
el seso le aya tornado.
¡Mirad lo que haze amor!
120 ¡Líbreos Dios de tal cuydado!

28 *Romancero 1582, 1585* alégrete. *Romancero 1584* alégrate. — 102 *Romancero 1582, 1585* le ha encontrado. *Romancero 1584* lo ha encontrado. — 116 *Romancero 1585* Orolando [*sic*].

Los elementos utilizados por el autor de este romance derivan esencialmente de las octavas 100-136 del canto XXIII del *Orlando Furioso*. El poeta alteró, de modo inoportuno, el orden del relato ariostesco. Roldán sigue abrigando la esperanza, hasta después de leer la triunfante inscripción de Medoro, de que pudiera la bella Angélica darle este nombre (v. 37-40). Los versos del joven africano aluden sin embargo en forma nada ambigua a unas relaciones amorosas bastante diferentes de las que unieron la princesa de Catay y el paladino francés. Tiene más interés otra modificación. Roldán expresaba su congoja en el poema italiano (*O. F.*, XXIII, 126-128), mientras que en este texto condena la deslealtad de Angélica (v. 71-82). Además el poeta se compadece del paladino, como lo muestran los últimos versos del romance, en los cuales acaso haya que ver una reminiscencia de una composición del siglo XV, cuyo eco también se percibe en *La Diana* de Montemayor:

> Desdeñado soy de amor:
> guárdeos Dios de tal dolor
> ································

(*Cancionero de Uppsala*, núm. 16. Véase *Los siete libros de La Diana*, libro II, "Clásicos castellanos", p. 127).

Una versión más breve de este romance se incluye en un manuscrito de la Biblioteca Nacional, prueba de que alcanzó cierta difusión.

8 4 b

Ms 4072 de la Biblioteca Nacional, fol. 16 vº-17 rº.

Suspenso y embelesado,
con zeloso sobresalto,
el fiero conde de Brava
tristemente se a hallado
5 en un balle y sitio umbroso,
al grueso tronco de un árbol,
porque vio en la corteza
todo su mal estampado,
de cuya triste escritura
10 aquesto entiende el cuitado:
"Medoro, el más venturoso
que en los hombres se a hallado,
de Angélica dulce y bella
donde el cielo se a estremado,
15 reina de la hermosura,
princesa del gran Catayo,
con mill amorosos ñudos
dichosamente enlazados,
sin sobresalto y siguro
20 a mi plazer e gozado,
y de mísero escudero
me dio el amor tal estado.
Prados, plantas, yerbas, flores,
holgaos en este prado [sic],
25 y tú que aquesto leyeres,
alégrate en mi cuidado,
que aquí lo dexo en memoria
para todo enamorado".
De sudor se cubre el Conde,
30 los huesos le están temblando,
dudoso, confuso y triste,
las riendas buelve al caballo:
"Otra, dize, será aquésta,
y no la que voy buscando,
35 y si es ella, yo soi cierto
su Medoro afortunado,

que aqueste nombre me puso
como a firme enamorado".
Y así del monte se alexa
40 y acércase a lo poblado,
y en una casa se alberga
de un guardador de ganado.
Sin cenar se acuesta el Conde,
de grave dolor cercado,
45 poco reposo a tenido
porque el huésped le a contado
que Angélica y su Medoro
en la cama do está echado
gozaron de sus amores,
50 abiéndose allí casado;
un braçalete le muestra
que por paga le an dexado.
Conóçelo el Conde luego
y como hombre endemoniado
55 salta huyendo del lecho,
y en un punto se a armado,
y buélvese a la espesura,
derecho se buelve al árbol,
donde vido la escritura
60 encamina el fuerte braço.
Rompe, corta, raja y hiende
y en mil pieças le a tornado,
los ojos pone en el cielo
y en Angélica el cuidado:
65 "¡Ay yngrata! (el Conde dize)
¡Ay amor mal empleado!
¿Estas eran las promesas?
¿Este el hablar dulce y blando?
Acordáraste, cruel,
70 quantas cosas me has mandado,
y de quantos fieros hechos
a hecho este fuerte braço".

Y tan grave dolor siente
en estas cosas pensando
75 que diziendo estas palabras
se tendió en el verde prado.
Recuerda despaborido,
de seso y razón privado,
amenaza a Brilladoro:
80 ¡ved quién deja tal caballo!
Aquí ba dexando el yelmo,
allí el arnés a arrojado,
también dexa a Durindana,
lo que quiere Mandricardo,
85 que la hallará Zerbino
para que le cueste caro.
Desta suerte se ba el Conde
de sus armas despojando,

y con un bastón ñudoso
90 va haziendo gran estrago.
No paró dueño en la casa
ni pastor con el ganado;
quando no topa con gente,
las bestias haze pedaços;
95 anda por toda la tierra
y en la mar entra nadando.
Al sol, al frío y al agua
anda el triste conde Orlando,
hasta que su primo Astolfo
100 el seso le aya tornado
dc los montes de la Luna
donde está depositado.
¡Mirad lo que haze amor!
¡Líbreos Dios de tal cuidado!

8 5

LOCURA DE ROLDÁN

Flor de varios romances. Novena parte. Luis de Medina. Madrid, 1597,
fol. 84 vº-85 rº.
Romancero General 1600, 1604, 1614. Novena parte.

"Aquí gozava Medoro
de su bella desseada
a pesar del paladino
y de los moros de España.
5 Aquí sus hermosos braços,
como yedra que se enlaza,
ciñeron su cuello y pecho,
haziendo un cuerpo dos almas".
Estas palabras de fuego
10 escritas con una daga
en el mármol de una puerta
el conde Orlando mirava.
Y apenas leyó el renglón

de las postreras palabras,
15 quando con bozes de loco
echó mano a Durindana,
y dando sobre las letras
una y otra cuchillada
con el encantado azero,
20 piedras y centellas saltan,
que de palabras de amor,
no solamente en las almas,
que en las piedras entra el fuego,
y dellas sale la llama.
25 La coluna dexa entera
como lo está su esperança,

que confiessa ser más firme
que no el valor de sus armas.
  Entrando la casa adentro
30 vio pintada en una quadra
la amarilla y fiera muerte,
que a los pies de un niño estava.
  Conoció que era el Amor
en las flechas y la aljava,
35 y unas letras que salían
de las manos de una dama.
  Lo que dezían repite
como quien no entiende nada,
que en males que vienen ciertos

40 es gloria engañar el alma.
  Las letras dizen: "Medoro,
el grande amor de tu esclava
ha de vencer a la muerte,
que muerto vive quien ama".
45   No tiene el Conde paciencia,
que alborotando la sala
despedaça quanto mira,
de Amor injusta vengança.
  Lo que dize y lo que siente,
50 entiéndalo quien bien ama,
si sabe el mal que son zelos,
que llaman muerte de rabia.

10 *RG 1600* escritas con una adarga [sic].

Demuestra el autor de esta composición mayor originalidad que los poetas precedentes. Abrevia una acción demasiado larga y compleja para entrar tal cual es en un romance: el furor se adueña de Roldán en cuanto lee la inscripción que grabó Medoro. Tiene lugar la escena en un marco nuevo, en un sitio mal definido que no se parece mucho a un pastoral albergue. La portada de mármol, las columnas, la pintura alegórica representando al Amor y a la Muerte más bien evocarían una Casa de los Celos (sobre este tema y su frecuencia en la poesía del siglo XVI, véanse nuestros comentarios al núm. 4 d).

8 6

LOCURA DE ROLDÁN

Ms 3168 de la Biblioteca Nacional, fol. 1 vº.

  Ardiendo en ravioso celo
saltó de la cama Orlando,
por cierta ymaginaçión
que la suia le a causado,

5 que las sábanas de lienço
le an pareçido de esparto,
sembradas de agudas puntas
que hasta el alma le an pasado,

las almohadas de piedra
10 (mirad qué gentil regualo
por quien dio buelta al mundo
a su señora buscando),
las mantas de hilo de acero
según que le avían pesado.
15 Empero más le pesaba
la declaración del caso,
y es que ia el triste sospecha,

(y creo no se a enguañado),
que en aquella misma cama
20 sus contrarios an estado,
dando Angélica a Medoro
lo que a él siempre a neguado.
Como en la cama no cabe,
se salió desnudo a el campo,
25 y en quien la culpa no tiene
a la venguança tomado.

Indicaba brevemente Ariosto (*O. F.*, XXIII, 122-123) el malestar que siente Roldán en la cama en que durmieron Angélica y Medoro. El romancista retiene esta sugestión, la desarrolla y la enriquece con notas de un realismo pintoresco. Interviene dos veces el autor en los versos de esta breve composición (v. 10-12 y 18). El caso se da pocas veces en los romances. Quizás hay que ver en este rasgo un recuerdo del estilo narrativo de Ariosto.

87

ANGÉLICA Y MEDORO.
UN AMOR PEREGRINO

Ms Esp. 373 de la Biblioteca Nacional de París, fol. 190 rº.

Angélica la vella despreçiando
la flor del mundo que en su t[iem]po havía
de todos se burlava y se reya,
ningún valor ni reynos estimando.
5 En sola su hermosura ymaginando,
junto al campo de Françia llegó un día,
do vido baxo un árbol que yazía
su sangre un pobre infante der[r]amando.
La que de hablar de amor sentía despecho,
10 la que a todos mostró ser cruel y dura,
mostró nueva piedad dentro en su pecho.

Viendo a Medoro, su salud procura.
Veys aquí un mal havido por provecho,
en fin casos de Amor, todo es Ventura.

El autor de este soneto no altera el sentido que daba Ariosto al episodio y a veces sigue de cerca el texto del *Orlando Furioso*: *mostró
nueva piedad dentro en su pecho* (v. 11) es reminiscencia concreta del
verso italiano *insolita pietade in mezzo al petto* (XIX, 20, 5).

8 8

ANGÉLICA Y MEDORO.
UN AMOR REPROBADO

Andrés Rey de Artieda, *Discursos, epístolas y epigramas de Artemidoro*
(1605). "Selecciones bibliófilas", p. 194-195.

Entre cien mil que en Francia tiene a caso
rendidos a los pies de su hermosura,
con vanas esperanças assegura
Angélica al de Brava y al Circasso.
5   Pero llega Medor, y al primer passo
l'alma le entrega y dársela procura:
fue vana y mugeril desenvoltura
y hado, con los demás, corto y escasso.
Sufre el Circasso y calla como piedra,
10 esparce Orlando al cielo mil querellas
y adórnase Medor de verde yedra.
Mirad, los que os perdéys por damas bellas,
quién es el desechado y el que medra,
y veréys el humor de todas ellas.

4 *Discursos* ... al de Circasso [*sic*]. — 11 *Discursos* ... de verde y yedra
[*sic*].

Este soneto, titulado *A la elección mala de mugeres,* censura la elección de la princesa del Catay, que prefirió Medoro a tantos caballeros

y tantos valientes. El amor de Angélica viene a ser en este texto una ilustración del viejo tema misógino según el cual la mujer siempre escoge lo peor. Esta interpretación de un episodio apasionado es reveladora de los gustos moralizadores de Rey de Artieda y del concepto que formaba del *Orlando Furioso* (véase más arriba, núm. 43).

Tales reacciones, según hemos visto, no son excepcionales en la literatura del siglo XVI. Aduciremos un ejemplo más, el que ofrece el poeta a quien se debe la composición titulada *En el carro de la Muerte. A la Muerte de la Reyna Doña Ysavel* (¿1568? Véase más arriba, p. 232). Al describir una serie de parejas famosas, define con los siguientes términos la deplorable conducta de Angélica:

> Los corazones fieros y briosos
> de muchos cavalleros cortesanos,
> gallar[dos], esforzados, valerosos,
> truxo el Amor rendidos a mis manos.
> Sus serviçios y hechos tan famosos
> de peligrosos trançes fueron vanos
> en mí que por la escoria dejé el oro,
> contenta con ser sierva de Medoro

> (Ms Esp. 372 de la Biblioteca Nacional
> de París, fol. 227 v°-228 r°.)

89

ANGÉLICA Y MEDORO.
UN AMOR REPROBADO

Suárez de Figueroa, *La constante Amarilis*, Valencia, 1609, p. 237.

> A reina y pobre, Angélica y Medoro,
> ¡o violencia de amor! juntó Imeneo;
> viéndole ya morir, tuvo desseo
> de curar y servir al triste moro.
> 5   En fin sanó, y el reino y su tesoro
> fue del moço feliz triunfo y trofeo.

que la dama juzgó por rico empleo
vestir un siervo de real decoro,
    y, lo que importa más, tras la corona
10 la joya de más precio le concede,
de tantos reyes pretendida en vano.
    Violo Amor y con risa assí blasona:
"Rendirse a mi valor la Parca puede,
pues la presa le quito de la mano".

Lo mismo que Rey de Artieda, Suárez de Figueroa juzga muy discutible la elección de Angélica. Reprueba uno de los personajes de *La constante Amarilis* la conducta de la princesa y habla, al propósito, con términos muy parecidos a los que emplea el valenciano, de "la mala elección que muchas veces hazían las mugeres en sus amores" (*op. cit.,* p. 236). Pero recalca Suárez de Figueroa otro aspecto, de orden más literario que moral. Se condena el amor de Angélica por estar en contradicción con el decoro. Puede adivinarse idéntica opinión en otros poetas, también chocados por esta unión en extremo desigual. Como Pedro de Guzmán (núm. 82), el autor de *La felicíssima suerte* parece tener mediocre concepto de "Medorillo" (núm. 76), a quien otro romancista intenta presentar como caballero (núm. 74). Que intenten los autores hacer que sea aceptable la conducta de Angélica, o que la reprueben discretamente, percibimos su malestar ante un amor del que se sonreía Ariosto. El soneto incluido en *La constante Amarilis* no hace más que expresar en términos perfectamente claros un sentimiento que aparece más o menos confusamente en varias composiciones del siglo XVI.

9 0

ANGÉLICA Y MEDORO.
UN AMOR INTERESADO

Ms 3913 de la Biblioteca Nacional, fol. 31 rº.
Quevedo, *Obras, III. Poesías. B. A. E.,* LXIX, núm. 799.

Destroza, parte, hiende, mata, assuela
el bravo Orlando con la fuerte espada,
de aquella diestra mano governada,
los hielmos rompe, las cabezas buela;
5 Reynaldos en peligros se desvela,
Sacripante la vida tiene en nada,
deshaze Ferragut la gente armada
y tanto por su Angélica pelea.
Mas hablóla Medoro en gran secreto
10 y diola unos chapines valencianos,
un manto de soplillo y cierta olanda.
Cobró de su Medoro gran conceto
y rendida se puso entre sus manos,
que Amor es niño y regalado ablanda.

No hay motivo convincente para atribuir este soneto a Quevedo (veán-
se sobre el particular *Peribáñez,* ed. Aubrun-Montesinos, p. XIX, y Quevedo, *Obras en verso,* ed. Astrana Marín, Madrid, Aguilar, 1943, p. 1481-
1482).

El autor hace de la historia de Angélica y Medoro una ilustración del
tema del Amor y del Interés, tema antiguo que tratan con frecuencia los
poetas del Siglo de Oro. Corresponde sin duda esta perspectiva, en un
principio, a una tentativa de explicar una pasión sorprendente, degenera
luego en puro motivo satírico. Implica, en un primer tiempo, cierto desprecio hacia Angélica y Medoro; cuando termina la evolución, demuestra
que la princesa y el africano ya no son tenidos por personajes épicos y
son tratados sin consideración, lo cual no sorprende en composiciones

de principios del siglo XVII. Aparte de la pieza que reproducimos con el núm. 91 y del romance burlesco de Quevedo *Quitándose está Medoro* (núm. 104), un soneto, atribuido por Astrana Marín al propio Quevedo (*Obras en verso,* Madrid, Aguilar, 1943, p. 175), desarrolla un tema idéntico:

> Si pretenden goçarte sin bolsón
> los que berssos y músicas te dan,
> di que ofendiendo a tu deydad están,
> pues desto todo no te gusta el son.
> Dalila puedes ser con el Sansón,
> y Anjélica divina con Roldán,
> y diles que, no dándote, estarán
> sin tomar de tu gusto posesión
> ....
> que es niño Amor y quiere que le den.

> > (*237 sonnets,* en *R. H.,* XVIII, 1908,
> > p. 488-618, núm. 227.)

De una alusión en otra, se esfuma progresivamente el personaje de Medoro, mientras que Roldán se va confundiendo con el tipo del hidalgo famélico y ridículo, como lo muestra la conocida letrilla de Góngora *A toda ley, madre mía* (Millé, núm. 108).

Esta es una de las interpretaciones del episodio famoso de Angélica y Medoro, que vieron los poetas de modos tan diferentes entre 1555 y 1640. En otras composiciones, desde un punto de vista radicalmente opuesto, viene a ser el símbolo del amor desinteresado, por ejemplo en el romance *Cierta dama cortesana:*

> ....
> Passó ya el dorado siglo
> que Angélica con Medoro
> se gozavan en la selva,
> pagando un amor con otro
> ....

> > (*Flor de varios romances. Novena parte.*
> > Luis de Medina. Madrid, 1597, fol. 12 rº. Cf.
> > Durán, núm. 1702.)

en un soneto del manuscrito 17.556 de la Biblioteca Nacional (*Quien diçe que passó el siglo dorado,* fol. 146 rº):

....

    Galanes, ya no bale biçarría,
ni el ser qual Amadís firme y constante,
ni se alla la ventura de Medoro,
    pues Angélica no es quien ser solía,
ni se alcança si no es como Attalante
o como a Danae Júpiter en oro.

en una sátira atribuida a veces a Góngora:

....

    que no serán de Adonis ni Medoro
Angélica ni Venus sin dinero,
ni Europa del gran dios que se hiço toro

....

                                      (*El Cancionero de 1628,* ed. J. M. Blecua, p. 528.)

y en una frase de "Mateo Luján":

    Las mujeres ya no buscan Medoros ni Adonises; miden el amor con la vara del interés, y con ellas quién *da más* tiene *damas...*

                                      (*Segunda parte de la vida del pícaro Guzmán de Alfarache,* 1. I, cap. V, *B. A. E.,* III, p. 373 a.)

9 1

ANGÉLICA Y MEDORO.
UN AMOR INTERESADO

Lope de Vega, *Peribáñez,* jornada I, v. 603-614.

    Reinaldo fuerte en roja sangre baña
por Angélica el campo de Agramante,

Roldán valiente, gran señor de Anglante,
cubre de cuerpos la marcial campaña,
5   la furia Malgesí del cetro engaña,
sangriento corre el fiero Sacripante;
cuanto le pone la ocasión delante,
derriba al suelo Ferragut de España.
Mas mientras los gallardos paladines
10 armados tiran tajos y reveses,
presentóle Medoro unos chapines,
y entre unos verdes olmos y cipreses
gozó de amor los regalados fines
y la tuvo por suya trece meses.

Sorprenderían estas consideraciones cínicas bajo la pluma de Lope,
en cuya obra aparece constantemente la unión de Angélica y Medoro
como el triunfo de la belleza y de la pasión (véase sobre el particular
nuestro libro *L'Arioste en Espagne*, p. 354-355, 415-417), si no se obser-
vara que estos versos se ponen en boca del traidor y ruin Luján (sobre
el carácter negativo del personaje, véase Noël Salomon, *Simple remarque
à propos du problème de la date de "Peribáñez y el Comendador de
Ocaña"*, en *B. Hi.*, LXIII, 1961, p. 251-258).

9 2

PROYECTOS DE VENGANZA DE ROLDÁN

Ms 3924 de la Biblioteca Nacional, fol. 6 vº-7 rº.

Buscando Angélica la bella
el furiosso Orlando andava
con coraçón animoso
y furia jamás domada.
5   Juramento lleva hecho
en la cruz de Durandana
que con sus filos agudos
le a de sacar el alma,
y a su querido Medoro,

10 las cossas que más amaba,
y con todo el mundo junto
y con ella hazer batalla [*sic*],
porque junto de una fuente,
debaxo una berde aya,
15 vio un rrétulo que sus letras
dezían estas palabras:
"Este lugar es el di[c]hosso
donde Medoro gozava

de su Angélica la bella,   que estando el uno sin el otro
20 luz y lumbre de su alma,   estava el cuerpo sin alma".

Aunque el texto nos ha llegado en un estado mediocre, el sentido de esta composición no deja lugar a dudas. No se abandona Roldán a la desesperación y a la locura, persigue a Angélica y Medoro con intención de castigar su traición. Otros poetas españoles habían entregado Angélica a unos corsarios o a un mago (véase más arriba, p. 235-236); según el autor de este romance, el mismo paladino se vengará de la insconstante princesa y de su indigno amante.

Este romance, según se ha observado ya, se inspira en *A caça va don Rodrigo,* una de las composiciones más antiguas y más populares del ciclo de los Infantes de Salas (véase *Romancero tradicional de R. Menéndez Pidal, II. Romanceros de los Condes de Castilla y de los Infantes de Lara,* p. 159).

9 3

LLANTO DE ANGÉLICA

Ms 3924 de la Biblioteca Nacional, fol. 149.

Llorando el cuerpo difunto
la hermosa Angélica estava
de su querido Medoro
que de espirar acabava.
5 Con sospiros y sollozos
las obsequias celebrava,
y con crueldad de sí misma
por él se sacrificava.
Los ojos llenos de sangre,
10 que el agua ya les faltava,
dize con bos baxa y triste,
de llorar ronca y cansada:
"Medoro, mi dulçe amigo,
tu Angélica desdichada,

15 ¿cómo bivirá sin ti,
theniendo contigo el alma?
Ya permitieran los dioses
y mi bentura tan alta
que no fuera tan hermosa
20 para ser tan desdichada.
Subiéndome tantos rreyes
sin poder haver mi graçia,
contigo bivía contenta,
y al tiempo que más lo estava,
25 el çielo se me quiso [*sic*],
porque con rrazón juzgava
no ser yo mereçedora
del bien que alegre gozava.

Pues que por mi caussa mueres,
30 yo por ti rrendiré el alma,
si no me falta la fuerça
para meter esta daga
por la parte que el dolor

35 ya tiene abierta la llaga.
Espérame, mi Medoro,
no agas sin mí esta jornada,
porque aunque partas primero,
en tu alcanze hirá mi alma".

31 *Ms 3924* y si no me falta la fuerça [*sic*]. — 36 *Ms 3924* no agáis [*sic*].

Este texto nos ha llegado en un estado mediocre, como muchos de los que incluye el manuscrito 3924. Lo mismo que el precedente, este romance es obra de un poeta que quiere hacer expiar a Angélica una pasión escandalosa. Se limita el autor a indicar la muerte del joven africano sin concretar sus circunstancias. Acaso admita que Medoro fue víctima de la venganza de Roldán, pero no es posible afirmarlo. La misma indeterminación aparece en una composición del *Laberinto amoroso*:

....

Medoro muriendo
de Angélica en braços
halló mil abraços
su muerte sintiendo

....

(*Por llegar a tu torre/ si no me ahogo, Laberinto amoroso*, Juan de Chen, 1618, p. 10-12.)

Los primeros versos de la pieza que reproducimos recuerdan el principio de un romance de Arias Gonzalo:

Mirando el cuerpo diffunto
el capitán zamorano

....

(*Flor de varios romances*. Pedro de Moncayo. Huesca, 1589, fol. 36 vº.)

LLANTO DE ANGÉLICA

9 4 a

Ms 3915 de la Biblioteca Nacional, fol. 28 vº.

Sobre el erido cuerpo de Medoro
Angélica la bella está llorando
y con las hebras rubias de fino oro
está su rostro pálido limpiando.
5 Ensendida en pasión y triste lloro,
mil abraços y besos le está dando,
diziendo con dolor al cuerpo frío:
"No biba yo sin ti, dulçe amor mío".
Mill lágrimas sus ojos le embiaban
10 que el rrosicler hermoso le cubrían,
y en llegando a la tierra se tornaban
perlas que más que el sol resplandescían.
Los hermosos cabellos le estorbaban
que en el marmóreo cuello se esparzían,
15 deziendo sin aliento, ser ni brío:
"No viva yo sin ti, dulçe amor mío.
Abladme, [mi] Medoro y mi consuelo,
mi amor primero, bien y compannía".
Y abaxando los ojos asia el suelo,
20 bio el hilo de la sangre que corría.
Quedó en aqueste punto hecha un hielo
y encima del herido se tendía,
deziendo: "A ti, Medoro, el cuerpo emvío.
No biva yo sin ti, dulçe amor mío".

9 4 b

Ms 3924 de la Biblioteca Nacional, fol. 7.

Sobre el herido cuerpo de Medoro
Angélica la bella está llorando

y con las hebras rrubias del fino oro
le está su rrostro pálido limpiando.
5 Ençendida su passión en triste lloro,
  mill abrazos y vessos le está dando,
  diziendo con dolor al cuerpo frío:
  "No biva yo sin ti, dulçe amor mío".
  Lágrimas de sus ojos destilaba[n]
10 y aquel rrossal hermosso le cubría[n] [*sic*]
  y en llegando a la tierra se tornavan
  perlas [que] más que el sol rresplandezían.
  Sus hermossos cavellos le estorvavan
  de ver a su Medoro y su alegría,
15 y dize con dolor al cuerpo frío:
  "No biva yo sin ti, dulçe amor mío".
  Ablando a su Medoro y su consuelo,
  y su primero amor y compañía,
  y abaxando los ojos azia el suelo,
20 vio el hilo de la sangre que corría.
  Quedóse en aquel punto hecha un yelo,
  sobre el herido cuerpo se tendía,
  diziendo con dolor al cuerpo frío:
  "No biva yo sin ti, dulçe amor mío".

12 *Ms 3924* en perlas más que el sol rresplandezían [*sic*]. — 13 *Ms 3924*
sus hermossos cavellos les tornavan [sic].

9 4 c

Ms 3168 de la Biblioteca Nacional, fol. 17 rº.

  Sobre el sangriento cuerpo de Medoro
  Angélica la bella está llorando
  y con las hebras rubias del fino oro
  le está su rostro pálido limpiando,
5 Teniendo compassión del triste moro,
  mill abraços y besos le está dando
  y dice con dolor al cuerpo frío:
  "No me vea io sin ti, dulçe amor mío".
  Mill lágrimas sus ojos destilaban,
10 del rosicler dorado le salían,

en lleguando a la tierra se tornaban
perlas que más que el sol resplandecían.
Mill suspiros del alma se ar[r]ancaban
y sin poder tenerlos le salían,
15 y dice: "Pues no ai mal que llegue a el mío,
no me vea io sin ti, dulçe amor mío".

Gozaron estas octavas de innegable popularidad, ya que poseemos de ellas tres versiones distintas, una de las cuales, la del manuscrito 3924, es mediocre. Sorprende a primera vista el éxito de estos versos, si se tiene únicamente en cuenta su calidad. Se explica mejor cuando advertimos que estas octavas glosan un verso de Montemayor y, de manera más general, se inspiran en el soneto que lo incluye. El soneto al que aludimos es éste:

Estábase Marfida contemplando
en su pecho al pastor por quien moría,
ella mesma hablaba y respondía,
que lo tenía delante imaginando.
    Por sus hermosos ojos destilando
lo que orientales perlas parescía,
con voz que lastimaba así dezía,
su cristalino rostro levantando:
    "No viva yo sin ti, dulce amor mío,
de mí me olvide yo si te olvidare,
pues no tengo otro bien ni otra esperança.
    Tu fe sola es, pastor, en quien me fío:
y si ésta en algún tiempo me faltare,
mi muerte me dará de ti vengança."

(Montemayor, *Cancionero*, "Bibliófilos Españoles", p. 44.)

Esta composición fue muy apreciada. Se incluyó en el *Cancionero General* en 1557 (*Suplemento al Cancionero General*, ed. A. Rodríguez-Moñino, 1959, núm. 270). A doce de sus versos, levemente modificados a veces, se les puso música: véase el texto en el *Cancionero musical de la Casa de Medinaceli* (ed. Miguel Querol Gavaldá, II, p. 11-12). En varios textos impresos o manuscritos del siglo XVI aparecen tres glosas de este soneto: una, en catorce octavas, es obra de Joaquín Romero de Cepeda (véase el *Cancionero musical de la Casa de Medinaceli, ibid.,* y Romero de Cepeda, *Obras,* 1582, fol. 81 r° - 83 r°); las otras, composiciones anónimas, se incluyen, una en el manuscrito 3915 de la Biblioteca Nacional (*Sobre la fresca hiedra recostada,* fol. 25 v° - 27 r°), otra en el manuscrito 2973 de la misma biblioteca (*Rendida al crudo fuego | de Amor, la resistencia no bastando,* p. 171-175). En estas glosas, el texto del soneto ofrece, como es natural, ligeras variantes. El mismo manuscrito 2973 copia una versión a lo divino del soneto de Montemayor (*Estávase la Virgen contemplando,* p. 21). Por fin se perciben reminiscencias de *Estábase Marfida contemplando* en una breve serie de octavas manuscritas cuyos primeros versos reproducimos a continuación:

> Estávase Sireno ymaginando
> con la hermosa nimpha a quien servía,
> en ella p[ar]te a parte contemplando
> las graçias y lindezas que tenía.
> Comiença a suspirar de quando en quando
> y entre un suspiro y otro le dezía:
> "No viva yo sin ti, dulçe pastora,
> ni dexe de mirarte sola una ora".

> (Ms Esp. 372 de la Biblioteca Nacional de París, fol. 315 v°.)

así como en un soneto de Francisco de la Cueva, dedicado a la viuda de Bruto:

> Porcia, despúes que del famoso Bruto
> supo y creyó la miserable suerte:
> "No viva yo sin ti", con pecho fuerte
> dijo, llorando sobre el casto luto
> ....

> (*Flores de poetas ilustres,* 1605, ed. J. Quirós de los Ríos y F. Rodríguez Marín, núm. 103, p. 125.)

Las octavas que dejamos reproducidas también atestiguan la boga extraordinaria que alcanzó el soneto de Montemayor. El motivo musical conocido que aprovechan contribuyó sin duda a su éxito.

MALOGRADOS PROYECTOS DE VENGANZA

9 5 a

Ms 2803 de la Biblioteca Real, fol. 171.

Entre los dulçes testigos
de la gloria de Medoro,
fuentes, árboles y cuebas,
de las nimphas sacro choro,
5   donde el moro vïandante
goçó del dulce tesoro
de aquella que tantas almas
enlaçó con hebras de oro,
estaba el furioso Orlando,
10 hecho una fuente de lloro,
rrompe el viento con suspiros
llamando pheliçe al moro.
Díçele: "Fiero enemigo,
pues del sol a quien yo adoro
15 agora goças la lumbre
por quien yo en tinieblas moro,
(bien sé que en pensar en esto
el ser de Orlando desdoro),
yo te sacaré la vida
20 si deste estado mejoro".

De todas estas bravatas
rriyéndose está Medoro,
como quien de talanquera
ve lidiar un bravo toro,
25 y mientras la ravia y çelo
al uno quita el decoro,
goça el otro los abraços
de su angélico tesoro.
"Fuentes, diçe, y arboledas,
30 do mis bienes atesoro,
para que nadie os offenda,
el favor del çielo ymploro".
Llega en esto el loco amante
que el cuento sabe de coro,
35 huye Angélica espantada,
y tras ella el joben loro.
Vengóse en la fuente Orlando,
y en los árboles do el moro
al fin de sus epigramas
40 puso: "Angélica y Medoro".

Fue apreciado este romance como lo demuestran los varios textos que poseemos de él, textos relativamente numerosos y que presentan importantes diferencias en cuanto al contenido. Se trata de una composición rimada de marcado estilo artificioso. No quiso el autor dejar esperar una venganza de Roldán. Se le escapan fácilmente Angélica y Medoro, y el

enamorado infeliz no puede saciar el furor sino en unos árboles y en una
fuente. Se ríe el poeta de la inútil rabia del paladino cuyas bravatas le
divierten lo mismo que divierten a Medoro (v. 21-24). El amor de los
dos jóvenes triunfa de esta irrisoria tormenta.

95 b

Flor de varios romances nuevos. Tercera parte. Felipe Mey. Valencia, 1593,
fol. 193.

Entre los dulces testigos
de la gloria de Medoro,
fuentes, árboles, jazmines,
de las nimphas bello coro,
5   donde el moro bien andante
gozó del dulce tesoro
de aquella bella hermosa
enlazada en lazos de oro,
   está el valeroso Orlando,
10 buelto una fuente de lloro,
rompe el ayre con suspiros.
"¡Ay, felicíssimo moro!,
   dízele, ficro enemigo,
¿qué es de el sol por quien yo
           [lloro?

15 Agora gozas la lumbre
por quien en tinieblas moro.
   Pues tienes rendida el alma
de aquella en quien yo adoro,
yo te sacaré la tuya
20 si deste estado mejoro.
   Bien sé que con tal vengança
el ser de Orlando desdoro,
pero el amor me desculpa
que a nadie guarda el decoro".
25   Y con la raviosa vasca,
bramando qual bravo toro,
se embravece contra sí,
aumentando más mi lloro [*sic*].

9 *Flor* que está el valeroso Orlando [*sic*]. — 11 *Flor* snspiros [*sic*]. — 18
Flor de aquella an quien [*sic*].

95 c

Ms 3168 de la Biblioteca Nacional, fol. 9 vº.
Ms 3915 de la Biblioteca Nacional, fol. 171 vº.

Publicamos el texto del manuscrito 3168 indicando a continuación
las variantes que ofrece el manuscrito 3915.

Entre los dulces testiguos
de la gloria de Medoro,
fuentes, árboles y cuebas,
de las ninphas sacro choro,
5   donde el moro vïandante
guoçó del rico thesoro
de aquella que a tantas almas
enlaçó en sus laços de oro,
está el valeroso Orlando,
10 hecho otra fuente de lloro,
rompe el cielo con suspiros
llamando al felice moro.
Dícele: "¡Ai, fiero enemiguo!
¿qué es del sol en quien io adoro?

15 Aguora guoças la lumbre
por quien io en tinieblas moro.
Pues tienes rendida el alma
cuia aiuda en vano imploro,
io te sacaré la tuia
20 si deste estado mejoro.
Mas pues que no puedo verte,
verá el cielo qual desfloro
el luguar do me ofendiste,
robándome mi thesoro.
25   Bien sé que con tal venguança,
el ser de Orlando desdoro,
mas el amor me disculpa
que a nadie guardó el dechoro".

Variantes del ms 3915: 5 donde el amor bien andante. — 7-8 de aquella que tantas almas/enlaçó sus hebras de oro [*sic*]. — 10 una fuente. — 13-14 dícele: fiero enemigo/¿qué es de el sol en quien adoro? — 21-24 Esta cuarteta falta en el manuscrito 3915. — 28 que a nadie guarda decoro.

Al leer los textos que ofrecen Felipe Mey y los manuscritos 3168 y 3915, no sabe el lector si va a tener efecto el proyecto de venganza de Roldán. Presentan además estos textos notables variantes. Se observará en particular que la omisión de una cuarteta en la versión del manuscrito 3915 modifica el sentido que tiene el romance según el manuscrito 3168: Roldán, que juzgaba indecoroso el hecho de vengarse del sitio que vio los amores de Angélica y Medoro (ms 3168), estima en la segunda versión que sería indigno de él manchar Durindana con la sangre del africano (ms 3915).

MALOGRADOS PROYECTOS DE VENGANZA

96 a

Ms 4127 de la Biblioteca Nacional, p. 84-85.

Regalando el tierno pecho
en la boca de Medoro
la bella Angélica estaba,
sentada al tronco de un olmo.
5 Los bellos ojos le linpia
con los suyos pïadosos [*sic*],
y con sus hermosos labios
mide los suyos hermosos.
   ¡*Ay, moro benturoso!*
10 *que a todo el mundo tienes enbi-*
                          [*dioso.*

Conbaleçiente del cuerpo
estaba el dichoso moro,
y tan enfermo del alma
que al çielo pide socorro.
15 Enterneçida a las quejas
Angélica de Medoro,
le cura con propia mano
y queda sano del todo.
   ¡*Ay, moro benturoso!*
20 *que a todo el mundo tienes ynbi-*
                          [*dioso.*

A las quexas y dulçuras
que los dos se dizen solos,
descubriéndolos el Eco,
Orlando llegó furioso,
25 *y viendo a su iedra assida*
del más despreciado tronco,

pone mano a Durindana,
lleno de celos y enojo.
   ¡*Ay, moro venturoso!*
30 *que a todo el mundo tienes invi-*
                          [*dioso.*

La yndïana que bido
venir el rrayo çeloso,
despertó al dormido amante
y diole su anillo de oro.
35 Anbos por el ayre buelan,
abraçados y goçosos,
pareçiendo desde el suelo
luçes, planetas y polos.
   ¡*Ay, moro benturoso!*
40 *que a todo el mundo tienes enbi-*
                          [*dioso.*

El Conde que ya los pierde
a mirar se buelbe el olmo
donde bio que escrito estaba:
"Aquí me goçó Medoro".
45 Alçando el braço derriba
ojas, rrama, letra y tronco,
açiendo del monte bega,
como rrío caudaloso.
   ¡*Ay, moro benturosso!*
50 *que a todo el mundo tienes enbi-*
                          [*dioso.*

9 6 b

Séptima parte de Flor de varios romances nuevos. Francisco Enríquez. Madrid, 1595, fol. 123.
Romancero de la Biblioteca Brancacciana, en *R. H.,* LXV, 1925, p. 345-396, núm. 35.
Romancero General 1600, 1604, 1614. Séptima parte.

Regalando el tierno vello
de la boca de Medoro
la vella Angélica estava,
sentada al tronco de un olmo.
5   Los bellos ojos le mira
con los suyos pïadosos,
y con sus hermosos labios
mide sus labios hermosos.
¡*Ay, moro venturoso!*
10 *que a todo el mundo tienes imbi-*
[*dioso.*
Convaleciente del cuerpo
estava el dichoso moro,
y tan enfermo del alma
que al cielo pide socorro.
15   Enternecida a las quexas
Angélica de Medoro,

le cura con propia mano
y queda sano del todo.
¡*Ay, moro venturoso!*
20 *que a todo el mundo tienes imbi-*
[*dioso.*
A las quexas y dulçuras
que los dos se dizen solos,
descubriéndolos el Eco,
Orlando llegó furioso,
25   y viendo a su iedra assida
del más despreciado tronco,
pone mano a Durindana,
lleno de celos y enojo.
¡*Ay, moro venturoso!*
30 *que a todo el mundo tienes imbi-*
[*dioso.*

6 *Romancero Brancacciana* con su pïadosos ojos. — 9, 19, 29 *Romancero Brancacciana* ¡O, moro benturoso!. — 10 *Romancero Brancacciana* tienes ymbidioso, ymbidioso [*sic*]. — 15 *Flor* enterneçido [*sic*]. — 15-17 *Romancero Brancacciana* enterneçió a sus quexas / el de Angélica piadoso / entre sus braços le cura. — 21 *Flor* dulcures [*sic*]. *R. G., Romancero Brancacciana* dulçuras. — 24-26 *Romancero Brancacciana* Horlando llega furioso / y biendo su yedra asida / al más despreçiado tronco.

Las versiones distintas que poseemos de este romance muestran el éxito que tuvo. Pero las colecciones impresas y manuscritas no dan ningún texto realmente claro. Por eso hemos completado el texto del manuscrito 4127 con dos cuartetas que incluyen la *Flor* de 1595, el *Romancero de la Brancacciana* y el *Romancero General* (v. 21-30 del núm. 96 a). Así aparece el romance en una forma inmediatamente inteligible.

El autor de esta composición da a los amores de Angélica y Medoro marcada sensualidad. Lo mismo que en *Entre los dulces testigos,* Roldán escarnecido no puede vengarse de los dos amantes que desaparecen como si los llevara una tramoya. Las versiones truncas, una vez más, no indican el fracaso del paladino. Se observará que la idea de hacer que escapen Angélica y Medoro a la venganza de Roldán gracias a las virtudes del anillo encantado sedujo a dos dramaturgos que pudieron conocer dicho romance (véanse *Angélica en el Catay,* jornada III, *Obras de Lope de Vega, Acad.,* XIII, p. 443 a, y *Un pastoral albergue,* jornada II, *Obras de Lope de Vega, Acad.,* XIII, p. 358 b).

9 7

AMORES DE ANGÉLICA Y MEDORO

Francisco de Aldana. Texto en *El Cancionero de 1628,* ed. J. M. Blecua, p. 326-329, y *Francisco de Aldana. Poesías,* ed. Elías L. Rivers ("Clásicos castellanos", núm. 143), p. 75-78.

Reproducimos el texto establecido por Elías L. Rivers.

> Gracia particular que el alto cielo
> quiso otorgar al bajo mundo en suerte
> es la de dos amantes que en el suelo
> viven con fuego igual, con igual muerte:
> 5 verse la llama helar, arder el hielo,
> un pecho quebrantar de mármol fuerte,
> y que tan alto ser de amor reciba
> que uno viva por él y el otro viva.
> En la cueva de Atlante, húmeda y fría,
> 10 la somnolienta Noche reposaba,
> y Cintia al rubio hermano ya quería
> restitüir la luz que dél tomaba;
> con el rosado manto abriendo el día

la blanca Aurora flores derramaba,
15 y los caballos del señor de Delo
hinchían de relinchos todo el cielo,
    cuando Medor y Angélica, durmiendo
dentro en albergue que les cupo en suerte,
el dulce y largo olvido recibiendo,
20 juntos están con lazo estrecho y fuerte,
el aire cada cual dellos bebiendo
boca con boca al otro, y se convierte
lo que sale de allí mal recibido
en alma, en vida, en gozo, en bien cumplido.
25   Con el siniestro brazo un nudo hecho
por el cuello a su sol tiene Medoro;
ciñe la otra el blanco y tierno pecho
que es del cielo y amor alto tesoro;
acá y allá sobre el dichoso lecho
30 vuela el rico, sutil cabello de oro
y el caluroso aliento que salía
un poco ventilando se movía.
    Entre ellos iba Amor pasito y quedo
los bien ceñidos miembros más ciñendo,
35 y al dulce contemplar gozoso y ledo
todo se está moviendo y sacudiendo;
prueba después con el pequeño dedo
y en vano tienta el cabo, aquesto haciendo,
si puede con las puntas de sus flechas
40 hacer lugar en partes tan estrechas.
    No pudo al fin, mas con las alas luego
(que desde Cipro, de Amatunta y Gnido,
menospreciando la región del fuego,
podrán subillo al cielo más subido,
45 donde volando con lascivo juego
para quebrar un monte empedernido)
aire fresco, vital les hace y mueve
y dentro el aire ardientes llamas llueve.
    La sábana después quïetamente
50 levanta al parecer no bien siguro,
y como espejo el cuerpo ve luciente,
el muslo cual aborio limpio y puro;
contempla de los pies hasta la frente
las caderas de mármol liso y duro,

55 las partes donde Amor el cetro tiene,
   y allí con ojos muertos se detiene.
      Admirado la mira y dice: "¡Oh cuánto
   debes, Medor, a tu ventura y suerte!"
   Y más quiso decir, pero entre tanto
60 razón es ya que Angélica despierte,
   la cual con breve y repentino salto,
   viéndose así desnuda y de tal suerte,
   los muslos dobla y lo mejor encubre,
   y por cubrirse más, más se descubre.
65   Confusa, al fin, halló nueva manera,
   que a su Medor abraza enternecida
   y con la blanca mano por defuera
   trabaja de quedar toda ceñida;
   dijo después la ninfa placentera:
70 "Paz y dichosa luz tengas, mi vida",
   y él, sin hablar, con alegría no poca,
   paz de su luz tomó dentro en la boca.
      La paz tomaste, ¡oh venturoso amante!
   con dulce guerra en brazos de tu amiga;
75 y aquella paz, mil veces que es bastante,
   nunca me fuera, en paz de mi fatiga:
   triste, no porque paz mi lengua cante
   (paz quieres inmortal, fiera enemiga),
   mas antes, contra amor de celo armada,
80 huye la paz, que tanto al Cielo agrada.

Sin duda no revisó estas octavas el malogrado Aldana: por eso faltan a veces de claridad, en particular la última. Pero no puede el hecho empañar su belleza. Si consideramos que se hubieron de escribir antes de 1567, fecha en que Aldana dejó Florencia (véase sobre este punto Elías L. Rivers, *Francisco de Aldana, el divino capitán*, p. 45), tendremos que advertir que muestran en la construcción de la estrofa y la armonía de los versos una maestría de la que ofrece pocos ejemplos la poesía española anterior y contemporánea. Se observará en ellas una serie de figuras y procedemientos utilizados con innegable virtuosidad, procedimientos elaborados en los viejos cancioneros o, más frecuentemente, definidos por la poesía petrarquizante: contraposición de palabras de idéntico origen (*subillo / subido*, v. 44; *cubrirse / descubre*, v. 64), contrastes expresivos (*alto* / *bajo*, v. 1-2; *la llama helar, arder el hielo*, v. 5; *ardientes llamas llueve*, v. 48), juego colorista (*rosado* / *blanca*, v. 13-14), aliteración evocadora (*hinchían de relinchos*, v. 16,) lentitud sugestiva del verso (v. 49-50). Pero impresionará más aun la delicada sensualidad de estas octavas, subrayada ya por J. M. Blecua (*El Cancionero de 1628*, p. 48). La calidad de este fragmento, el único conservado de un poema que era largo, según afirma Cosme de Aldana, hace lamentar la pérdida casi completa de una obra que fuera, a juzgarlo por estos versos, una de las joyas de la poesía española del siglo XVI y una de las más bellas entre los obras que se inspiraron de Ariosto.

Con todo es muy interesante el trozo para la historia del tema de Angélica y Medoro en la poesía española. Aldana es el primero en descubrir en él el puro motivo de gracia y belleza que brillará con todo esplendor en los versos de *En un pastoral albergue*.

9 8

AMORES DE ANGÉLICA Y MEDORO

Luis de Góngora, 1602.

Reproducimos el texto establecido por Dámaso Alonso (*Góngora y el "Polifemo"*, I, Madrid, Gredos, 1961, p. 287-291).

    En un pastoral albergue
    que la guerra entre unos robres
    lo dejó por escondido
    o lo perdonó por pobre,
5   do la paz viste pellico
    y conduce entre pastores
    ovejas del monte al llano
    y cabras del llano al monte,
    mal herido y bien curado,
10 se alberga un dichoso joven,
    que sin clavarle Amor flecha,
    lo coronó de favores.

    Las venas con poca sangre,
    los ojos con mucha noche,
15 lo halló en el campo aquella
    vida y muerte de los hombres.
    Del palafrén se derriba,
    no porque al moro conoce,
    sino por ver que la hierba
20 tanta sangre paga en flores.
    Límpiale el rostro, y la mano
    siente al Amor que se esconde
    tras las rosas, que la muerte
    va violando sus colores.

25　Escondióse tras las rosas
　　porque labren sus arpones
　　el diamante del Catay
　　con aquella sangre noble.
　　　Ya le regala los ojos,
30　ya le entra, sin ver por dónde,
　　una piedad mal nacida
　　entre dulces escorpiones.
　　　Ya es herido el pedernal,
　　ya despide el primer golpe
35　centellas de agua. ¡Oh, piedad,
　　hija de padres traidores!
　　　Hierbas aplica a sus llagas,
　　que si no sanan entonces,
　　en virtud de tales manos
40　lisonjean los dolores.
　　　Amor le ofrece su venda,
　　mas ella sus velos rompe
　　para ligar sus heridas:
　　los rayos del sol perdonen.
45　Los últimos nudos daba
　　cuando el cielo la socorre
　　de un villano en una yegua
　　que iba penetrando el bosque.
　　　Enfrénanle de la bella
50　las tristes piadosas voces,
　　que los firmes troncos mueven
　　y las sordas piedras oyen;
　　y la que mejor se halla
　　en las selvas que en la corte,
55　simple bondad al pío ruego
　　cortésmente corresponde.
　　　Humilde se apea el villano,
　　y sobre la yegua pone
　　un cuerpo con poca sangre,
60　pero con dos corazones;
　　　a su cabaña los guía,
　　que el sol deja su horizonte
　　y el humo de su cabaña
　　les va sirviendo de norte.
65　Llegaron temprano a ella,

　　do una labradora acoge
　　un mal vivo con dos almas,
　　y una ciega con dos soles.
　　　Blando heno en vez de pluma
70　para lecho les compone,
　　que será tálamo luego
　　do el garzón sus dichas logre.
　　　Las manos, pues, cuyos dedos
　　de esta vida fueron dioses,
75　restituyen a Medoro
　　salud nueva, fuerzas dobles,
　　　y le entregan, cuando menos,
　　su beldad y un reino en dote,
　　segunda invidia de Marte,
80　primera dicha de Adonis.
　　　Corona un lascivo enjambre
　　de Cupidillos menores
　　la choza, bien como abejas
　　hueco tronco de alcornoque.
85　¡Qué de nudos le está dando
　　a un áspid la Invidia torpe,
　　contando de las palomas
　　los arrullos gemidores!
　　　¡Qué bien la destierra Amor,
90　haciendo la cuerda azote,
　　porque el caso no se infame
　　y el lugar no se inficione!
　　　Todo es gala el africano,
　　su vestido espira olores,
95　el lunado arco suspende,
　　y el corvo alfanje depone.
　　　Tórtolas enamoradas
　　son sus roncos atambores,
　　y los volantes de Venus
100　sus bien seguidos pendones.
　　　Desnuda el pecho anda ella,
　　vuela el cabello sin orden;
　　si lo abrocha, es con claveles,
　　con jazmines, si lo coge.
105　El pie calza en lazos de oro,
　　porque la nieve se goce,

y no se vaya por pies
la hermosura del orbe.
   Todo sirve a los amantes:
110 plumas les baten, veloces,
airecillos lisonjeros,
si no son murmuradores.
   Los campos les dan alfombras,
los árboles pabellones,
115 la apacible fuente sueño,
música los ruiseñores.
   Los troncos les dan cortezas
en que se guarden sus nombres,
mejor que en tablas de mármol
120 o que en láminas de bronce.
   No hay verde fresno sin letra,

ni blanco chopo sin mote;
si un valle "Angélica" suena,
otro "Angélica" responde.
125   Cuevas do el silencio apenas
deja que sombras las moren
profanan con sus abrazos
a pesar de sus horrores.
   Choza, pues, tálamo y lecho,
130 cortesanos labradores,
aires, campos, fuentes, vegas,
cuevas, troncos, aves, flores,
   fresnos, chopos, montes, valles
contestes de estos amores,
135 el cielo os guarde, si puede,
de las locuras del Conde.

Los comentarios que dedicó a este romance Dámaso Alonso (*La lengua poética de Góngora.* "R. F. E. Anejo XX", Madrid, 1961, p. 20-37 y *Góngora y el "Polifemo"*, Madrid, Gredos, 1961, I, p. 291-296) nos ahorran el ser prolijo. En este poema se atuvo Góngora a pintar la apacible felicidad de los dos amantes y sólo concedió a Roldán una breve alusión. Presuponiendo que sus lectores conocen la acción, empieza directamente con lo que estima esencial, excusando introducciones y presentaciones. Se observará que las escenas de este romance son escenas mudas, como la que reúne en el *Polifemo* Acis y Galatea. Góngora se guardó de escribir uno de esos diálogos forzosamente convencionales que muchos de sus predecesores habían prestado a Angélica y Medoro.

Pero surge un problema. ¿Por qué el poeta que había burlado con sutil malicia de Belerma, Píramo y Tisbe, Hero y Leandro, trató como motivo de pura belleza la historia de Angélica y Medoro? Es cierto que los amores de la princesa y del africano no se habían repetido tantas veces como otros en la literatura del siglo XVI. Pero cabe preguntarse si el anticonformismo de esta unión no fue precisamente el rasgo que sedujo a Góngora, el poeta irrespetuoso que da a Flordelís un paje por amante (Millé, núm. 25).

Este hermoso romance tuvo prodigioso éxito, como lo demostró J. B. Avalle-Arce (*Tirso y el romance de Angélica y Medoro,* en *N. R. F. H.,*

II, 1948, p. 275-281). Completamos sus apuntes dando a continuación una lista más detallada de las obras en que aparecen, que sepamos, reminiscencias de *En un pastoral albergue*:

A.—Poesía lírica

La fuerza de la Cava, con glosas de diferentes romances (*Romancero tradicional de R. Menéndez Pidal. I. Romanceros del Rey Rodrigo y de Bernardo del Carpio*, p. 136-139). Reproduce, con algunas modificaciones, los versos 13-14, 20 y 67-68 del romance.

Décimas de un Galán a una Dama que no le quería, porque era poeta (Jacinto Alonso Maluenda, *Cozquilla del gusto*, 1629, ed. E. Juliá Martínez, "Biblioteca de Antiguos Libros Hispánicos". Serie A, vol. XVI. Madrid, C. S. I. C., 1951, p. 40-41). Reproducen, con ligeras variantes, los versos 3-4 y 9 del romance.

Villamediana, *Romance de Apolo y Dafne*. Hernando Domínguez Camargo, *La muerte de Adonis*. Reminiscencias del romance (cf. J. M. de Cossío, *Fábulas mitológicas en España*, p. 444 y 670-671).

B.—Obras dramáticas

Sabido es que este romance dio su título a una comedia: *Un pastoral albergue* (*Obras de Lope de Vega, Acad.*, XIII). Vuelve a aparecer varias veces el primer verso del romance en la comedia, como un motivo constante (jornada II, p. 352 b; jornada III, p. 363 b y 364 b). Los versos 1 y 5 del romance se ponen en boca de Roldán (jornada III, p. 362 ab), dice Angélica los versos 14 y 16 (jornada II, p. 352 b - 353 a). Por fin, en la jornada II también (p. 356 b), canta Peyrón extenso fragmento del romance (v. 1-20 y 37-40).

En la comedia *El médico de su honra*, publicada como de Lope (*Acad*, IX), canta Elvira un romance que es arreglo de *En un pastoral albergue* (jornada II, p. 426 b).

Tirso de Molina [?], *Quien habló pagó* (ed. Blanca de los Ríos, I, Madrid, Aguilar, 1946). Reminiscencias del romance en la jornada I (p. 1365 a - 1366 b). Más adelante se cantan los versos 1-4, 9-16 y 41-48 del romance (jornada II, p. 1368 a).

En Madrid y en una casa (ed. Blanca de los Ríos, III, Madrid, Aguilar, 1958). Reminiscencias del romance en la jornada II (p. 1273 ab).

Guillén de Castro [?], *Pagar en propia moneda* (ed. E. Juliá Martínez, I, Madrid. 1925). Canta Ludovico los doce primeros versos del romance (jornada III, p. 112 b). Reminiscencias del romance más adelante (jornada III, p. 114 ab).

Calderón, *La niña de Gómez Arias,* jornada II (*B. A. E.,* XIV, p. 31 bc), *Basta callar,* jornada I (*B. A. E.,* XII, p. 256 ab). Reminiscencias del romance.

La púrpura de la rosa, jornada III (*B. A. E.,* IX, p. 685 c - 686 b). Reproduce, con algunas variantes, los versos 1-4 y 9-16 del romance.

La lepra de Constantino (*Autos,* ed. Valbuena Prat, Madrid, Aguilar, 1952, p. 1804 b). Reproduce los versos 3-4 del romance.

Calderón, Rojas, Coello, *El jardín de Falerina* (Ms 17.320 de la Biblioteca Nacional). La jornada II, obra de Coello, ofrece larga glosa del romance de Góngora (fol. 19 rº - 22 rº).

Céfalo y Pocris, comedia burlesca de autor desconocido, jornada I (*B. A. E.,* XII, p. 490 c). Reproduce los versos 3-4 del romance.

Quiñones de Benavente reproduce dos veces, retocándolos ligeramente, los versos 3-4 del romance (véase Hannah E. Bergman, *El Romancero en Quiñones de Benavente,* en *N. R. F. H.,* XV, 1961, p. 241-242).

Baile del Pastoral, composición anónima (en E. Cotarelo y Mori, *Colección de entremeses* ..., II, núm. 187). Reproduce, modificándolos a veces en sentido burlesco, los versos 1-16 y 41-44 del romance.

Bances Candamo, *Cómo se curan los zelos y Orlando furioso*, jornada I (*Poesías cómicas*. Madrid, 1722, I, p. 189-190). Reminiscencias del romance.

José de Cañizares, *Angélica y Medoro*, jornada I y II (Ms 16.902 de la Biblioteca Nacional, fol. 18 v° y 34 r°). Varias reminiscencias del romance.

Angélica y Medoro, comedia anónima de estilo burlesco, jornada III (Ms 16.794 de la Biblioteca Nacional, letra del siglo XVIII). El emperador Carlomagno glosa, deformándolos más o menos, algunos versos del romance. Los reproches que hace a Angélica dan buena idea del tono de la obra:

> ... ...
> hazes a todos los hombres
> obexas del monte al valle,
> cabrones del valle al monte
> ... ...

Angélica y Medoro, mojiganga anónima (Ms 14.856 de la Biblioteca Nacional, letra del siglo XVIII). Reproduce parte del romance (fol. 84 r° - 85 v°).

C.—Sabido es por fin que Gracián cita dos veces unos versos de este romance en la *Agudeza y arte de ingenio* (v. 13-16, 59, 68 en el *Discurso V, Obras completas*, Madrid, Aguilar, 1960, p. 255 a; v. 37-40 en el *Discurso XXI*, ed. cit., p. 331 a). Sobre algunas reminiscencias de *En un pastoral albergue* en las obras en prosa del siglo XVII, véase M. Herrero García, *Estimaciones literarias del siglo XVII*, Madrid, 1930, p. 162, 165.

99

NACE EL AMOR ENTRE ANGÉLICA Y MEDORO

Francisco de Borja, *Obras en verso,* 1648, p. 465-466.

El cuerpo herido en sus braços
triste Angélica recoge
del más desdichado en armas,
y más dichoso en amores.
5 El aliento que le falta
con suspiros le socorre,
con tierno llanto la sangre,
y la flaqueza con vozes.
Ya en las heridas el moro
10 su remedio reconoce,
que tanta pena y amor
es fuerça que las mejoren.
Buelto Medoro en su acuerdo,
por más ventura conoce
15 que tanta sangre le falte,
y tanta dicha le sobre.

"Bella Angélica, le dize,
¿qué aceros, qué sinrazones
para mí pudieran serlo,
20 si entre tus braços me ponen?
De las heridas no cuides,
dexa la sangre que corre,
que en las manos de la vida
es forçoso que la cobren.
25 ¿Para qué, dulce enemiga,
las atas y las compones,
si ves que curando el cuerpo
las siente el alma mayores?
Tus bellos ojos destierran
30 la obscuridad de la noche,
que basta un sol para todos,
y sobran dos para un monte".

Incitaría el asunto de este romance a colocarlo más arriba, entre los que se interesan más precisamente por el momento en que Angélica se enamora de Medoro. Pero Francisco de Borja gongoriza tan evidentemente en esta breve composición que preferimos reproducirla a continuación de *En un pastoral albergue.* Obsérvense en particular los versos de construcción paralela recargados de contrastes, numerosos en este romance (v. 3-4, 6-8, 15-16, 31-32) como en *En un pastoral albergue* y más generalmente en la obra de Góngora. Con ser muy corriente en la poesía de la época, la metáfora del sol aplicada a los ojos de Angélica (v. 29-32) puede que la haya sugerido al autor la insistncia con que la emplea Góngora en el mismo romance (v. 44 y 68). A pesar de estas intenciones tan evidentes, Francisco de Borja se queda muy inferior a su modelo. Como otros, tiene la infeliz idea de hacer hablar a Medoro, el cual ensarta unas galanterías desabridas fundadas en la comparación de sus heridas físicas con las llagas del amor (v. 21-28, compárense más arriba núms. 80 y 81).

1 0 0

NACE EL AMOR ENTRE ANGÉLICA Y MEDORO

Gabriel Bocángel y Unzueta, *Rimas y prosas*, 1627, fol. 57 r°-58 r°. Reproducido en Bocángel y Unzueta, *Obras*, ed. Rafael Benítez Claros, I, p. 92-93.

La ciudadana del prado,
aquel mortal serafín,
abril de naturaleza,
alta embidia del abril,
5   oy entre las flores sale
a robar y a produzir,
con sus manos una a una,
y con sus pies mil a mil.
    Pálido trocó el clavel
10 sus colores al jazmín,
porque les hizo el respeto
colores nuevas salir.
    Doliente mira un garçón
de cuyo cuerpo gentil
15 sacan diferentes flechas
ya un suspiro, ya un rubí.
    Dolerse le dexa a solas
primero, por no impedir
lo natural de sus quexas,
20 lo cierto de su raíz.
    "¡Ay!, dize el joven, ¿por qué,
muerte y amor, conduzís

dos passiones a un efeto,
dos accidentes a un fin?
25 De dos no puedo ser triunfo.
¡Ay Angélica! ¡si aquí
me anticipassen tus ojos
otra muerte más feliz!"
    No está la africana ociosa,
30 que del rústico jardín
inquiere templadas yervas
que el cielo produze allí.
    Aplícalas al estrago,
siente la mano sutil
35 el joven y la responde:
"Curad, señora, o herid,
si no imitáis cautelosa,
cursada en este país,
halagos que miente el áspid
40 sobre la flor infeliz".
    Pero ya el sol espirava
quando se ofrece servil
un villano que dos ciegos
noble quiso conduzir.

Más precisamente aún que la obra anterior, este romance, titulado por el autor *Alusión al caso de Angélica y Medoro*, imita *En un pastoral albergue*. Fuera de numerosas construcciones paralelas (v. 3-4, 7-8, 16, 19-20, 23-24), aparecen en él evidentes reminiscencias de Góngora: "aquel mortal serafín" (v. 2) es transposición de "vida y muerte de los hombres" (v. 16) y los versos 41-44 recuerdan, en la misma elección de los términos, un fragmento más extenso de *En un pastoral albergue* (v. 45-68). Tanta fuerza tienen los recuerdos que llevan el poeta a incurrir en un extraño error sobre el origen de Angélica: "la africana" (v. 29) reproduce de modo demasiado literal "el africano" de Góngora (v. 93). Bocángel prestó a Medoro unas declaraciones insípidas comparables a las que le atribuye Francisco de Borja. Así pierde en calidad este romance, estimable por otra parte, aunque la imitación tome en él aspecto de plagio.

1 0 1

LOCURA DE ROLDÁN

Francisco López de Zárate, *Obras varias*, Alcalá, 1651, fol. 34 vº-35 rº. Texto reproducido en López de Zárate, *Obras varias*, ed. José Simón Díaz, I, p. 340-343.

A aquel pastoral albergue
donde fue médico Amor
de las marciales heridas
que con sus flechas sanó,
5   buscándose en los peligros
el africano terror,
resplandeciente en azero
y armado de sí llegó.
   Y después que con suspiros
10 memorias alimentó,
fue el tálamo de Cupido
túmulo de su razón.
   Los blancos de las paredes,
donde el humo perdonó
15 de las antorchas de tea,
tal vez a muchos farol,
informaron a sus ojos

que Angélica se rindió,
olvidada de sí toda,
20 a hermosura sin valor.
   El tacto del propio lecho
fue el intérprete mejor,
pues se lo contó en el alma,
penando lo que tocó.
25   De papel la pared tosca,
de pluma sirvió el carbón,
y de último testimonio
la sençillez de un pastor,
   que le dixo que una tarde,
30 al bolverse en sombra el sol,
en dos ojos aunque tristes
su ausencia se restauró.
   Pintósela compassiva,
y aunque la desconoció

35 por la costosa experiencia
de su esquiba condición,
que dudan los desdichados,
crédito a sus daños dio,
diziéndole que sanaba
40 las heridas su dolor.
Toda suprema hermosura
desdize de compassión,
y aunque lo sabe, lo niega
por no ser en su fabor.
45 De púrpura, nieve y fuego,
el rústico fue pintor,
lo que el pinçel no alcançara
Angélica lo suplió.
Dixo los tiernos favores,
50 y al explicar el mayor,
al semblante de los zelos,
el aliento le faltó,
y la vida entre los brazos
de Orlando que le arrojó,
55 donde ni penetran ojos

ni se atreve exalación.
Puso fuego a la cabaña
porque su agravio hospedó,
y en breve fueron los troncos
60 mariposa de su ardor.
Salió a castigar testigos
de ingratitud de su amor,
y halló en su daño las selvas
con palabras y sin voz.
65 Probó en los robles las fuerças,
en las rocas el furor,
y bolvió en montes llanuras
con las sierras que allanó.
En lo ciego y lo furioso
70 Polifemo fue inferior,
quando de arrojadas peñas
con islas el mar pobló.
Huye, Angélica, que sigue
tus pasos rayo veloz,
75 y si bien eres laurel,
estás dividida en dos.

Esta composición, titulada *Romance que sigue al de Don Luis de Góngora de Angélica,* se inspira, sin excesiva fidelidad, en un extenso fragmento del *Orlando Furioso* (XXIII, 115-136). Procuró el autor imitar el estilo de Góngora, como lo demuestran, por ejemplo, la oposición *tálamo / túmulo* (v. 11-12) y el verso 60, *mariposa de su ardor* (compárese *Soledad I,* v. 89). La tentativa es con todo bastante superficial y López de Zárate se queda muy por debajo de la elegancia difícilmente imitable de su modelo.

102

AMORES DE ANGÉLICA Y MEDORO

Poésies inédites de Góngora, ed. Hugo A. Rennert, en *R. H.,* IV, 1897, p. 139-173, núm. 47.

En un gallardo andaluz,
adulador de su sombra,
hijo veloz i soberbio
de el zephyro i de l'aurora
5 Medoro, galán ginete,
de un verde valle enamora
a las fuentes por Narciso,
a las flores por lisonja.
En ausencia de la bella
10 quiso hacer fiesta a las hojas
de algun thálamo laurel,
el primero de sus bodas.
Atrevido el africano
por la ventura que goza,
15 que pocos favorecidos
ai que la humildad conozcan,
al bruto la espuela arrima,
i más que dorada roxa,
pespunta el prado a carreras,
20 i a caracoles le borda.
Desde la cola al copete
como culebra se enrosca,
i es un cometa con alma
desde el copete a la cola.
25 Corrida ia la fortuna
de veer que Medoro corra
tantas parejas con ella,
que no ai sin invidia gloria,
al espumoso animal
30 en la postrera le corta
el veloz curso, i tropieça
en su ligereça propia.

El, hecho a pocas desdichas,
los estribos pierde ahora,
35 i desde el fuste a la arena
por el copete le arroja.
Vergonçoso tasca el bruto
los alacranes de aljófar,
quedándose hecho imagen
40 de la soberbia hespañola.
Valiente el moro aunque herido,
a la vengança provoca
corvo alfanje, quando el prado
bordaban plumas i tocas.
45 Piadosos unos zagales
le retiran a su choça,
donde Angélica sin alma
en un palafrén assoma.
En la boca i en los braços
50 de el dulçe amante que adora,
antes que en tierra las plantas,
los braços puso i la boca.
Mientras sus soles saphyros
esconde, llueve la cofia
55 planetas de oro, virreies
de los que Medoro goza.
Después de brotar jazmines
presta[n] vida a quanto toca
con ellas, las blancas manos,
60 de tantas muertes victoria,
i a peso de perlas vivas
salud el alarbe cobra,
que quando nace de la alma,
es bálsamo quanto llora,

65 que era Angélica milagro
de el Amor, hallado en pocas,
si hermosa como ninguna,
no mudable como todas.

    Convalecen los amantes
70 de la herida i la congoxa,
porque a vida de dos almas
es poco una muerte sola.

    Varios manuscritos atribuyen este romance a Góngora (véase sobre el particular R. Jammes, *Inventaire* ...). Pero esta atribución se apoya únicamente, al parecer, en las analogías que existen entre ciertas obras gongorinas y *En un gallardo andaluz*. El texto que reproducimos contiene en efecto unos versos que recuerdan de manera concreta los del poeta de Córdoba: la descripción del caballo (v. 1, 29 y 37-38) evoca la que se lee en el *Polifemo* (v. 13-14), el "corvo alfanje" de Medoro (v. 43) y el "palafrén" de Angélica (v. 48) son sin duda reminiscencias de *En un pastoral albergue* (v. 96 y 17). De manera más general, este romance, lo mismo que *En un pastoral albergue*, trata el tema de los apacibles amores de Angélica y Medoro cuya feliz armonía no altera un accidente sin gravedad. Estas semejanzas no bastan a justificar la atribución a Góngora de una composición que se debe, más verosímilmente, a la pluma de uno de sus imitadores.

1 0 3

AMORES DE ANGÉLICA Y MEDORO

Ms 3700 de la Biblioteca Nacional, fol. 192 r°-193 r°.

El vitorioso Medoro
alegre biene al Catay
de aver bençido a Celauro
en dos batallas de mar,
5 siendo mayor vencimiento
Angélica celestial,
envidia de Bradamante
y locura de Roldán.
    La vella le está esperando
10 con no menor voluntad,
que la larga ausencia yela
y la brebe enciende más.
    Adelantósc Mcdo[ro],
quedó su gente atrás,
15 que siempre gusta quien ama
de llegar sin abisar.
    Angélica en un jardín,
con tristeça y soledad,

Sepultado en un mar de ynconbenientes
está el temido y sin igual Horlando
35 con este sol divino que a las jentes
alumbra, al sol su rresplandor quitando.
Por rricos juzga los demás balientes
si Angélica se haze de su bando.
Ya la pienssa alcançar, ya desespera,
40 *que no da amor plazer de otra manera.*

Rebuelve en sí de ber sus pensamientos
por hablar al fin sus alegres cuydados,
diziendo: "Yo saldré destos tormentos
a pessar y mal grado de los hados,
45 que no ay balor, esfuerços ni argumentos
que estorben mis plaçeres deseados."
Mas luego buelve a la passión primera,
que no da amor plazer de otra manera.

Qual flaca y tierna hembra se lamenta,
50 midiendo tanto bien con su deseo,
ya la esperança en gloria le sustenta,
ya él rrehussa el pensamiento feo,
ya haze de sus penas poca quenta,
ya le entrega la vida por trofeo,
55 ya huye su rremedio, ya le espera,
que no da amor plazer de otra manera.

10 *Ms 3924* que no se enamora. — 18 *Ms 3924* porque entienda.

Este torpe romance se inspira en un fragmento del *Orlando Enamo-rado* (I, I, 20-35), en el cual muestra Boiardo a Reinaldos, Ferragut, Roldán y al mismo Carlomagno enamorados de Angélica en cuanto aparece la bella. Es de suponer que el texto está alterado, ya que las palabras de Roldán que anuncia el verso 32 no van inmediatamente a continuación. Acaso falta aquí una octava o algunos octosílabos.

2

REINALDOS DESPRECIA A ANGÉLICA

Ms 3168 de la Biblioteca Nacional, fol. 6 r°.

Sobre la ierva durmiendo
el de Montalván estaba,
el pecho de amor seguro
después que bebió del agua,
5   quando Angélica la bella
por la mesma parte pasa,
el pecho de amor ferido
después que bebió del agua.
Mirándole está y diciendo:
10 "¡Ai, vida de aquesta alma!
¿cómo dormís tan seguro
al pie desta verde haia?
   ¿Quién de esclavo os hiço libre?
¿quién a mí de libre esclaba?

15 ¡Maldito seas, Merlín!
¡maldita tu fuente y agua!"
Todo esto está diciendo,
y viendo si despertaba,
con flores, jazmines, rosas,
20 del christiano el rostro baña.
Al regualo que le hace
don Reinaldos despertaba,
y conociendo quién era,
en su Bayardo cabalgua.
25 Huiendo va del amor
que la dama le mostraba,
él se va y ella [...]
en la selva se quedaba.

15 *Ms 3168*, maldito seas, Milón [*sic*]. — 24 *Ms 3168*, en su Fagardo [*sic*]. — 27 El fin del verso resulta ilegible, por estar deteriorado el manuscrito.

Se inspira el autor de esta composición en unas octavas del *Orlando Enamorado* (I, III, 39-42). Acaba Angélica de beber en la fuente de amor, probó Reinaldos un poco antes el agua de desamor, lo cual explica la conducta del paladino y de la bella. El poeta español concluye acertadamente su breve relato con la huida de Reinaldos, desechando las largas quejas que le presta Boiardo a Angélica. Muestra el verso 12 una reminiscencia, consciente o no, del conocido romance *A cazar va don Rodrigo* (v. 12: *debaxo la verde haya. Cancionero de romances,* fol. 164 v°. Véase Durán, núm. 691).

BAUTISMO Y MUERTE DE AGRICÁN

3 a

Pliego Valencia 1589 (*Romancerillos de la Bibliothèque Ambrosienne*, en *R. H.*, XLV, 1919, p. 510 - 624, n.º 50).

En siendo Agricán vencido
de aquel valeroso Orlando,
y aviéndole con la espada
el yelmo desenlazado,
5 por cortarle la cabeça
sobre él está arrodillado,
y el moro dio en tal aprieto
señal de predestinado,
y con boz débil y flaca
10 a Roldán dixo turbado:
"Espera, fuerte guerrero,
que más bien te está aguardando,
suspende el golpe y vengança
de este fuerte braço ayrado,
15 que aunque de ti soy vencido,
no estoy de Dios olvidado.
Sabrás, fuerte cavallero,
que quiero ser baptizado,
para que el alma no pierda
20 el bien que le está guardado,
pues que Dios la a redemido
con su sangre derramando [*sic*],
pagando por mí la pena
en la sancta cruz clavado.
25 Libróme del captiverio
en que yva condenado,
y aunque mi reyno me quiten,
lo doy por bien empleado,
que en el cielo otro mejor
30 mi Dios me tiene guardado.

Quedad, cuerpo, en ora buena
de la tierra mamparado,
pues que el alma victoriosa
va a gozar otro reynado".
35 Orlando que está suspenso
a lo que el Rey está hablando,
alçó los ojos al cielo,
a su Dios las gracias dando,
y del mucho gozo llora,
40 de piedad señoreado.
Instruye al Rey en la fe,
y desque lo uvo enseñado,
fue por agua a una fuente
y en el yelmo la a tomado.
45 De que vino, halló al Rey
que de sed se está abrasando,
arrodillado en el suelo,
los ojos al cielo echando,
sus delicadas mexillas
50 perlas están derramando,
y dixo a Roldán: "Amigo,
¡quién tuviera a Mandricardo
aquí puesto de rodillas,
de fe y obras adornado,
55 porque gozasse del cielo
para donde fue criado!"
Luego Orlando tomó el yelmo
para aver de baptizarlo,
y Agricán le dixo: "Espera
60 oye lo que me as mostrado:

Creo en tu Dios eterno y verdadero,
ynmenso hazedor de lo crïado,
embïado del padre a ser cordero

y nascer de una virgen humanado,
65 el qual murió por mí en un madero,
y fue como hombre en tierra sepultado,
y que resuscitó dentro tres días,
y que verná a juzgar las culpas mías".

Se inspira el autor de este romance en un fragmento del *Orlando Enamorado* (I, XIX, 12-17). Bajo la pluma del romancista toman la conversión y la muerte del rey pagano el aspecto de una escena plenamente edificante que remata una paráfrasis del *Credo*.

3 b

Ms 3168 de la Biblioteca Nacional, fol. 21 rº.

En siendo Agricán vençido
de aquel valeroso Orlando,
y aviéndole con la espada
el ielmo desenlaçado,
5 por cortarle la cabeça
sobre él está arrodillado.
Viose el moro en tal aprieto,
seña de predestinado,
i ansí con amor crecido
10 a Orlando le está hablando:
"Suspende el guolpe y venguança
de ese fiero braço airado,
que aunque de ti estoi vençido,
no estoi de Dios olvidado.
15 Sábete, fuerte guerrero,
que quiero ser baptiçado,

dime lo que de mi parte
[a] hacer estoi obligado,
i harás tú de la tuia
20 lo que deves a christiano".
Orlando de guoço llora,
de piedad señoreado,
aceptado se lo a al Rei,
y desque le hubo enseñado,
25 fue por agua a una fuente
en aquel ielmo encantado,
con la qual baptiçó luego
a aquel guerrero tan brabo,
quedando con gran deseo
30 de estar siempre peleando,
si en premio del vencimiento
a de sacar un christiano.

Este romance es versión muy abreviada del precedente. Agricán confiesa su derrota y pide el bautismo sin hacer alarde de sus conocimientos teológicos. Con eso no queda alterado el sentido de la obra. Supo el autor de este arreglo dar al texto estimable brevedad narrativa.

4

MUERTE DE AGRICÁN

Séptima parte de Flor de varios romances nuevos. Francisco Enríquez. Madrid,
1595, fol. 112.
Romancero General 1600, 1604, 1614. Séptima parte.

Roja de sangre la espuela
de la yjada del cavallo,
rojo el pretal y la cincha,
y el freno hecho pedaços,
5　despedaçado el escudo
y el fuerte peto azerado,
y la espada hecha sierra,
sin vigor ni fuerça el braço,
abierta media cabeça
10　de un golpe de espada bravo,
que no pudo resistillo
el fuerte yelmo encantado,
junto a una pequeña fuente,
recostado en un peñasco,
15　estava el fuerte Agricán
para bolverse christiano.
Compaña le tiene a solas
quien le acompañó en el campo,

quando con armas yguales
20　de las suyas hizo estrago.
Allí le dio agua de fee
aquella invencible mano,
que nunca se vio vencida
jamás de ningún contrario.
25　Venía la noche oscura,
y el claro sol eclipsado,
con aguas y espessas nuves
turbando los ayres claros,
y con temerosos truenos
30　en los valles resonando
cubría[n] la negra tierra
relámpagos, piedra y rayos,
quando ya el christiano rey
el espíritu a dexado,
35　dexándole el cuerpo frío
al paladín en los braços.

7 *R. G. 1600, 1604, 1614* y hecha sierra la espada. — 14 *Flor* recostsdo
[*sic*]. — 17 *R. G. 1600, 1604, 1614,* compañía tiene a solas. — 18 *R. G. 1600*
quien la acompañó [*sic*]. — 25 *R. G. 1600, 1604, 1614* escura. — 27 *R. G.
1600, 1604, 1614* con agua.

Esta composición, que incluyó el *Romancero General,* tuvo mayor
éxito que la precedente. El autor no destaca la muerte cristiana de Agricán, en cambio se interesa más por el carácter caballeresco del combate.

APÉNDICE II

EL ROMANCERO DE RONCESVALLES Y LOS POEMAS ESPAÑOLES INSPIRADOS EN ARIOSTO

Observamos fácilmente, desde que salió a luz el *Romancero de Bernardo* (*Romancero tradicional de R. Menéndez Pidal*, I), la huella que imprimieron Ariosto y Boiardo en los romances de Roncesvalles compuestos a fines del siglo XVI. Más de una vez, aceptan los poetas el mundo carolingio que habían definido el *Orlando Enamorado* y el *Orlando Furioso*. El autor de *El invencible francés* (*Romances artificiosos*, núm. 13) recuerda las hazañas de Roldán en Albraca, su victoria sobre Agricán, sus contiendas con las magas; el de *La visera toda alzada* (*Romances artificiosos*, núm. 14) habla del "senador romano" y alude al combate de Rugero y Mandricardo. Sin dificultad se aducirían más ejemplos, pero es inútil hacer enumeración exhaustiva, por ser evidente el hecho.

Se desconoce en cambio el papel paralelo que tienen dos poemas españoles inspirados en el *Orlando Furioso*: *La segunda parte de Orlando* de Nicolás Espinosa y *El verdadero sucesso de la famosa batalla de Roncesvalles* de Garrido de Villena. Estas largas composiciones distan mucho de ser obras maestras. Con todo tuvieron muchos lectores y ejercieron sensible influencia sobre el romancero de Roncesvalles.

A.—Nicolás Espinosa, *La segunda parte de Orlando*, Zaragoza, 1555.

En el canto XI de este poema (fol. 55-57), entra Roldán en la cueva de Atlante, sobre cuyas paredes representó el sabio mago el desastre de Roncesvalles. Por ser el fragmento largo y de escaso valor poético, preferimos no reproducirlo. Es evidente que este episodio inspiró al autor del romance:

> La rota de los franceses
> por la espada de Bernardo,
> dentro de la cueva mira
> con furia y cólera Orlando
> ....
>
> (*Romancero tradicional. I. Romanceros del Rey Rodrigo y de Bernardo del Carpio*, Romances artificiosos, n.º 18, p. 243.)

B.—Francisco Garrido de Villena, *El verdadero sucesso de la famosa batalla de Roncesvalles*, Valencia, 1555.

Escribe Garrido de Villena octavas mediocres. Pero no siempre le falta cierto talento inventivo. Imagina un relato original de la batalla de Roncesvalles y le presta a Roldán muerte inédita. En su poema muere de dolor el héroe al presenciar el desastre de los franceses y la huida de Carlomagno:

> ....
> El Senador Romano que ve tanto,
> sobre el cavallo no se sosteniendo,
> par de una cruz se apea y se arrodilla
> de ver la dolorosa maravilla.
>
> ....
> Tan grande sintió en esto el agonía
> que casi en este punto se ahogava.
> Alçóse y vido a Carlo que huya,
> por cima el monte solo caminava,

a grande priessa el buen viejo corría,
no ve ninguno que le acompañava,
que quedan muertos tantos paladines
y con victoria tantos sarracines.
    Un ñudo se le puso en la garganta
de ver su rey, que no puede ayudallo,
la congoxa este punto ha sido tanta
que del todo a la fin vino a ahogallo.
El coro de los ángeles ya canta,
que en este punto vienen a tomallo,
y el alma de Roldán oy sube al cielo
que tan temida fue por este suelo.

(*Roncesvalles,* canto XXXVI, fol. 185 v° -
186 r°.)

Aunque se expresa en octavas sin arte, la idea es bella. Por eso la
recogió y la explotó el autor de *Por muchas partes herido.* Es muy conocido este romance, ya que lo utilizó Lope en *El casamiento en la muerte.*
Reproducimos a continuación los textos que de él poseemos.

1 a

MUERTE DE ROLDÁN

Ms 3924 de la Biblioteca Nacional, fol. 150 v° - 151 r°.

    Por muchas partes herido
yba el biejo Carlomagno
huyendo de los de España
porque le an desbaratado.
5 Los doze dexa heridos,
solo Rroldán a escapado,
que nunca ningún guerrero
llegó a su esfuerço doblado,
no podía ser herido
10 a caussa de ser hadado.
Al pie estava de una cruz,

por el suelo arrodillado,
diziendo está estas rrazones,
y con la cruz abrazado:
15 "Animosso corazón,
¿cómo te as acovardado
en salir de Rroncesballes
sin morir o ser bengado?
¡Ay, amigos y señores!
20 ¡cómo os estaréys quexando
que os acompañé en la vida
y en la muerte os he dexado!"

Y deziendo estas rrazones,
bio benir a Carlo Magno
25 y bio como el triste biejo
ba huyendo por un llano.
Tanto siente don Rroldán

aquello que está mirando
que alçó los ojos al cielo,
30 y con [la] cruz abrazado,
llorando de los sus ojos,
cayó en tierra desmayado.

6 *Ms 3924* solo don Rroldán a escapado. — 20 *Ms 3924* como estarás quexando. Corregimos según el texto de la *Flor.*

Se inspiró el autor de este romance en Garrido de Villena. La escena que describe es exactamente igual: compárense en particular los versos 11-12 y 25 con las octavas del *Roncesvalles.*

1 b

MUERTE DE ROLDÁN — O DE CARLOMAGNO [?]

Flor de varios romances nuevos. Tercera parte. Felipe Mey. Valencia, 1593, fol. 134 v° - 135 r°.

Por muchas partes herido
sale el viejo Carlo Magno
huyendo de los de España
porque le an desbaratado.
5 Los onze dexa perdidos,
solo Roldán se a escapado,
que nunca ningún guerrero
llegó a su esfuerço sobrado,
y no podía ser herido
10 ni su sangre derramado.
Al pie estava de una cruz,
por el suelo arrodillado,
los ojos bueltos al cielo,
desta manera a hablado:

15 "Animoso coraçón,
¿cómo te as acovardado
en salir de Roncesvalles
sin ser muerto o bien vengado?
¡Ay, amigos y señores!
20 ¡cómo os estaréys quexando
que os acompañé en la vida
y en la muerte os e dexado!"
Estando en esta congoxa,
vio venir a Carlomagno,
25 triste, solo y sin corona,
con el rostro ensangrentado.
Desque assí le vieron todos,
cayó muerto el desdichado.

Es este texto arreglo abreviado del precedente, con el cual coincide mucho tiempo de modo casi perfecto (v. 1-22). Los últimos octosílabos son muy diferentes y singularmente oscuros. Durán (núm. 398) retocó el verso 27 de tal manera (*desque así lo hubo visto*) que no cabe ninguna duda: el romance, de tener esta forma, trataría en efecto de la muerte de Roldán. Pero la corrección es perfectamente arbitraria. Se ofrecen dos hipótesis. Se puede suponer que el texto de la *Flor* no sufrió más que una ligera alteración y que sólo la forma exacta del verso 27 es contestable: en este caso cuenta el romance la muerte de Roldán. Pero también cabe suponer que el texto se truncó torpemente y que faltan varios octosílabos después del verso 26. Presentaría el autor en este pasaje otros franceses que presenciaran la huida de Carlomagno, y los versos 27-28 indicarían brevemente la muerte del Emperador.

La *Primera parte de la Silva de varios romances* (Granada, 1588, p. 129) incluye otra versión del romance que reproducimos a continuación:

Por muchas partes herido
sale el viejo Carlo Magno
huyendo de los de España
porque le han desbaratado.
5 Los doce dexava muertos,
solo Roldán se ha escapado,
que nunca ningún guerrero
llegó a su esfuerço sobrado,
no podía ser herido
10 a causa de ser hadado.
Al pie estava de una cruz,
por el suelo arrodillado,
los ojos puestos al cielo,
estas palabras hablando:
15 "Animoso coraçón,
¿cómo te has acovardado
en salir de Roncesvalles
sin quedar muerto o vengado?
¡Ay, amigos y señores!
20 ¡cómo os estaréys quexando
que os acompañé en la vida
y en la muerte os he dexado!"
Estas palabras diziendo,
vio venir a Carlo Magno.

1 c

MUERTE DE CARLOMAGNO

Lope de Vega, *El casamiento en la muerte*, jornada II, *Acad.*, VII, p. 278 b.

Por muchas partes herido
sale el viejo Carlomagno
huyendo de los de España
que le han desbaratado.
5 Al pie estaba de una cruz,
por el suelo arrodillado,
diciendo palabras tiernas
envueltas en duro llanto:
"¡Oh, Carlos triste! decía,
10 ¿qué es de tu esfuerzo pasado?
¿qué es de tus doce famosos,
que dieron al mundo espanto?
¿Adónde está don Roldán?
¿dónde el paladín Reinaldos,

15 Danés Urgel, Brandimarte,
Sansoneto, Astolfo insano,
Montesinos, Oliveros,
y Durandarte el gallardo,
el almirante Guarinos,
20 Gaiferos y el conde Naymo?
¡Ay, don Beltrán valeroso,
viejo noble, honrado y sabio,
por no tomar tu consejo
en Roncesvalles acabo!
25 Vendido me ha Galalón
¡Dios por ello le dé el pago!"
Diciendo aquestas razones,
cayó en tierra desmayado.

16 *Acad.* Alfonso insano. — 26 *Acad.* te dé el pago. Lope de Vega, *Comedias. Primera parte*, Valencia, 1605: le dé.

En *El casamiento en la muerte* muere Roldán a manos de Bernardo. Por eso, estima Menéndez y Pelayo, tuvo Lope que modificar el romance para incorporarlo a su comedia y atribuyó a Carlomagno las palabras y la muerte que el romancista prestaba a Roldán (*Estudios sobre el teatro de Lope de Vega*, C. S. I. C., III, p. 201). Puede que las cosas no sean tan sencillas y que conociera Lope una versión del romance que tratara ya la muerte de Carlomagno. De todas formas es verosímil que conociera Lope el texto que publicamos con el núm. 1 a, o un texto semejante, ya que el verso 28 de su romance coincide exactamente con el verso 32 de esta versión.

Lope dio al romance marcado carácter declamatorio. El gusto por la enumeración que tantas veces aparece en su obra le llevó a hacer que evoque el Emperador numerosos héroes carolingios celebrados por el romancero español o en los poemas italianos.

Este sugestivo romance tuvo gran éxito, como lo demuestran sus versiones múltiples y profundamente diferentes. Inspiró evidentemente al autor de *Apartado del camino*, composición recogida por Lucas Rodríguez (Durán, núm. 399), en la cual se leen los versos

> y estando en esta congoxa (v. 27)
> ....
> solo, triste y sin corona (v. 31)

tomados, con ligeros retoques, del texto de *Por muchas partes herido* que incluye la *Flor* de Mey. Puede ser por otra parte que el crucifijo al que se dirige Roldán en *Apartado del camino* (v. 8-10) sea transposición de la cruz ante la cual se arrodilla en *Por muchas partes herido*.

En la tradición definida por este mismo texto, igualmente se han de colocar dos romances inéditos que también cuentan la huida de Carlomagno en Roncesvalles: *Por un áspero camino / huyendo ba Carlo Mano* (Ms 3924 de la Biblioteca Nacional, fol. 148) y *Rotas las sangrientas armas / de la sangrienta batalla* (Ms 3168 de la Biblioteca Nacional, fol. 20 rº). Acaso percibió ya este paralelismo el autor del *Entremés de los romances*, pues Bartolo celebra en los siguientes versos las hazañas de Bravonel:

> Brabonel de Zaragoza,
> discurriendo en la batalla,
> *por muchas partes herido,*
> *rotas las sangrientas armas.*
>
> (E. Cotarelo y Mori, *Colección de entremeses, N. B. A. E.,* XVII, p. 161 a.)

ÍNDICE DE PRIMEROS VERSOS

Regalando el tierno pecho   96 a
Regalando el tierno vello   96 b
Reinaldo fuerte en roja sangre baña   91
Reinando en Francia   67 a
Rendidas armas y vida   66 ab
Reverencia os haze el alma   67 b
Roja de sangre la espuela   App. I   4
Rompiendo los aires banos   45
Rotas las sangrientas armas   65 ad
Rotas las soberbias armas   65 e
Rugier, qual siempre fui, tal ser yo quiero   53

Sangrientas las hebras de oro   51
Si Rugero se congoja   60
Sobre el cuerpo de Zervino   19 a
Sobre el herido cuerpo de Medoro   94 ab
Sobre el hielmo recostado   1
Sobre el laguo sanguinoso   68
Sobre el sangriento cuerpo de Medoro   94 c
Sobre la desierta arena   74
Sobre la ierva durmiendo   App. I   2
Subida en una alta roca   30 af
Subido en un alta cruz   30 g
Suelta las riendas al llanto   49
Suspenso y embelesado   84 b
Suspenso y embevecido   84 a

Bertiendo lágrimas bibas   31

Ya la aurora clara y bella   32 ab
Ya la blanca y roja Aurora   33
Ya sale de Montalván   50
Ya se parte el moro Urgel   41

SE TERMINÓ DE IMPRIMIR EL PRESENTE
VOLUMEN, DÉCIMO DE LA BIBLIOTECA DE ERUDICIÓN
Y CRÍTICA, EDITADA POR CASTALIA Y DIRIGIDA
POR DON ANTONIO RODRÍGUEZ-MOÑINO,
BAJO EL CUIDADO DE MARÍA AMPARO
Y VICENTE SOLER, EN VALENCIA,
EL DÍA 14 DE NOVIEMBRE
DE 1968